Annual
of the Institute
of Thanatology,
Toyo Eiwa University

死 生 学 年 報

2011

● 作品にみる生と死

東洋英和女学院大学
死生学研究所編

LITHON

目 次

目　次

死後の生
　　——死生学における〈宗教の領分〉——

金子みすゞの作品と生涯にみる生と死
——分析心理学の視点から——

福　田　　周

はじめに

　金子みすゞは、大正から昭和初期にかけて活躍した童謡詩人である。みすゞは、26歳という若さで亡くなったあと半世紀の間、人々から忘れられていた。しかし、近年同じく童謡詩人である矢崎節夫氏によって再発見された。代表作の「わたしと小鳥とすずと」にみられるように、その独特な視点と無垢な子どもの言葉で語られる詩の世界は現代人の心をとらえ、今でも新鮮な感動を与え続けている。

　一方で、みすゞの現実の人生は複雑な家庭背景に翻弄され自死に至るという、決して幸せとはいえない人生であった。みすゞの自死には夫との関係や病苦など様々な要因が絡んでいるが、そうした外的な要因ばかりではなく、みすゞ自身の性格的要素もあげられるのではないだろうか。ここでは、分析心理学[1]的な視点を用いて、みすゞの性格傾向と作品の創作過程の関連を振り返りつつ、自死に至ったみすゞの内面の思いについても性格傾向を軸に検討していこうと思う。

1．金子みすゞの生涯

　まずはじめに、みすゞの生涯を矢崎による資料『童謡詩人　金子みすゞの生涯』[2]をもとにしてまとめてみることとする。

　金子みすゞは、本名をテルといい、明治36年4月11日、父庄之助、母ミチの長女として山口県大津郡仙崎村に生まれた。なお、この章はみすゞの生涯を記載するため、本章のみみすゞではなくあえて本名のテルを用いることとする。金子家は当時2歳上の兄堅助、祖母ウメがおり、さらに2歳下に弟正祐が生まれる。父親は渡海船の仕事をしていたが、下関で大きな書店

を営む義弟上山松蔵（母ミチの妹フジの夫）の勧めで支店長として清国に渡った。折しも日露戦争後の不安定な情勢の中、明治39年反日運動の煽りを受けて、父庄之助は何者かに殺害されて31歳で亡くなる。テルはまだ3歳にも満たない頃であった。翌年、2歳下の弟正祐は松蔵のもとに養子に出され、母ミチは本屋を開いて一家を支えることとなる。ミチは明るく働き者であると同時に賢い女性であり、幼い頃からテルに目に見えないものの存在を教え、ものの見方や表現の仕方を教えた。

　明治43年、テル7歳のときに瀬戸崎尋常小学校に入学する。小学校時代首席を通すほど知的に優秀で、本が好きな大人びた子であった。一方で、近所の子どもたちと花摘みをしたり、ままごとをしたりする明るい少女でもあった。大正5年、テル13歳のときに郡立大津高等女学校に入学する。女学校でも際立った優等生で、卒業生総代も務めている。当時の担任はテルのことを内向性の性格ではあるが、心持豊かな、友達を愛し、礼を尽くす、本当に優しく丁寧で、色白でふっくらとしたきれいな少女だったと語っている。テルは友達の他愛のない噂話や悪口を聞くのが好きではなく、どちらかというと人間関係よりも本の世界、自然の世界へ気持ちが行きがちな子どもであった。思春期に入ると、テルは緩やかに他者に心を閉ざしていく。それでも温かな人柄から人に好感を与え、変わり者という評価はない。また、田辺ほほよという大親友ができ、充実した学校生活を送っていた。大正7年、テル15歳のとき、松蔵の妻である叔母の上山フジが病で突然亡くなる。その後妻として母ミチの名前が挙がり、翌大正8年に、母は松蔵と再婚して下関へと移り住んでいった。金子家は兄の堅助、祖母のウメ、テルの三人家族となる。テルは大正9年に卒業生総代として女学校を卒業する。当時、先生からは高等師範学校に進んで教員になることを勧められるが、職員室の雰囲気が自分には合わないからとその勧めを断っている。

　母ミチが上山家に入ってからも、松蔵はミチに正祐の実の母であることを秘密にさせた。どうしても自分の血を分けた跡取り息子として正祐を育てたかったからである。正祐は、ミチを伯母である新しい母と思い、堅助とテルを年の近い従兄姉と信じていた。一方、堅助とテルは事実を知っており、幼い頃別れた弟の事情を何時も気にかけて接していた。

　大正12年、兄堅助が結婚することとなり、テルは兄夫婦の住む金子家を出て、下関の母のもと、つまり上山家へと移る。テルは当時20歳であった。

　母の勧めもあり、テルは上山文英堂の支店「商品館」の店番をまかされることとなる。こうしてテルは母そして弟と一緒に暮らすことになるが、一方で松蔵からは正祐に「姉弟」であることを絶対に明かしてはならないといわれ、使用人として引き取ったのだから正祐を坊ちゃん、松蔵を旦那さんと呼ぶように命ぜられてもいた。しかし、テルは大好きな本に囲まれて、好きなときに好きなだけ本が読める生活に満足していた。当時は大正デモクラシーという人々の表現の志向が芸術運動として展開されていった時代であり、特に童謡の世界は隆盛を極め、北原白秋、野口雨情、西條八十らを中心として、『赤い鳥』『童話』などの雑誌が出版されていた。テルもこうした雑誌を読み、特に西條八十の童謡に心を打たれ、自分も童謡を書いてみたいと思うようになり、はじめて童謡を自作して投稿する。そのときのペンネームが「金子みすゞ」である。投稿された童謡は雑誌すべてで選ばれ、掲載された。童謡詩人としての金子みすゞの誕生である。『童話』では、「お魚」と「打ち出の小槌」が選ばれ、西條八十からは「どこかふっくりした温かい情味がうた全体を包んでいる」と特に推薦された。みすゞは掲載されたことに関してその感激を『童話』の通信欄に以下のように書き送っている。

　　「童謡と申すものをつくり始めましてから一ヶ月、おづおづと出しましたもの。落選と思ひ決めてそれを明らかにするのがいやさに、あぶなく雑誌を見ないですごす所でした。嬉しいのを通りこして泣きたくなりました。ほんとうにありがとうございました。」3)

　以降次々と作品を投稿し、毎月何編もの作品が選ばれ、西條はそのたびに絶賛した。西條だけではなく、同世代の読者や投稿詩人たちの心も捉え、テルは憧れの星となる。テルは童謡詩人としてデビューする一方で、私生活では大きな出来事に見舞われる。
　大正14年、テル22歳のとき、大親友であった田辺が身重のまま体調を崩し亡くなる。また、テルには意の沿わぬ結婚話が持ち上がっていた。松蔵は、正祐が店を継げるようになるまで、繋ぎとして店を任せられる人物を探していた。そして、テルを実の姉とは知らずに接する正祐の態度を心配もし、はやくテルを結婚させたかったのである。テルの結婚相手は、上山文英堂で手代格として働いていた宮本啓喜であった。大正15年2月17日に結

婚式が行なわれる。テルと宮本は上山文英堂の二階に住むこととなる。テルは翌月西條八十の帰国にあわせて再び『童謡』へ投稿するようになる。しかし、今度は『童話』自体が7月号で突然廃刊となってしまう。一方、テルの作品の評価は高く、童謡詩人会に認められ、「大漁」と「お魚」が『日本童謡集 1926 年版』に掲載されることとなる。当時の一流詩人たちを会員としたこの会で、女性で会員となったのは与謝野晶子につぎ二人目の名誉であった。

童謡詩人として中央で注目を浴びながら、実生活では結婚して数ヶ月で早くも離婚話が持ち上がっていた。夫の女性関係が松蔵に知れたためである。夫の宮本は、結婚前にも芸者と心中未遂事件を起こすなど、商才はあるが女性関係にふしだらで遊郭通いの絶えない状態だった。また、弟の後継問題も絡み夫と叔父の関係が悪化したため、テル夫婦は書店を辞めて追われるように店を出ることとなる。テルが宮本との離婚を思いとどまったのは、このとき妊娠していたためである。大正 15 年 11 月 14 日に、長女ふさえが誕生する。子どもの誕生後、テルは誰から見ても明るく元気になったという。童謡も西條が主宰する雑誌に投稿するくらいとなり、何よりふさえを大事にした生活をこれ以降テルは送ることとなる。しかし、夫は仕事が定まらず転居を繰り返す日々を過ごし、次第に家に収入を入れなくなり、また、帰ってこなくなっていた。昭和2年、テル 24 歳のとき、祖母ウメが死去。さらに、テル自身も淋病を発病し、寝たり起きたりの暮らしとなる。淋病は夫からうつされたものであった。当時はまだペニシリンが発見されておらず、淋病は放置すれば死にいたる病であった。それでも詩作を続けるテルだったが夫はそれを好まず、ついには一切の文通を禁じ、童謡を書くことも禁じた。このときテルはこれまで書いてきた作品を三冊の手帳に清書し、師である西條と、正祐に送る。これ以降テルは詩作を行なわなくなる。その後、夫の始めた菓子問屋の仕事は順調になったが、女遊びが激しくなり、テルはついに自分が至らないからと病状の悪化に伴い離婚を申し出て、昭和5年2月にテルは正式に離婚する。そのときに出した条件は、娘のふさえを自分で育てたいということであった。

離婚後テルは上山文英堂に戻るが、まもなく一旦は承諾した宮本から再三娘のふさえを引き取りたいという手紙が来るようになる。しばらくテルはそのままにしていたが、ある日いつもと違う文面の手紙が届く。それは「3

月 10 日にふさえを連れて行く」という内容であった。当時親権は父親にし
かない時代であり、連れに来られたら拒むことができず子を渡すしかなかっ
た。3 月 9 日、テルは一人で写真を撮りに行き、神社に参り、買ってきた桜
餅を母と娘とともに食べ、夕食後に娘を風呂に入れた。風呂では自分は一緒
につからず、ただたくさんの童謡をふさえに歌ってやった。そしてふさえは
ミチと一緒に床につき、テルは二階の自室に上がろうとしたが、ふとふさえ
の寝顔を覗き込んだまま、しばらく階段の中ほどから動かなかった。そのと
きテルは「かわいい顔して寝とるね」といい、これがテルの最後の言葉と
なった。テルは枕元に最後の姿を写した写真の預かり証と三通の遺書を残し
て睡眠薬を飲んだ。一通は夫宛で、あなたがふうちゃんにしてあげられるの
はお金であって、心の糧ではない。どうか私を育ててくれたように、母にふ
うちゃんを預けてほしいと。一通は母ミチと叔父松蔵に、くれぐれもふう
ちゃんのことをよろしく、今夜の月のように、私の心も静かですと。昭和 5
年 3 月 10 日、テルは 26 歳の短い生涯を終える。死後、ふさえは遺書の通
り祖母ミチのもとで育つことになる。

2．みすゞの作品と性格傾向

みすゞの詩の題材となるのはささやかなありふれた日常であるが、みすゞ
独特の視点によって、それらはファンタジーに満ちた世界へ変貌する。その
中ではしばしば太陽、光、生と対比された形で月、影、墓や弔いが描かれ
る。こうした生と死という両極端の視点が同時に起こるような視点が眼を引
き、しかも、子どもの言葉で語られることによって、ある種の温かさや懐か
しさがそこに漂っている。みすゞの詩の特徴を生み出す背景として、みすゞ
の類まれな直感力とイマジネーションの力をあげることができようが、さら
に、みすゞの性格傾向にその影響をみることもできると思われる。渡辺由紀
子[4] が述べている通り、みすゞは子どもの頃から従順、真面目で、感受性が
豊かであり、自然への親和性を示すその性格傾向は生涯変わらない。ユング
（Jung, C.G.）のタイプ論でいうところの内向性の傾向の強い性格であると
いえよう。
　ところで、分析心理学の創始者であるユング[5] は、自身の性格理論を構
築する際にフロイト（Freud, S.）とアドラー（Adler, A.）の態度を比較し、

フロイトはその個人の外界における人間（家族）や事件（外傷体験）を人間の行動を規定する要因と考えるのに対して、アドラーはその人の内的な要因つまり権力への意思を重視して対立した点を重要視した。つまり、同じ現象でもその人の現象への基本的構えが異なれば、その考え方も見方も変わるということである。その後ユングは、この二つの構えが単に対立しているものではなく、補い合う心的機能であることを発見する。内向とは自分の動機づけが主に自分自身の内面から出てくるもの、つまり関心が内界の主観的体験に向かいやすい人の態度である。一方、外向とは動機づけが主に外部から来るもの、つまり関心が外界の事象や人に向けられやすい態度である。すなわち内向も外向も態度であって、両者はいろいろな割合で個人の中に存在する。同一人物に程度の差はあれ内向的態度と外向的態度はあり、また、人生の中でその構えが変化することもありうる。もちろん中間型のほうが多いが、大体はどちらかの態度が習慣的に現れ、片方は無自覚な場合が多い。それではみすゞの場合には、こうした内向性の態度がその生涯と作品にどのような形で表れているのかをここで考えてみよう。

　みすゞの内向的性格は、小学校時代では優等生として周りから評価される。女学校時代になると、まわりの同年代の子どもたちの積極性、外向性、衝動性に負担感を感じ始めたのであろう、みすゞは徐々に対人葛藤から身を引き、書物への没頭、自然への一体感へ関心を狭め、その自分のイマジネーションが作り出した幻想の世界で遊ぶことが多くなる。たとえば、詩1「学校へゆくみち」という詩をここで取り上げてみよう。

詩1「学校へゆくみち」
学校へゆくみち、ながいから
みちで誰かに逢はなけりゃ
だけど誰かと出逢ったら
すると私はおもい出す、
田圃がさびしくなったこと。
だから、私はゆくみちで
そのおはなしのすまぬうち
御門をくぐる方がいい。[6)

いつもお話、かんがへる。
学校へつくまでかんがへる。
朝の挨拶せにゃならぬ。
お天気のこと、霜のこと

ほかの誰にも逢はないで、

　学校に登校する道すがら、みすゞは一人自分の心の中であれこれ想像をして歩いている。その時の関心事は級友ではなく、自然の風景である。つまり、関心は自身の内面に起こる考えや感覚なのであって、その際、誰かにあって挨拶をすることはその内面の想像を中断させる邪魔な出来事なのである。孤独が好きということではなく、関心が内面に深く沈降しやすい内向的態度が顕著であるがゆえの一人の道行なのである。内向的性格の傾向は、学校時代を謡った次の詩2「転校生」をみてもはっきりとわかる。

　詩2「転校生」
　よそから来た子はかわいい子、どうすりゃ、おつれになれよかな。
　おひるやすみにみていたら、その子は桜に　もたれてた。
　よそから来た子はよそ言葉、どんな言葉で　はなそかな。
　かえりの路でふと見たら、その子はお連れが　出来ていた。⁷⁾

　みすゞは、転校生を意識しつつも、すぐには声をかけられず、どう声をかけたらいいのかを心の中であれこれ考えはじめる。そうこうするうちに、ほかの子が先に声を掛けてしまい、友人を得るチャンスを逸する。外向的な人ならまず関心を持った時点で深く考えずに声をかけるのだが、内向的な人は「こんなときはどうふるまえばいいんだろう」とあれこれ自分の考えにとらわれてなかなか行動に移せない。内向者が対人関係に消極的・非社交的であるといわれやすいのは、外向者とは違ったこうした態度のゆえである。外界への関心をもちつつも、それをそのまま感受するのではなく、一旦自分の内面に取り込み、自分の視点でその意味を見出そうとするわけである。こうした態度は対人関係などの積極性では外向者に先を越されてしまうが、長所となる場合もある。その面がよく表れている詩が次の詩3「不思議」である。

　詩3「不思議」
　私は不思議でたまらない、黒い雲からふる雨が、
　銀にひかっていることが。
　私は不思議でたまらない、青い桑の葉たべている、蚕が白くなることが。
　私は不思議でたまらない、たれもいじらぬ夕顔が、
　ひとりでぱらりと開くのが。

私は不思議でたまらない、誰にきいても笑ってて、
　あたりまえだと、いうことが。[8]

　外向者は外界をそのまま受け入れることが得意であり、それを享受するす
べをたくさんもっている。しかしそれゆえ、えてして根本的な疑問をもたず
に現実を過ごしてしまいがちである。つまり、それは「当たり前」であっ
て、そもそもそれはなぜそうなのかとは考えようとしないのである。考えて
いてはそれをそのまま楽しめない。みすゞの視点はそうした人にとって意外
性をもった視点を提供してくれる。そもそもそれはなぜなのか、どうしてそ
うなるのか、自分にとってどういう意味があるのかと不思議がるこころの態
度がみすゞにはある。幼い子供がある年代になると盛んに「どうして？」と
親に質問攻めをするが、それはその子にとって世界が意味のある世界に開か
れたからであり、新鮮な驚きと関心をもって、外界と自分の考えをしっかり
関係づけようとするきわめて主体的で積極性を持った態度である。このよう
に、みすゞは基本的には内向的態度が強いわけだが、決して外向的態度が欠
けているわけではない。両者の態度がみすゞのこころの中で相補的に混ざり
合いバランスをとっている。詩4「次からつぎへ」はそのこころの態度の揺
れがよく表れている。

　詩4「次からつぎへ」
　月夜に影踏みしていると、「もうおやすみ」と呼びにくる。
　　（もっとあそぶといいのになあ。）
　けれどかえってねていると、いろんな夢がみられるよ。
　そしていい夢みていると、「さあ学校」とおこされる。
　　（学校がなければいいのになあ。）
　けれど学校へ出てみると、おつれがあるから、おもしろい。
　みなで城取りしていると、お鐘が教場へおしこめる。
　　（お鐘がなければいいのになあ。）
　けれどお話きいてると、それはやっぱりおもしろい。
　ほかの子供もそうかしら、私のように、そうかしら。[9]

　内向－外向はみすゞの中にも独特のバランスで共存している。詩4は、

関心は主に自分の内面に向けられるが、一方で、外的刺激に対してまったく無関心ということではなく、「学校に行ってみると友達がいるからおもしろい」と、それなりに皆と同じように外界との接触を楽しんでいる。つまり、習慣としては内向性が優っているということなのである。

　ところで、内向者の性格特性として外界の環境に対する従順さというものがあげられるのだが、みすゞもまた、学校でも家庭でもいい子であり従順な女性であった。でしゃばり、野心などとは程遠い態度である。家族背景の複雑な変遷にもみすゞは黙ってそれに従うことを常としている。一方で、内向者は普段は過度に自信なさげで従順そうに見えるが、一旦思いこむと少々の障害にはたじろかない態度をとるときがある。それは自身の内面の態度が表に出た時である。ただ、自分の内面で体験したものを適切に表現することが内向者はえてして難しいので、普段は周りにあわせて生きているのである。しかし、一旦自分の内的体験を他者に伝えるすべを得られたなら、それは創造性豊かな個性として活かされる場合がある。内気で夢見がちな少女であったみすゞが大きく変貌するのは、兄の結婚を契機に小さな書店の店番をするようになってからである。そこで童謡の世界を知り、自らのイマジネーションを外に表現する手段を得る。これまで様々な運命に従順であったみすゞが、はじめて自分の意思で自らを能動的に語り始めたのである。この時期がみすゞにとっては最も幸せな時期だったのかもしれない。その様子は詩5「砂の王国」にも表れている。

　詩5「砂の王国」
　　私はいま　砂のお国の王様です。
　　お山と、谷と、野原と、川を　おもう通りに変えてゆきます。
　　お伽ばなしの王様だって、じぶんの国のお山や川を、
　　こんなに変えはしないでしょう。
　　私はいま　ほんとにえらい王様です。[10]

　この詩は子どものお砂場遊びをモチーフにして、自分の内的イマジネーションを形あるものへと自由に想像する喜びが謡われている。砂の王国は一方で、現実の王国ではなく砂上の城のごとく脆く崩れ去る幻でもあるが、内面の想像とはまさにそのような存在であり、変幻自在に産まれては消えてい

く変容の器でもあろう。ところで、心理療法の技法の中に箱庭療法という技法がある。これはまさに砂の器の中でこころの内面のあり様を外に表現し、またそれを内的に味わう体験を通して、より自身の内界との対話を促進させる技法なのであるが、みすゞにとって詩とはまさにそうした体験であったと思われる。しかし、再びみすゞに過酷な外的現実が押し寄せる。それが意に沿わぬ結婚である。

3．みすゞの生き方と死

　みすゞの自死は現代の視点から見れば納得のいかないことに思われるが、時代の影響や家族関係の複雑さがそこには強く働いていることは明らかであろう。しかし、さらにこれまで述べてきたみすゞ自身の性格や考え方をその背景としてとらえてみることもみすゞの自死を考える上で重要なことなのではないだろうか。

　みすゞは早くして父を失い母親の手で育てられるが、みすゞの不幸のはじまりは、この母親との別離に負うところが大きい。思春期の16歳のときに母親が再婚をするが、養子に行った弟の事情もあり、母を母として呼べない複雑な事情をみすゞは抱え込むこととなる。父親代わりの兄堅助に守られながら母親不在の生活を過ごし、兄の結婚を期に再び母との生活が取り戻される。しかし、弟のことがあり、本当の母でありながらそう呼べない事情はあいかわらず続く。つまり、父、弟、母、そして兄とみすゞにとって大事な対人関係が次々と失われていく。それをみすゞは運命として静かに従う生き方をする。結婚する前の叔父の家での生活は、「使用人」としてぽつんと一人店番をする生活となっていたわけであるが、先述したように、それはみすゞにとっては外的には孤独であるが、内的には逆に豊かな想像の世界を生み出すことになる。現実の生きづらさの中、みすゞは童謡の世界という内的イマジネーションに自分の思いを託し表現することで、心のバランスをとっていたのであろう。

　さらに、結婚後には親友も失い、夫とのこころの関係は冷え切り、さらには夫から一切の創作を禁じられたみすゞにとって、意味のある外的対象は子のふさえだけとなった。つまり、みすゞに唯一残された希望は、ふさえの母として生きることであったのではないだろうか。その思いが表れていると考

えられる以下のような言葉が、女学校の同窓会誌に寄せた消息欄に残っている。

> 「唯子供が一人それが始めでそれが終わりで御座います。あの頃日輪の高さにまで翔けた空想も今は翼を失ひました。残った者は一人のおろかしい『母』それだけでございます……」[11]

ところで、みすゞの作品の中には母のイメージを謡った詩は多くあるが、そのうちのひとつをここで取り上げてみよう。

詩6「土と草」
母さん知らぬ　草の子を、なん千万の　草の子を、
土はひとりで　育てます。
草があおあお　茂ったら、土はかくれて　しまうのに[12]

この詩6は、土と草を謡ったものであるが、明らかに子を育てる母の心情を謡ったものである。みすゞはこの詩でひたすら子の成長を第一にすべてを捧げる母の強さを謡っている。そもそも土とは豊饒性そのものであり、自然界での母なるものである。それは包みこみ育む女性の強さでもある。

　子の母として生きる決意をしたみすゞは、それ以降創作をやめる。唯一創作に代わるものとして死の5ヶ月前から1ヶ月前まで続けられた子ふさえの片言を拾い集めた日記「南京玉」が残されている。ひたすら子の話した言葉をそのまま書きつけているものだが、後半はみすゞにとってはつらい言葉がつづられるようになる。たとえば、「オ母チャン、ネンネシタライヤン、暗イトキネンネスルノヨウ」、「オ母チャンノオモシロイオ話イヤン、オバアチャンノオモシロイ話ガマダオモシロイヨ」、「シャボントオ花アゲルカラオ母チャンインデオカヘリ」、「オ母チャン、サヤウナラ、ヒトリデオカヘリ、ヤマカラオカヘリ、マチカラオカヘリ」といった内容である。[13]

　この頃、みすゞの体調は思わしくなく、一日中床に伏すことが多くなっていたため、ふさえは祖母の家で過ごすことが多くなり、母みすゞとの接触が少なくなっていた。無邪気な子どもの言葉ではあるが、みすゞにとって唯一の生きる希望である娘からあからさまに拒否されることは心に深く痛手を

負ったと想像される。さらに、追い討ちをかけるように夫からの娘の引取りを迫られたとき、みすゞに残された希望は、自分の命をとしてもふさえが懐いている祖母つまり自分の母に子を託すことだったと想像される。ところで、振り返れば祖母もまた家の都合に翻弄され、自分の娘を娘としてしっかり育む機会を奪われた母であり、託された孫娘はいわばテルという自分の娘の生き写しでもあったであろう。

　みすゞは当時の時代の女性としては常識外れの生き方をした。しかし、それはあえてそうした生き方を選択したということではなく、そういう生き方しかできなかったゆえである。知的に優秀で才能のある彼女がもし外向的な関心を女学校時代にもっていれば、先生の勧めの通り教師になっていたかもしれない。しかし、みすゞはそのような社会人としての自分を想像できなかったのだろう。書店の店番として一人の世界に安住し、社会から緩やかに離れ、自分の内的世界に没頭できる環境をみすゞは選んだ。この時代が、彼女にとってはもっとも幸せで自分らしい生き方だったはずである。しかし、みすゞの意思とは関係なく外的圧力が運命をかえる。意に沿わぬ結婚を通して、みすゞは「母」として生きる決意をする。そうさせたのは詩６の創作でもあきらかなように、みすゞ自身に母なるものへの親和性があったからであろう。しかし、みすずは結果的には子を育てる母にはなりえなかった。自死を選んだみすゞのこころのうちにはどのような思いがあったのだろうか。

　子の引き取りを迫られた時、みすゞの取りえた選択肢は、単純に考えると①子を捨て、自分が生きる（子を夫に渡し、自分は自分の人生を始める）、②子を生かし、自分も共に生きる（子を夫に渡さずこのまま子どもと一緒に生きる）、③子を殺し、自分も死ぬ、④子を生かし、自分は死ぬ、の４つが考えられる。①は、母として生きる選択を離婚の際にすでにしているのでありえないであろう。②は当時の親権制度上現実的に不可能なことである。③の選択は、実は当時の一般的な母親の自死のあり方であった。当時、みすゞのように不遇の運命に見舞われ自死する母親も多くいたが、多くは子を道連れにしての自死である。「残される子が不憫」という母の情愛ゆえの殺人である。つまり、この世で一緒になれない代わりにあの世で一緒にいようとする母の思いが背景にある。母なるものの強さには影がある。この世の善悪の基準を超えて、すべての生き物を産みだし育むという母なるものの強さは、裏返せば、この世の善悪の基準を超えて、すべての生き物を土にかえす（死

16

に至らしめる）強さでもある。先の選択肢の③の心中は、母なるものの影の強さによるものであろう。みすゞは、「おろかな母」でありながらも、母なるものの影に呑まれず、みすゞという一個の私として、自分のすべきことの最善を尽くしたいという信念があったのではないだろうか。つまり、当時心中が当たり前というあり方を、当たり前とそのまま受け取らず、本当に自分にとってどのようなことが今意味あることなのかを考える内向者の視点が強く働いていたのではないだろうか。④の選択は、子を思う情に裏打ちされた「考え」であり、やはり内向者の持つ常識にとらわれない強さでもある。ちなみに、みすゞの自死は当時世間的には無責任な行動であると批判されている。[14] しかし、みすゞの自死は、無責任な衝動的行動ではないだろう。逆にある強い意志と意図をもった積極的な行動だったのではないだろうか。

　みすゞは自死にあたって「遺言」を残している。この遺言によってこの世の論理、つまりは親権制度をみすゞは超越した。事実、その後ふさえは父に引き取られることなく、みすゞの遺言どおりに祖母のミチの元で育てられることになる。当時の親権制度は家父長制度に支えられ、父親に絶対的な養育権利が与えられていた。母側からそれを拒絶することは常識的には困難なことであった。父親の元での養育に絶望を抱く母親は、この世での子の不憫を考え、それならばいっそあの世でともに生きようと、苦渋の選択として心中を選ぶことが多かった。みすゞにしても、ふさえがこのまま父親の元へ連れ去られることには反対だったわけであり、それは、夫への遺書の中の言葉にもよく著されている。父宮本がふさえにしてあげられることはお金であって、心の糧ではないという言葉は、みすゞがふさえにとって何が一番幸せなことなのかをはっきりと考えていたことを示している。そして、その心の糧を与えられるのは、病気のために娘との十分な関わりを持てない自分の代わりに、ふさえに愛情を注ぎ大事に育ててくれている母ミチであるとみすゞが考えたのは当然のことであろう。親権制度そのものを適用すれば、宮本はふさえを自分の手元に置くことは可能であったはずである。しかし、そうできなかったのは、遺言の内容がそれぞれ当人にとって正鵠を得るものだったからに相違ない。死者の言葉は、訂正不能の「永遠」の拘束力を持つにいたる。「遺言」という内面の態度の表明によって、子どもを守る母親としてのみすゞの意思は死してなお生き続けることができたのではないだろうか。内向者の持つ常識にとらわれない強さあるいは頑固さがその死に生を与えてい

るとも思える。そこまでしてみすゞが子を自分の母に託すこと望んだことに
はいったいどんな思いがあったのであろうか。その可能性を示すかもしれな
い詩を最後に取り上げたい。詩7「こころ」である。

詩7「こころ」
お母さまは　大人で大きいけれど、　お母さまの　おこころはちいさい。
だって、お母さまはいいました。　ちいさい私でいっぱいだって。
私は子供で　ちいさいけれど、ちいさい私の　こころは大きい。
だって、大きいお母さまで、まだいっぱいにならないで、
いろんな事をおもうから。[15)]

　詩7は、親の子を思う心情と親の世界を飛び出してより広い世界に成長
していく子どもの飛躍が語られている。子どもの自立のテーマが見事に謡わ
れている。子どもでいっぱいの母は、えてして自分の狭い世界で子どもの幸
不幸を決めてしまう。心中の背景にはそうした母中心の思い込みがある。一
方、子どもは母を大事にしつつも、母以外の世界へ目を向けて歩みだす可能
性に満ち溢れている。みすゞはそうした可能性を娘に見出し、自身の生きた
かもしれない人生の可能性を娘に託し、そして自分がそうであったように、
その可能性を育むことができる自分の母に自分の子ども託したかったのかも
しれない。

おわりに

　みすゞの生涯と作品を通して彼女の性格傾向を検討し、分析心理学的視点
からみすゞの性格傾向は内向性が優位であり、関心が常に内界の主観的な体
験に向きやすい傾向であることが明らかとなった。その内向的な態度は他者
からみれば消極的で従順な態度とみられやすい。事実、みすゞは家庭の複雑
な関係の変化に対して強く反発して積極的に行動を起こすということはせ
ず、他者の意向に沿って従順に生きてきた。しかし、みすゞは童謡の世界に
触れたことで、これまでただ自分の内界に空想としてしまい込まれていた主
観的体験を外に表現する方法を学んだ。つまり、自分の内面を適切に表現す
る術を得たのである。それは外面的あるいは常識的な発想ではなく、まさに

みすゞの内面での体験であるがゆえに個性的な表現であり、それがまた他者をも感動させる。みすゞの童謡は自身の主観的感覚を通したものであるがゆえに他人が真似できない独創的な表現なのである。そして、童謡を通して自分の内面の思いを他者に伝えることによって、みすゞは他者からの共感と評価という機会を得る。これは自分の主観的あり方そのものが他者に受け入れられ認められたという体験に他ならず、みすゞにとっては自分がこの世に存在する意味や価値といったものをはっきりと手ごたえとして感じられた機会であったに違いない。しかし、夫との不幸な関係によって創作の機会をみすゞは断たれてしまった。

　詩作という自己表現の機会を失いはしたが、みすゞは以前のように黙って周りに従うだけの消極的なあり方をしなくなった。離婚を決意し、自分のこれからの人生を子のために生きようと決めたことは、決して受動的な態度ではなく、みすゞ自らが主体的に考え行動した結果であった。だが、病いがそのみすゞの思いを挫く。しかし、そのことによって生きる目的を失い絶望の末に衝動的に自死に追い込まれたのではなかった。みすゞの自死は、娘の将来を考えた末の主体的な選択だった。遺言にその内なる思いが込められており、それは娘には物質的な糧ではなく、心の糧を与えたいという思いであった。みすゞ自身内向的であるがゆえに、こころの内面の大切さを十分に知っており、また、こころの内面のあり方を大事にし、育んでくれた自分の母に子を託すことが、みすゞに自死を選ばせた要因だったのではないだろうか。

　ところで、子を残して自死する母というあり方は、当時の世間では無責任で愛情のない母とみなされてしまう。事実みすゞの自死は世間では無責任な行動と誤解されて報道されている。その後遺族の間でもみすゞの自死は娘には秘密にされていたようである。

　後の矢崎によるふさえへのインタビュー[16] において娘のふさえは、母の自殺を知らずに祖母のもとで育ち、のちに偶然見つけた母の遺書を読んでその事実を知ったそうである。また、その意味を知らぬまま毎年3月9日に祖母と一緒に母を偲んで桜餅を食べるのが行事となっていたそうである。母の自死の事実を知る前は、ふさえは自分を置いて死んでしまった人としか母を思えなかったらしく、自死を知った後もしばらくは、やっぱり自分を置いていってしまったんだと感じていたそうである。しかし、自分も母になり娘ができると母の気持ちが理解できるようになったと述べ、母は人殺しをしな

いで死んだんだと思えるようになったという。当時の世間一般の風潮からすれば、子を残して自分だけ死ぬ母親は母親としてふさわしくない行動であった。残される子の不憫を思えば心中を選ぶのが自然であった。特に外向的な人であれば、まず自分の思いよりも自分の行動が外からどうみられるか、それは対外的にふさわしい行動なのかを気にしやすい。もし、みすゞが自分の内面よりも対外的なことに関心を強くもつような性格だったならば、心中を選んでいたかもしれない。しかし、みすゞは子を残して自分だけの死を選んだ。それは、彼女が内向性が強く、先述したような自分の内面の思いに強く関心を持ち、世間体より自分が何を良しとするかを大事にするこころのあり方を貫いたからではないだろうか。ふさえはそうした母の内面の思いをはじめのうちは理解することができず、世間一般的な意味でしか母の死の意味をとらえることができなかった。幼くして母と別れたふさえは、母の思いを直接聞くことができなかったのであるから理解できないのは当然であろう。しかし、ふさえもまたみすゞと同じ子の母となり自分の子への様々な思いやこころの葛藤を経験するなかで、自分の母の本当の思いに気づけるようになったのではないだろうか。ふさえの「母は人殺しをしないで死んだんだと思えるようになった」という言葉は、みすゞの内に秘めた思いを、子がしっかりと理解し、そして生きた証に思えてならない。

注

1) 分析心理学とは、スイス生まれの精神科医であるユングが、学問上の対立によってフロイトから離反し、1913年に独自の精神療法理論を展開し、それを分析的心理学 (analytische Psychologie) と名付けた。ユングは、無意識を2層に分け、個人的無意識と人類に共通してみられる普遍的無意識とに分類し、フロイトよりも一層に無意識の機能を重視した。ユングの提唱した概念にはコンプレックス・外向—内向、元型などがある。
2) 矢崎節夫 1993：『童謡詩人 金子みすゞの生涯』JULA出版局。
3) 矢崎 1993、178頁。

4）渡辺由紀子　1997：「童謡詩人　金子みすゞの病跡」『日本病跡学雑誌』54、23-32 頁。

5）Jung, C.G.　1921：*Psychologische Type*. Rescore Verbal,Zürich. 邦訳：C.G. ユング『タイプ論』(林道義訳)、みすず書房、1987 年。

6）『金子みすゞ童謡全集 3　空のかあさま・上』、184-185 頁。

7）『金子みすゞ童謡全集 2　美しい町・下』、94-65 頁。

8）『金子みすゞ童謡全集 6　さみしい王女・下』、56-57 頁。

9）『金子みすゞ童謡全集 3　空のかあさま・上』、178-179 頁。

10)『金子みすゞ童謡全集 1　美しい町・上』、90-91 頁。

11) 矢崎　1993、299 頁。

12)『金子みすゞ童謡全集 3　空のかあさま・上』、118-119 頁。

13) 矢崎　1993、314-315 頁。

14) 矢崎　1993、339 頁。

15)『金子みすゞ童謡全集 6　さみしい王女・下』、16-17 頁。

16) インタヴュー：上村ふさえ「母のこと、そして詩人みすゞのこと」『文藝別冊　総特集　金子みすゞ』河出書房新社、2000 年、38-57 頁。

参考文献

Adler, A.: *The science of living*. Edited by Benjamin Ginzburg. New York: Greenberg,1929. 邦訳：A. アドラー『個人心理学講義 ：生きることの科学』(岸見一郎訳)、一光社、1996 年。

本論は死生学研究所 2010 年度第 3 回連続講座（2010 年 6 月 12 日）における同題の発表に基づいている。

Life and Death
in the Poems and Life of Misuzu Kaneko
from an Analytical Psychology Approach

by Amane FUKUDA

Misuzu Kaneko was a poet who wrote many children's songs during the early 20th century. She died at the age of 26. Most people have forgotten her for a half-century. However Setsuo Yazaki, also a writer of verse for children's songs, recently revaluated her poems and has republished them. Misuzu Kaneko had an unhappy life. She also had a complicated domestic background. She committed suicide and thus left her only child, a daughter, motherless. It has been thought that she committed suicide due to discordance with her husband or because of sickness. Therefore, many researchers have paid attention to the external factors surrounding her death. Because of this, internal factors (such as her personal character) so far have rarely received much attention in regard to her death. The first goal of the author is to clarify Misuzu Kaneko's character tendencies. The second is to search for a relationship between such tendencies and the fact of her suicide. In conducting this research, an attempt was made to interpret her poems and life from the viewpoint of analytical psychology. The results revealed she had an introverted personality. For example, the influence of this personality trait most obviously appeared in a poem called, "Transfer Student." It is deduced from this poem that one of the factors that caused her suicide was her personal character.

熱情と冷静さ
——歌人長塚節は結核をどう生きたか——

松 岡 秀 明

はじめに

　苦しみは時として芸術の母となる。病む当人にとって病いは厭わしいものだが、病いを契機として人はすぐれた芸術を創造してきた。短歌も例外ではない。これまで、さまざまな歌人が自らの病いについて、すなわち彼ないし彼女が経験する精神・身体的苦痛について多くの歌を詠んできた。それらのなかには、人間存在の本質を問いかけるような短歌も含まれている。また、直接病いについて詠まない場合でも、病いを契機として短歌の質がより高くなるということもしばしばある。

　以下本稿では「病気」という言葉と「病い」という言葉を使い分けるが、これには理由がある。医療人類学者のヤングは、「病気」(*sickness*) は、個人が経験する状態の「病い」(*illness*) と、医療の専門家が下す診断の「疾病」(*disease*) から形成されているとした（Young 1982）。「病気」について歌を詠む際、一人の人間としての歌人の主観が重要な意味を持つ。

　この分析概念を用いると、これまでの病気を主題とした日本の研究の多くは疾病に焦点を合わせてきている。病いに注目して、すなわち個人がどのように病いを生きるかという観点から病気を論じたものは意外に少ない[1]。本稿では明治から大正を生きた小説家で歌人の長塚節（1879-1915 年）が結核をいかに生きたか、またその際の歌の意味を探っていく。

1. なぜ短歌か

　病者の文学としての性格を短歌は持っている。「療養短歌」および「療養俳句」は、文字通り病む人々が療養中に詠む短歌や俳句を意味している。病気としては、結核やハンセン氏が代表的である。

23

ハンセン氏病で死亡した歌人としては、明石海人（1901-39年）、伊藤保（1901-63年）らがいる[2]。結核では、正岡子規（1867-1902年）、石川啄木（1886-1912年）、山川登美子（1879-1909年）、前田純孝（1880-1911年）、松倉米吉（1895-1919年）らの歌人が明治大正期に亡くなり、昭和の歌人では、滝沢亘（1925-1966年）、相良宏（1925-1955年）らが斃れている。俳句では、結核の石田波郷（1913-69年）が著名である。

　これらの病気の治療は専門の施設で行なわれることが多かったが、そこで短歌や俳句がつくられていった。小説が一定の時間集中しないと書けないのに対し、短詩系文学である短歌や俳句は短時間で詠むことができる[3]。この手軽さが療養する人たちに受け入れられた要因の一つであった。また、他人の短歌や俳句を読み批評をする集まりが形成され、仲間ができて会が形成され、その会誌が発行されるようになることも決して稀ではなかった。

　そこで、病気や病いと短歌について論じる場合、(1)個人と病いの関係、(2)同じ病気と診断された人々がどのように集団を形成するか、という二つの問題関心を設定することができる。本稿では、(1)のアプローチをとる。

　短歌・俳句とその作者の関係について、松田修は次のように論じている。

　　和歌＝短歌、連歌＝俳諧のごとき、短詩型文学のばあい、一首・一句が自立的宇宙であるとしても（あるいはあればあるほどに）、それらを統合する求心的力学として、作家の（作家名の）登場がしばしば要請されるだろう。その点、作品と作家の連帯というか、結合というか短詩型文学におけるかかわりには、小説や物語とはレベルをことにした体質がたしかに・ある（傍点原文）。実名であれなかれ、すでに固有名詞で作品＝作品集に臨んでいる以上、男性か、女性か、二十歳か、三十歳か、家庭は、子供は……、と踏み込んでゆかざるをえぬことにもなるのだ。（中略）そして踏み込みによって明らかになる部分がたしかにあるのだ（松田 1980: 142）。

松田は、近代以前の和歌や俳諧も射程に入れて論じているが、少なくとも近代以降の短詩型文学においてこの主張は当を得ている。長きに亘って引用したのは、短歌と俳句の短詩型文学では、一首・一句が作品として独立していても、作家の生を知ることで作品をより深く理解できるようになるというこ

とが端的に指摘されているからである。この説を逆に言えば、短歌や俳句は作家の生をよりいっそうの奥行きをもって把握する導きの糸となりうるということだ。

さて、近代以降の短歌と俳句では重要な差異がある。上田三四二が指摘するように、短歌は主観的で具体的あり、俳句は客観的で抽象的であるということである（上田 1959: 11）。「作中主体」とは、短歌の中の主体である。近現代短歌は基本的に一人称の文学であり、直接歌の中に登場しようとしまいと、この作中主体の存在が読者に強く意識されることになる。ある短歌に二人称の「あなた」や三人称の「彼・彼女」しか登場しなくても、彼らを認識している主体がいるし、叙景歌でもその風景を見ている主体が存在する。この主体が「作中主体」と呼ばれている。そして、作中主体は歌人その人であるのが一般的である。したがって、個人が病いをどのように経験するかを検討する際には、俳句より短歌の方が相応しい。

2. なぜ結核か

ある時代を代表する病気がある。日本では、近代以降まず結核がそのような病気として現われた。そして、国民病と呼ばれた結核を病む歌人は秀れた歌を多く残した。本節では、結核に斃れた歌人たちの短歌を紹介し、その特徴を検討する。長塚節の短歌と比較する対象を示すことで、彼の結核にかかわる短歌の特色をより明確にすることが可能となると考えるからである。その際に、病気とかかわる短歌を以下の五つのカテゴリーに分ける。

(1)短歌の主題として病気が現われる
(2)短歌に単語として病気が現われる
(3)短歌のなかに病気は現われないが、それを想起させる表象が存在する
(4)詞書のなかにのみ病気が現われるか、あきらかにそれを想起させる表象が存在する
(5)歌人が病んでいるということが分かると、その歌が病気にかかわると判明する

正岡子規は、結核に斃れた文人のなかでもとりわけ著名である。子規は俳

人として知られ、死の直前の三句「痰一斗糸瓜の水も間にあわず」「糸瓜咲て痰のつまりし仏かな」「痰一斗糸瓜の水も間にあわず」は非常に有名である。しかし、根岸短歌会を主催した子規は短歌もよくした。ここでは結核についての歌を 3 首引いておく[4]。

> 瓶にさす藤の花ぶさみじかければ畳の上にとどかざりけり
> 瓶にさす藤の花ぶさ一ふさはかさねし書の上に垂れたり
> くれなゐの薔薇ふふみぬ我が病いやまさるべき時のしるしに

教科書にも採用されている 1 首めと 2 首めの歌は、純粋な写生であって心情は表わされてはいない。しかし、子規が病床にあるということを知ると、その心情を想像することができるという点で、作家の生を知ることで作品がより深く理解できるという例証となっている。この 2 首は、上記の(5)のカテゴリーに入る。

　3 首めは、結核の症状についての短歌である。「我が病い」とあるので作中主体が病んでいるということは分かるが、その病いが結核であり、重要な症状のひとつとして喀血があるということが知れると、「くれなゐの薔薇」が喀血した血の喩であるということが了解される。(1)のカテゴリーの歌である。この歌は、1901 年（M34）5 月 4 日、「しひて筆を執りて」と前置きした 10 首のなかの 1 首である。この一連は、直接的間接的に自らの病いについて詠んだ歌を集めており、広く知られる「いちはつの花咲きいでて我目には今年ばかりの春行かんとす」も含まれるが、子規らしからぬ鮮烈なイメージを読者に喚起する点で本歌は異色である[5]。ソンタグは、結核にはロマンチックなイメージがあると指摘しており（ソンタグ［1978］1982）、福田は日本近代でも同様なことがあったと論じている（福田 1995）。この歌の薔薇という比喩を、ロマンチックと捉えることもできるだろう。

　喀血についての短歌をもう 1 首、貧困のうちに夭折した松倉米吉の短歌のなかからあげておく。

> 灯をともすマッチたづねていやせかるる口に血しほはみちてせかるる

この短歌は、(1)のカテゴリーに入る。夜寝ていたら喀血し、その血を口に含

んだままランプを灯すためにマッチを探すというたいへん緊迫した状況が活写されている。喀血は生命の象徴とされていた血液が体の外へ出ていくという点で、死の恐怖や漠然とした不安を惹起する。また、喀血は血液による窒息をきたしうるという点で、危険な症状である。

　結核のいま一つの重要な症状として、咳がある。岩谷莫哀（いわやばくあい）（1888-1927）は、次の歌を遺している。

　　隣室の妻は起さじみじか夜の明けなば咳の鎮まるべきか

(1)の歌である。結核を患うゆえに部屋を隔てて眠る妻を思いやる心情が表されている。咳の苦痛は、結核を病む人間のうちに呼吸そのものに対する繊細な感受性を育んでいく。言葉を換えれば、呼吸の困難さと直面せざるを得ない人間だからこそ感得できる呼吸についての鋭敏な研ぎ澄まされた感覚である[6]。死後出版となった石川啄木の『悲しき玩具』（1912　M45）には次の有名な歌が収められている。これは(3)の歌と考えてよいだろう。

　　呼吸すれば
　　胸の中にて鳴る音あり
　　凩よりもさびしきその音！

3．長塚節の咽頭結核発病と歌への回帰

　茨城の貧しい農民の生活を描いた長編小説『土』（単行本としては1912年　M45刊）で知られる長塚節は、すぐれた歌人である。だが、現在ではそのことはあまり知られていない。論を進める前に、1911年（M44）11月22日、咽頭結核と診断されるまでの節のあゆみを短歌を中心に概観しておこう[7]。長塚節は、1879年（M12）4月3日茨城県岡田群国生村（こっしょう）（現常総市国生）に、父源次郎、母たかの長男として生まれた。この夫婦には後に弟2人、妹2人が生まれ、5人兄弟となる。1889年（M22）、節は地元の尋常小学校を卒業し、4月から下妻高等小学校に通うために実家を離れ母の実家で暮らした。

1893 年（M26）同校を首席で卒業した節は、茨城県尋常中学校（後に水戸中学校となり、現在は水戸第一高等学校）に入学するが、1896 年（M29）4 年生の時に、不眠症となる[8]。結核発症後、この不眠症は節を悩ませることになる。東京で治療するがよくならず、中学を退学する。その後、新聞『日本』で正岡子規を知るとともに、その子規が翌年痛烈に批判する古今集も学んでいる。また、19 歳の時に短歌をつくり始めている。

　子規は 1898 年 2 月 12 日から新聞『日本』誌上に 10 回にわたり「歌よみに与ふる書」を連載するが[9]、節もこれも読んでいる。また、節が 20 歳となったこの年から、総合文芸誌『新小説』（1896 年 7 月からの第 2 次のもの）に短歌や小説の投稿を始め、いずれもすぐさま入選している。いかに文学の才に恵まれていたかが理解されるだろう。

　1900 年（M33）3 月 27 日に、節は根岸庵に初めて子規を訪れる。夏には伊藤左千夫と知り合う。子規が 1902 年（M35）に没したのち、1903 年（M36）伊藤左千夫が創刊した『馬酔木』に参加し、短歌や長歌を発表するとともに、写生文も書くようになる。1908 年（M41）『馬酔木』は発展的に『阿羅々木』（翌年『アララギ』と改題）となるが、これにも参加し、短歌などを積極的に発表する。『アララギ』には、伊藤左千夫、節のほか、島木赤彦、斎藤茂吉らが参加している。また、この年から小説も書きはじめる。1909 年（M43）、東京朝日新聞に『土』を連載する。

　1911 年（M44）8 月に「唾液を燕むに、ぴりゝと咽頭に痛みを覚え」るという病気の予兆があり、10 月には咳が激しくなったため実家近くの医師に診てもらったがはっきりしなかったのであった（12 月 7 日付の福島の知人、門間春雄宛書簡　全集 6: 363)[10]。11 月 19 日、近しい友人の岡麓の家を訪れ体調不良を訴えた折[11]、節は岡に「医者は胃がわるいのだというが胃ではないようだ」と言い、さらに「咽喉がえからくて困る」と話したという（斎藤 1944: 65）。翌 20 日、岡が同行し、節は日本橋の耳鼻科の木村医師の診察をうける。木村医師は岡だけを呼び、「もう一度明日丁寧にみるが咽頭結核のやうだ、明日本人に話してよいか。なるべくは話してきかせて用心させたいが」と語ったという（同前、66）。これは、当時結核を告知することが、医師にとってもかなりの負担であったことを示す重要なエピソードである。これを聞いた岡は「ひどく驚いた」が、「やはり云つて下さい、然し絶望といふではなしに治療をしてゐたらそれだけ永く保つといふ話もして

28

下さいと頼んだ」という（同）。

　そこで、先述のように節は11月21日に、木村医師から咽頭結核に罹っていることを告げられる。その際、放置すれば、余命は「一年か一年半」と宣告されている（先に引いた12月7日付の門間春雄宛書簡　全集6: 363）。そのため、「流石に小生も数日間は快々として食欲も減退の気味」であったという（同）。また、長塚はこの時のことを平瀬泣崖に「人の通るのも見える、電車の行くのも見える、併しもう、何もかもし〜んとして一切音がしない」と語っている（平瀬 1915: 149）。

　12月5日、節は東京市下谷区中根岸にあった根岸養生院に入院し翌1912年（M45）2月20日まで、78日間の入院生活をおくる。入院直後の12月10日[12]、中村憲吉は、節を見舞った伊藤左千夫に同行して初めて節に会った時の印象を次のように述懐している。

　　恐しい死病の宣告を受けたあととて、その相貌には病気による衰弱も見えたが激しい精神的動乱と闘つたゝめか一種の凄愴味を帯びてゐた。しかし、それでゐて長塚さんの態度は意外に沈着で活気があつた。（中略）頻りに元気よく語つてゐた。私は死病に面した病人とは思へぬ、その落着いた態度に驚いた（中村 1925: 102）。

たしかに、郷里の父に宛てた12月13日付の葉書にあるように、医師は節に「『あなたのは取り切る見込みですからすつかりよく成る様に取つてしまふ見込みですから』」とは言つている（全集6: 368）。しかし、当時は死病とされていた結核である。節は苦悩していたに間違いない。そして、この病気のために茨城の医師の娘黒田てる子との婚約を、節の方から申し出て解消したことも大きな心痛であったはずである。それは、以下でふれる二つの連作にはっきりと見て取ることができる。

　翌1912年（M45）2月、節は『アララギ』第5巻第2号に「我が病」12首を発表する[13]。「咽頭結核といふ恐ろしき病ひにかゝりしに知らでありければ心にも止めざりしを打ち捨ておかば余命は僅かに一年を保つに過ぎざるべしといへばさすがに心はいたくうち騒がれて」という長文の詞書が付された一連であり、次の歌に始まっている。

生き死にも天のまに／＼と平らけく思ひしたりしは常の時なりし

　ここには、突然結核という死病に罹っていると宣告された節の動揺が直截に
あらわれている。また、事実をそのまま示した詞書が、歌の背景をはっき
りと示している。鹿児島が「この歌は実に研ぎ澄ました落ち着きを持って
いる」と指摘しているとおり（斎藤 1944: 64）、死の宣告にも等しい結核
の診断の後にこのような客観的な歌を詠む節の強い精神力に驚かざるをえな
い。別に 2 首を引く。

　　我が心萎えてあれや街行く人の一人も病めりとも見ず
　　知らなくてありなむものを一夜ゆゑ心はいまは昨日にも似ず

　これらの歌はやや説明的となっているが、結核の診断を受けた者の心理が端
的に表現されている。1 首めの歌だが、街を歩く人々のなかに病む人がいな
い訳はなく、病む人は一人もいないように見える、という主観を率直に表現
したものである。2 首めは、自分の病気を知ってしまった現在の心は昨日の
心とは異なっているという主観をこれも直截に詠んだものである。
　上田は、この「我が病」の 12 首一連を「詩人の想像力を極限にまでおし
すすめながらもなお観念的」と評して、その理由を「死の恐怖を、或は死とい
う難問それ自体を、詩の形象に代置することは到底不可能だからである」と
している（上田 1959: 24）。その一方、この一連に感銘を受ける読者がい
る。土屋文明は「清麗ではあるがどこかよそよそしく感ぜられる作者の作風
に対する不満はここで一掃された様に思ふ」と、それまでの節の短歌と比
較してこの一連を高く評価している（斎藤 1944: 65）。また、清水房雄は、
この「我が病」と「鍼の如く　其の五」のなかの 1914 年（T3）9 月 13 日
の二首を「節作品の内、最も心をひかれるもの」としている（清水 1984:
308）。
　続いて節は、同年 4 月発行の『アララギ』第 5 巻第 4 号に入院中および
退院後に詠んだ短歌 51 首を「病床雑詠」のタイトルで発表する。婚約まで
こぎつけた女性を諦めざるを得なかった節の心境を示した歌に秀歌がある
が、本稿の主題からははずれるので 1 首だけ引く。「既に五十日にも余りぬ
れば我が病院生活も半を過ぎたらむと思ふに、待つ人の遂に来らねば徒に思

ひを焦すに過ぎず医術の限を竭して後は病はいかに成り行くべきかと心も
こゝろもとなくて、一月廿十三日の夜いたく深くる程に筆をとりて」という
これもまた長い詞書の後の1首である。

　　　我が病いえなばうれし癒えて去なばいづべの方にあが人を待たむ

結核が治癒したとしたらうれしいという単純な表現が、病む人の気持ちを直
截に表しているといえるだろう。
　詞書に「七十八日の間我を慰めし花は只一株の山茶花に過ぎざりけるを、
(中略) 此の花遂に我がためにのみさきつくしけるにこそとさへ思ひいでら
れて」とあるように、節の入院生活を慰撫したのは、病院の庭の一本の山茶
花であった。節はこの山茶花について 12 首を残している。4 首を引くが、
これらは詞書から 1912 年（M45）1 月 23 日から 2 月 20 日の退院までの
間に詠まれた歌である。

　　　打ち萎え我にも似たる山茶花の凍れる花は見る人もなし
　　　山茶花は萎ていまは凍れども命なる間は豈散らめやも
　　　山茶花のあけの空しく散る花を血にかも散ると思ひ我が見る
　　　山茶花はむなしくなりぬ我が病癒えむと告ぐる言も聞かなくに

1 首め。山茶花は枯れるとぽとりと落ちるが、死病の宣告を受けた自らを打
ち萎え凍った山茶花にたとえ、見捨てられているという孤独感を表してい
る。2 首めに現われる凍った山茶花も自分の喩だが、生ある限りは散らない
という病いに抗する決意が示される。3 首めの「血にかも散ると」は、広野
三郎が解釈しているように血のようになって散るという意味であろう（斎藤
1944: 106）。喀血を薔薇にたとえた子規の歌を引用したが、この歌も喀血
を想起させる。山茶花の花の色は多様だが、これは赤いものであろう。4 首
めは、自分の病いの予後がどうなるか分からないうちに、山茶花は散ってし
まった、という詠嘆を表す。

4．旅への帰依、ふたたび歌のわかれ

　結核を宣言された 1911 年（M44）11 月 21 日から亡くなる 1915 年（T4）2 月 8 日までの間の長塚節の行動で不思議なことがある。それは、この「病中雑詠」から、1914 年（T3）6 月『アララギ』第 7 巻第 5 号に出した 47 首からなる「鍼の如く　其の一」まで、短歌を全く発表していないことである。では、節はなにをしていたかというと旅である。

　発病前の節は旅が大好きで、毎年 1、2 か月は旅行していたという（橋詰 1915: 111）。この旅行好きは発病してもかわらず、後に見るように 1914 年（T3）の夏の宮崎・大分行きのように病気がそうとう進んでいても旅にでていた。

　節は、1912 年（M45）3 月 19 日に東京を発ち 9 月 15 日に帰京する大旅行を行なっている。この長旅で、静岡、名古屋、京都、吉野、京都、岡山、広島、福岡、隈本、鹿児島、長崎、博多、対馬、隠岐、高松等々を訪れている。この間、3 月 26 日に京都医科大学病院に入院し、翌 27 日に咽頭の患部を「一時に取り去る」という手術を受けている（全集 7: 422 父宛書簡）。4 月 10 日に退院し（全集 7: 437 橋詰孝一郎宛書簡）、12 日には吉野で花見をしている。花は真っ盛りで、蔵王権現の祭典も偶然見た旨を吉野山上一目千本桜の絵葉書に書き、友人の岡三郎に送っている（全集 7: 439）。

　その後、20 日に九州に発つまでに内科で診察を受け、「小生の病気も差当つては大事も無之様子肺の疾患は漸次薄らぎ肺病に特有のラッセル音」もないと診断されたとある（全集 7: 443 渡邊剛三宛書簡）。また、20 日に九州に発つことについて、羽根が生えたように感じたと記している（同）。そして、4 月 22 日には福岡大学附属病院で久保猪之吉博士の診察を受け、「大分よく癒り居る由」伝えられるとともに、鹿児島までの旅行の許可をもらっている（父源次郎宛書簡　全集 7: 446）。

　この半年にもなろうとする長い旅の目的は、診療を受けることだけではない。名所旧跡の訪問も大きな目的であった。この旅行中、節は全集に収められているだけでも 224 通もの手紙、絵葉書等々を書き送っているが、病気について書いている以外に、たとえば、先に見たような吉野の桜や祭典についてのような名所旧跡についての記述も多い。

　翌 1913 年（T2）にも節の旅を希求する心はかわらない。3 月 14 日に東

32

京を発ち福岡へ向かい、再び久保博士に診察してもらうが、結核の疑いはない、と診断されている。

> 当地久保博士の診察によれば喉頭には結核の疑だに無之候由、朝の喀痰の検査も致候へ共結核菌も無之心配なしとのことに有之候（渡邊剛三宛書簡　全集 7: 544）。

節は、信頼をよせる久保博士のこの言葉がよほどうれしかったに相違なく、伊藤左千夫、斎藤茂吉、平福百穂らアララギの先輩、友人を含めあわせて 8 人に報告している（全集 7: 545-548）。たとえば、芥屋の大門の絵葉書に書かれた文を引いておく[14]。

> いつか石にかぢりついても癒れとの御葉書でしたが、幸にも咽頭は全治して居る相です、此を貴下へお知らせすることが何だが義務をはたしたやうな心持がします（佐久間政雄宛絵葉書　全集 7: 547）。

そして、福岡からの「帰途は瀬戸内海を汽船にて遊覧致すことに相叶ひ申すことに相成申候」となる（渡邊剛三宛書簡　全集 7: 544）。晩年の節にとって、5 月 24 日に東京に戻るまでの、門司から神戸まで宮島に寄って瀬戸内海を船で行き、京都、奈良、出雲に遊んだこの帰路はもっとも幸福な時間であったろう。4 月 5 日に宮島から出した斎藤茂吉宛の絵葉書の文面には、節の歓喜が表現されている。

> 海は活きて光つて居る、世の中はもう花である、宮島も花である、（中略）それだけ病人はもう希望に輝いて居るのである（中略）病人も段々めでたく春になつて来さうである（全集 7: 549-550）

久保博士は、「最初より私の病気に就いては果たして悪性なりしか否かと申すことにも疑問をいだかれ居る」のだったという（3 月に書かれた松山貫道宛未投函絵葉書　全集 7: 546）。しかし、節は夏から熱を出すようになり、12 月には 38 度 3 分の熱を出すにいたる（岡三郎宛書簡　全集 7: 591）。節は当時の最高の診断技術をもった医師たちに診察を受けているの

だが、医学の水準を考えてみればこうした誤診は多々あったと思われる。

　この身体の不調と呼応して、節は11月24日から二つめの病状日記を小型の手帳につけ始める。これは、節があきらかに結核を意識したという点で重要な転機である。節は再び結核を生きはじめたのである。この病状日記は、翌1914年（T3）の11月16日まで書き続けられた。11月17日からは三冊目に移り、翌1915年（T4）1月8日まで書き続けている。これらの日記にはほぼ毎日検温の結果が記されており、節の几帳面な性格が反映されている。

　1913年（T2）12月24日付の郷里の母に宛てた手紙によれば、節はこの日井村医師を訪れ、病気の再発を告げられている。しかし、「只一度機械にてつまみ取ればなくなる由」と説明を受けた、とある（全集7: 593）。母を心配させないため、このように書いたとも解釈できるが、26日の岡三郎に宛ての絵葉書には、この再発について「一昨年とちがつてもうそんなにおどろきません」と記している（全集6: 594）。12月23日、節は茨城から上京し神尾医師の診察を受け（全集4: 323）、26日に神田の金沢医院へ入院する（全集4: 324 ; 全集7: 594）。そして、翌1914年（T3）1月23日、母の病気のため退院し翌日帰京している。しかし、3月13日茨城より上京し、3月14日に今度は橋田病院に入院する（全集4: 340-1）。

　節が短歌に回帰するのは、この年の4月である。病状日記の4月6日の記載に「昨夜ふと歌一首成る。十一時半頃より暁に及んで眠らざりし為なり」（全集4: 345）とあり、7日の条には「昨夜よりの歌の添削をなす」（同前、346）と記されている。5月1日、久保博士夫人の久保より江に3枚の絵葉書を書いているが、その一枚には、後に「鍼の如く　其一」に収められる歌「ならの樹のわか葉は白しやはらかにひとへの肌に日はとほりけり」が記されている（全集7: 634）。また、別の絵葉書には次のように書かれている。

　　私も此病院へ来てからふと少しばかり歌が出来ました、（中略）秋海棠の画賛の歌が只一首あります（同上、635）

5. 「鍼の如く」：最後の歌への回帰

　長塚節の短歌の最高傑作とされる 231 首からなる「鍼の如く」は、1914 年（T3）から 15 年（T4）にかけて 5 回にわたり『アララギ』に掲載された。1914 年（T3）の第 7 巻第 5 号（6 月特別号）に「鍼の如く」（47 首）、6 号（7 月号）に「鍼の如く（以下、タイトル略）　其の二」（40 首）、7 号（8 月号）に「其の三」（35 首）、8 号（9 月号）に「其の四」（39 首）、しばらく間があき 1915 年（T4）の第 8 巻 1 号（1 月号）に「其の五」(70 首) で、あわせて 231 首の連作である。

　「鍼の如く」全体を見渡してみると、この連作がいくつかの点で特異であることがわかる。まず、詞書が非常に多い。単に日付だけのものも含めれば、231 首の短歌に対して 124 の詞書が付されている。そして、後に引用するように長い詞書も多い。第二の特異な点は第一のそれとかかわっている。「鍼の如く」は長い歌日記なのである。「其の一」の 31 首め、すなわち 1914 年（T3）4 月 27 日に作られた「春雨にふれてとゞけば見すまじき手紙の糊もはげて居りけり」から、同年 12 月 8 日の日付がある「朝まだき車ながらにぬれて行く菜は皆白き茎さむく見ゆ」までの 196 首は、7 か月間にわたる歌日記の態をなす。残る 35 首、つまり「其の一」冒頭の 30 首と「其の五」末尾の 5 首は、橋田医院入院中の短歌および旧作を推敲したものである。

　第三に、おもに入院中に作っているにもかかわらず、直接・間接に結核についての短歌が少ない。一方で、詞書に「八月一日、病棟の蔭なる朝顔三日ばかりこのかた漸くに一つ二つとさきいづ」といった病気に直接・間接にかかわる記述が多い。先述の分類を用いると、(1)短歌の主題としての病気が現われる、(2)短歌に単語としてあらわれた病気が現われる、および(3)短歌のなかに病気や病名は現われないが、あきらかにそれを想起させる表象が存在する、短歌は少なく、(4)詞書のなかにのみ病気・病名が現われるか、あきらかにそれを想起させる表象が存在すること場合が多い。すなわち、「鍼の如く」では、詞書が重要な役割を担っている。

　詞書について、節ははっきりとした意見を持っていた。1914 年（T3）11 月下旬に福岡の旅館に逗留していた節を見舞った歌人に、次のような見解を述べている。

歌には是非ことばがきがある可き筈です。之が今の歌には全くない為め
に何と歌つてあるか分らないのが多い假令分つても分かるまでに無駄な
骨折を読者がしなければならぬ。之に反してことばがきを附くれば作る
人も容易にその時々心持を適切に表はす事が出来ると共に読むにも丁
度その通りに分かり易くつまり作歌の目的を達するのです（中島哀浪
1915: 154)。

この見解は一般的ではないが、「鍼の如く」では詞書が歌と共鳴しており、
節の方法は成功している。
　以下、「鍼の如く」から「鍼の如く　其の五」までを順にみていく。47首
からなる「鍼の如く」は、1914年6月1日発行の『アララギ』第7巻第5
号（6月特別号）に発表された。最初の歌は

　　秋海棠の画に
　　白埴の瓶こそよけれ霧ながら朝はつめたき水くみにけり

である。これは、先に引いた久保より江への絵葉書で言及されているものだ
ろう。先述のように、「鍼の如く」の31首めの、すなわち1914年（T3）4
月27日作の短歌から歌日記が始まる。「鍼の如く」はさらに「一」から「六」
に分けられているが、病いにかかわる歌は最後の「五」の9首のうち2首
を数えるのみである。1首めは以下の歌である。

　　　薬瓶さがしもてれば行春のしどろに草の花活けにけり

詞書は「五月六日、立ふぢ、きんせん、ひめじおんなどくさ〴〵の花もて来
てくれぬ手紙の主なり、寂しき枕頭にとりもあへず」となっている[15]。
　節に手紙をくれた人物が病院まで見舞いに訪れたのである。病状日記によ
れば、その人物とは婚約を解消した黒田てる子であり、午後4時頃にやっ
て来て9時まで話して帰った（全集4: 352)。また、彼女は菓子折りのほ
か、「きんせん、ひめじおん、をだまき、たてふぢ、牡丹」を持参している
(同)。歌の意としては、看護婦が探して持ってきてくれた空の薬瓶に、その

花を活けたというものである。この歌のなかで病気を連想させるのは「薬
瓶」という言葉だけであり、それだけでは作中主体が病んでいるかどうかは
わからない。したがって、この短歌は先にあげた類型によると、(4)詞書のな
かにのみ病気・病名が現われるか、あきらかにそれを想起させる表象が存在
する、にあたる。しかし詞書に病名までは書かれておらず、長塚節が結核で
あることは知る人のみ知ることである。ただ、この一連は結社誌——結社に
参加している者に配付される——である『アララギ』誌上に発表されたもの
であり、読者の多くはそのことを知っていたはずである。つまり、読者は節
が結核にかかっていることを知っていれば、読みが変わる。そのうえに、詞
書の「寂しき枕頭」という言葉を読むと作者は病床にあるということが分
かってまた読みがかわるといういくつかの読みのレベルがある歌である。
　一方、2首めの歌は次のようなものである。

　　十一日の夜に入り始めて百合のかをりの高きを聞く、此夜物おもふことありける
　　に明日の疲れおそろしければ、好まざれども睡眠剤を服す、入院以来これにて二
　　度目なり
　　うつゝなき眠り薬の利きごゝろ百合の薫りにつゝまれにけり

やはり(4)の歌である。この歌の前の歌の詞書で、「十一日」とは5月11日、
そして見舞いに来た者が、鉄砲百合とスイートピーを持ってきてくれたこ
とが分かる。さらに病状日記の5月10日の記載を見ると、見舞い客とは再
び黒田てる子で、実際に鉄砲百合とスイートピーを持って来ており、「彼女
の帰りし後はいつも心中に泣く」と書かれている（全集 4: 353）。歌の意味
は、睡眠薬が効いてきてぼんやりしていると、百合の薫りにつつまれたとい
うものである。
　ところで、この頃、節は発熱に悩まされている。5月10日付の平福百穂
宛書簡に、次のように書いている。

　　近頃になつてから兎角に熱が出ます、尤もたいしたことではないのです
　　が、咽喉がどうもいけないのです（中略）神尾の処へ行きました（中
　　略）も一度思ひ切つてそこを取ることだと申します、然しさうなれば久
　　保さんにやつて貰ふ方がいゝのですから、（中略）九州行きを決行しよ

うと思つて居ります（全集 7: 640）

病状日記を見ると、橋田医院に入院した 3 月 14 日以降 37℃台の発熱は稀
でなく、38℃にちかくなることもあった。また、5 月に入ってから咳も多く
なっており（全集 4: 353）、退院した後も、たとえば 6 月 5 日に「咳嗽やま
ず」と記しているように（全集 4: 359）、咳に悩まされた。当然この身体の
変調が何を意味するかを、節は理解していたはずである。
　節は 5 月 29 日に退院し、翌日茨城の実家に戻るが（全集 4: 357）、その
直前と直後に門間春雄にそれぞれ次のように書き送っている。

　　院長（松岡註　橋田医院の院長）はあなたが思ふ程悪くはないんだとい
　　つてくれます。近頃精神上に動揺を来すことがあつて困つて居ます、昨
　　今のやうにかう長い間を、悲哀につゝまれて居ることは嘗てないことな
　　のです、只今は自分の病気だけではさう悲しいと思ふことはなく成つて
　　居ます（5 月 26 日付　全集 7: 647）
　　だが咽頭はなか〳〵容易でなくなつて居ると知りつゝ、そのため懊悩
　　するやうなことはちつともありません（6 月 4 日付　全集 7: 650）

他方、黒田てる子が入院中の節を見舞っていたことが、てる子の家人の知る
ところとなり見舞いどころか手紙のやり取りも禁止されてしまうということ
があった[16]。これはもちろん大きな出来事であり、5 月 27 日の岡三郎宛葉
書には「近日精神に動揺を来すことありて結果おもしろからず困却致居候」
とある（全集 7: 647）。しかし、上に引用した 5 月 26 日の手紙にある、長
い間の悲哀というのはこのことに拠るばかりではなく、自分の病気が悪く
なっているという事実に悲しんでいたのだと思われる。病気はそれほど気に
かけていないという内容の文言は、自分に対しての慰めと考えるのが妥当だ
ろう。
　「鍼の如く　其の二」は『アララギ』第 7 巻第 6 号（7 月号）に掲載され
た。5 月 22 日から 6 月 9 日までの 40 首を収める。この間、節は 5 月 29
日に橋田医院を退院したことは先に述べたが、6 月 7 日には博多へむけて東
京を発っている。
　「其の二」は、「一」から「三」に分けられ、「一」に 5 首、「二」に 1 首、「三」

に1首病気にかかわる歌がある。「一」の最初の2首は下のような歌である。

　　五月二十二日、夜こゝろに苦悩やみがたきこと起りて眠遂におだやかならず
　　小夜ふけてあいろもわかず悶ゆれば明日は疲れて復た眠るらむ
　　おそろしき鏡の中のわが目などおもひうかべぬ眠られぬ夜は

1首めの短歌の「あいろ」は漢字では「文色」でものの区別の意で、「あいろもわかず」は「判断を失って」や「理性を失って」という意味であろう。下の句「明日は疲れてまた眠るらむ」が客観的な描写となっており、状況描写、主観、客観のバランスがとられている。2首めは、眠れない夜に鏡のなかの自分の恐ろしい眼を思い浮かべ、それによってまた眠れないという意味だろう。この2首は、(5)歌人が病んでいるということが分かると、その歌が病気にかかわると判明する、というカテゴリーに入る。
　「一」の7、8、9首めは次のような歌である。

　　手紙のはしには必ず癒えよと人のいひこすことのしみ〴〵とうれしけれど
　　ひたすらに病癒えなとおもへども悲しきときは飯減りにけり
　　窓外を行く人を見るに、既に夏の衣にかへたるがおほし
　　咳き入れば苦しかりけり暫くは襲ねて居らむ単衣欲しけど
　　藁蒲団に身をいたはることも七十日にあまりたれど、自ら幾何も快きを覚えず
　　頬の肉落ちぬと人の驚くに落ちけるかもとさすりても見し

掲出歌1首めには、鹿児島寿蔵が指摘するように「限りない悲哀」が感じられる（斎藤 1944: 167）。2首めは、5月末で外の健康な人は衣替えをして単衣を着ているが、自分は咳が出ているのでまだ薄い夏の服を着ることができず重ね着をしているという意味である。発熱しているであろうことが言外に読み取れる。3首めでは痩せて衰弱していく体を、他者が節に知らせ、節自身が頬をさすって実感するという時間と空間が端的に表現されている。
　はじめの2首では病気が短歌の主題として現われており、(1)の類型に属する歌である。3首めは、(3)短歌のなかに病気や病名は現われないが、あきらかにそれを想起させる表象が存在する歌であるということができる。
　「其の二　二」には次の1首がある。

健康者は常に健康者の心を以て心となす、もとより然るべきなり、只羸弱の病者
に茁さむ時といへどもいくばくも異る処なきが如きものあるを憾みとすることな
きにあらず
　すこやかにありける人は心強し病みつゝあれば我は泣きけり

(1)の歌である。節にしては珍しく詞書にも歌にも感情を露わにしている。詞
書で健康な者は病気の者を究極的には理解できないことを憾み、短歌では泣
くという感情的な行為を描出している。この歌と呼応する感情が、1914 年
(T3) 9 月 3 日の門間春雄宛ての絵葉書に吐露されている。

　　時々たよりをせよとあなたからいはれた時、私は憮然としました、あ
　　なたも年の割に老生した人ですがやはり丈夫なんです、(中略) 病者で
　　ないと病者の心はわからないと、今年に成つてつくゞ\思つたことでし
　　た、あなたに不足をいふのではなく、私の苦しさを訴へてお察しを乞ひ
　　たいのです、さうして健康者の心より外にしらないあなたを羨むのです
　　(全集 7: 692)

　さて、この歌と先に引いた「小夜ふけてあいろもわかず」および「ひた
すらに病癒えなとおもへども」の 3 首について、斎藤茂吉は「皆盡く本心
を表はしている。本態が出てゐるといふことになる」と評している (斎藤
1925: 68-9)。
　6 月 7 日、節は再び福岡へ向けて発つ。静岡、神戸、下関に宿泊して、
10 日に福岡に着き、20 日から 8 月 14 日まで福岡大学附属病院で入院生活
を送る (全集 4: 359-376)。「其の二　三」の最後、すなわち「其の二」の
最後には、前後の歌の詞書から、6 月 4 日から 9 日 (福岡へ行く途中、下関
に投宿している) の間に作られた次の歌がある。長い詞書があるが、重要な
のでそれもあわせて示す。

　　暑きころになればいつとても痩せゆくが常ながら、ことしはまして胸のあたりの
　　骨あらはなれど、単衣の袂かぜにふくらみてけふは身の衰へをおぼえず、かゝる
　　こといくばくもえつゞくべきにあらざれど猶独り心に快からずしもあらず

　　単衣きてこゝろほがらかになりにけり夏は必ずわれ死なざらむ

夏には死なない、という言い方がかえって自らの死期が近づきつつあること
を作者が意識していることが示されていると考えられる。この歌についてア
ララギの歌人たちが、「詞書と共に味はうべき歌である」と論じているよう
に(5)の類型の歌である。(斎藤 1944: 195)、
　『アララギ』7 号（8 月号）に掲載された「鍼の如く　其の三」(35 首) は、
6 月 9 日から 7 月 7 日までの短歌がまとめられており、「鍼の如く」と「鍼
の如く　其の二」にあったさらなる区分はない。病いに関係する歌は 2 首
のみである。詞書から 6 月 17 日から 20 日の間に作られた 1 首めは以下の
とおり。

　　　病室みな塞りたれば入院もなり難く、久保博士の心づくし暫くは空くして雨にぬ
　　　れて通ふ
　　すみやけく人も癒えよと待つときに夾竹桃は綻びにけり

「人も癒えよ」とあるが、これだけでは誰が病んでいるのか分からず、(5)の
類型に入る歌である。
　一方、2 首めの 7 月 4 日の歌は「四日深更、月すさまじく冴えたり」の
詞書のあと 1 首をおいて、

　　　　小夜ふけて窃に蚊帳にさす月をねむれる人は皆知らざらむ

これより前の歌の詞書に「廿四日夜、また不眠に陥る」とあり、三浦義晃に
あてた絵葉書にも、「ここでも暑い〳〵でねられぬ晩があります」と書いて
いる（全集 7: 677）。また、7 月 3 日には父に「当地はなか〳〵の暑さにて
夜分八十六度位のことも有之病室はなか〳〵苦しく候へども（後略）」と書
き送っている（全集 7: 666）。華氏 86 度は摂氏 30 度であり、たしかにか
なり暑い。これも(5)の歌である。
　8 号（9 月号）に掲載の「鍼の如く　其の四」は、7 月 17 日から 8 月 6
日までの短歌 39 首よりなり、「一」から「三」に分けられている。病にか
かわる短歌は 1 首のみである。

　　　　朝のうち必ず一しきりはげしく咳出づることありて苦しむ
　　　　曉の水にひたりて鳴く蛙すずしからむとおもひ汗拭く

「汗拭く」の原因は、はげしい咳なのである。歌のなかで咳についてはまっ
たく触れられていないので、詞書がなければ夏の暑い朝の歌と読めてしま
う。しかし、詞書を読むと、汗をかくほど激しい咳をしていたのだというこ
とが分かる。作者が結核を病んでいたことを知っていた場合でも、詞書がな
い場合とある場合でこの歌の解釈はずいぶん異なってくる。(4)の歌である。
　「鍼の如く　其の五」（70首）は 1915 年（T4）の第 8 巻 1 号（1 月号）
に発表された。「一」から「四」に分けられている。1914 年（T3）8 月 14
日に福岡大学病院を退院すると、16 日には福岡を発ち 18 日に宮崎の青島
に至る。その後宮崎県内を旅し、8 月 6 日には青島に戻る。「其の五」から
以下に引く短歌はすべて、詞書に病いについての言及があるのみであり、(5)
の範疇に入る。

　　　　六日、波荒き海上を折生迫の漁村にもどる、此の夜おもひつづくることありてふ
　　　　くるまで眠らず
　　　　草に棄てし西瓜の種が隠りなく松虫きこゆ海の鳴る夜に

9 月 22 日には博多に戻り、次の歌を作っている。

　　　　二十二日、博多なる千代の松原にもどりて、また日ごとに病院にかよふ
　　　　此のごろは蜩々と呼ぶ声もすずしく朝の嗽ひせりけり

「日ごろは熱たかければ、日ねもす蒲団引き被りてのみ苦しかる程に（後
略)」という詞書を持つ 10 月 18 日の歌は以下のとおりである。

　　　　浴みして手拭ひゆる朝寒みまだつぼみなりそのあさがほは

また、11 月 14 日には、「俄に九度近くにのぼりたる熱さむることもなく、
三十日ばかりの間は只引きこもりてありければ（後略)」という詞書がある

次の歌を作っている。

　　吸物にいさゝか泛けし柚子の皮の黄に染みたるも久しかりけり

　この歌の詞書にとあるように、10 月頃から病状が悪化している。節は故郷にも東京にも戻ることなく、1915 年（T4）1 月 4 日には福岡大学附属病院の隔離病棟に入院し（弟宛書簡　全集 7: 752）、2 月 8 日に死去している。

6. 救済としての旅、そして短歌

　晩年の節にとって、旅と短歌はどのような意味を持っていたのだろうか。節が自分の病いの予後についてどのように捉えていたかを手掛かりに、この問題を考えてみたい。

　斎藤茂吉は、次のようなエピソードを明らかにしている。

　　長塚さんは病気になってから、もう読む折もないだらうといつて、代匠記、賀茂真淵全集、本居宣長全集の類を盡く僕に譲つたのであつた。それから、「土」の第一草稿と、新聞社に送つた「土」の原稿全部、旅行用小手帳数冊、合版雑記帳二冊、農作おぼえ書数葉などは晩年に僕に呉れたのであつた（斎藤　1925: 72）。

「晩年」は、1914 年（T3）を指すのであろう。まだしばらくは死なないだろうと思っている者が、歌人にとって重要な書籍や自筆の小説原稿を他人に与えるだろうか。節は、もうそう長く生きることはできないと考えていたに違いない。しかし、同時に節は結核が治癒することにかすかな望みをいだいていた。

　そのひとつが久保博士の治療である。1914 年（T3）5 月 1 日付の絵葉書に、節は「三度も久保博士をたよつて行つてそれでいけなければもうそれまでゝあります」（胡桃澤勘内宛　全集 7: 637）と書いている。ここまで久保博士にこだわったのには理由がある。それは博士が「懸垂咽頭検査法」なる方法で咽頭を見て、患部を焼くという治療を行なっていたからである。この電気焼灼という治療法は、「久保博士が独逸留学中の先生にて只今世界第一

の大家キリヤン教授の考案」で（父母宛書簡　全集 7: 668）、「此法を能く
するもの現今日本に久保博士只一人のみ」なのだという（橋詰孝一郎宛書簡
　全集7: 673）。久保博士夫人の久保より江は、大学病院への1914年（T3）
8月23日以降の長塚について、「よほどやつれて元気がなくなつていらつし
やいました」として、次の旨記している。節にとって博士に喉を焼いてもら
うのが唯一のなぐさめだったのだろう。焼けばなおると信じているのが気の
毒だと久保博士は話していた、と（久保 1915: 120）。
　6月福岡大学附属病院へ入院した節について、久保博士の部下西巻医師
は、次のように記している。

　　長塚さんには外の患者にまゝ見る様に病気を悲観して居られる様には見
　　えなかった、いつまでも治療といふことに希望を抱いて生き生きとした
　　気分で居られた、従って実に根気がよかった（西巻 1915：140）。

節が病気について楽観的に捉えていたというこの西巻の理解は、節の病いに
対する一面は捉えているだろう。しかし、節は楽観的であっただけではな
い。やはり久保博士門下の曾田医師は、同じ6月の節について以下のよう
に証言している。

　　（節が）たしかに死にたくなかつたらしい風で「もう十年生きたい」は
　　毎度聞きました。そして書きたいと思ふ小説の材料を幾つも幾つも話
　　されました。そんな時には医師や周囲の人が見離したような病人が全
　　快したといふような例を並べて自分で安心するという風でした（曾田
　　1915：138）。

先に「鍼の如く　其の三」から「単衣きてこゝろほがらかになりにけり夏は
必ずわれ死なざらむ」を引いたが、このエピソードにも自分は死なないんだ
と言い聞かせて安心しようとしているという様子が見て取れる。
　これまでみてきたように、1911年（M44）11月21日結核の診断以来、
節は旅をくり返している。1912年（M45）4月に初めて福岡で久保博士に
診察してもらっているが、その後も毎年福岡を訪れ福岡大学附属病院を受診
している。当時の交通機関の状況を鑑みれば、東京から福岡へ向かう旅は体

力をかなり消耗させたことは疑いない。しかし節は旅をやめなかった。

　堀口は、病跡学的アプローチによって長塚節の強迫性を明らかにしている（堀口 2008）。節は強迫的に久保博士の治療を受けていたが、旅も強迫的に希求していた。節にとって最後の旅は、8月16日から9月22日までの福岡から宮崎、大分への旅である。

　この旅は、転地療養としての意味も持っていた。6月28日、入院中の福岡大学附属病院の病室から宮崎の知人に宛てて書いた書簡には、宮崎の青島で「砂にくるまつて日光浴をやつたら私の身体には格別宜しからうと思ひます」と記している（全集 7: 661-2）。また、7月16日の書簡にも、青島への転地を考えている旨の記載がある（橋詰孝一郎宛書簡 全集 7: 673）。

　ところが、青島では8月19日から9月7日の間に、3軒の旅館から肺病ではないかと疑われ追い立てられている（9月7日付、門間春雄宛絵葉書 全集 7: 691）。つまり、この時には、おそらく咳や顔色や痩せていること等々で、医療に携わる者でなくとも節が結核を病んでいるのではないかと思うまでになっていたのだ。この屈辱的な経験を「発病以来はじめて心にしみ〴〵して見ました」と8月24日に久保より江に書き送っている（全集 7: 691）。

　9月3日、節は絵葉書を6枚書いているが、自分の体の具合について言及している3枚を引く。

　　日向は私のために幸福な処ではありませんでした、それで熱が出ては気分の悪いからだですけれど、舟車の便をたよりに南へ〴〵と志してきました、景色はいゝ処で結構です、も少し南へ行かうと思つています（門間春雄宛絵葉書 全集 7: 692）
　　も少し南へ行かうと思つています、然し病体ですから不自由でいけません（斎藤隆三宛絵葉書 全集 7: 694）
　　先月中旬日向へ立つたのですが、何分にも気分が悪いし随つて何事も億劫ではあり、（中略）海の景色がいゝので今少し南へ行かうかと思つています（胡桃澤勘内宛 全集 7: 695）

体調がかなり悪いことは節自身にも明らかだった。節は、南の日に当たればいくぶんか病気もよくなるのでないか、と考えていたように思われる。節の

二つめのかすかな望みはこの南への旅である。結果的に体力を消耗させ結核を悪化させたこの旅への熱情は、しかし、節にとっては救いであったと考えることができる。

　では、短歌はどうだろうか。これまで検討したように、発病後の節の歌で直接病いを詠んだものは決して多くない。節は、詞書に病気のことも含めて自らの日常を記し、短歌ではなるべく病気について触れないという方針をとった。そして、節が短歌を作ったのは、1911 年（M44）11 月の咽頭結核の診断から入院をへて 2 月 20 日に退院するまでと、再び体調が悪くなった 1914 年（T3）5 月から 12 月までである。つまり、死を意識して生きたに相違ない時期と重なっているのだ。

　「鍼の如く」を作っていた 1914 年（T3）について、「ことしに成つて半ば頃から私にも不思議に歌ができます」と節は書き残している（10 月 17 日付、中岫つや子宛　全集 7: 721）。また、7 月 16 日には次のように書いている。

> ことしはからだが悪く成りつつあるので困ります。それでも三年以来中絶の歌は復活といふよりも、新生涯に入つたやうな気がします（橋詰孝一郎宛書簡　全集 7: 673）

　ここで、「鍼の如く」といういささか奇妙なタイトルについて考えてみたい。鹿児島寿蔵は、「病床雑詠」のなかの「山茶花よそをだに見むと思へるに散らなくあらな我が去ぬるまでに」という歌を評して、「心が、眼が、やさしく輝いてゐると共に益々針のようになつてゆく心情が窺へる」と述べている（斎藤 1944: 107）。この文言はいうまでもなく「鍼の如く」のタイトルを意識したものである。では「益々鍼のようになってゆく心情」とは、いったいどのようなものだろうか。咳漱や発熱の苦痛や不快感ゆえに、そしてまた同時代の数多の結核患者たちの死ゆえに、節は死を意識して生きることで心が鋭敏になっていく。しかし、取り乱さずに抑制が効いた冷静な短歌を作る。これが「鍼の如く」の意味するところだろう。

　そのような鋭敏な感覚にもとづく創作性は、短歌という形式で開花する。先に西巻医師に対して、節が書きたいと思う小説の材料をいくつも話したというエピソードを紹介した。最初の咽頭結核の診断と再発の後、小説は書き

たいが書けないことを明確にはっきりと意識した節は、自分では意識しな
かったが短歌へ向かったと考えることができる。歌の「新生涯」は、そのよ
うに形作られたのだ。

　エルズリッシュとピエレが指摘するように、「結核は、とりわけその罹病
期間が長いので、死の一形式であるよりも生の一形式」であり、「結核によ
る死は、個人的でかなり緩慢なもの」だ（エルズリッシュ、ピエレ［1991］
1992: 58）。結核という慢性病を生のひとつの形式として、節は、詞書と短
歌とが共鳴する独自な様式をつくりだしたのである。土屋文明は、「鍼の如
く」を「転機の賜」であるとする（斎藤 1944: 65）。結核が転機とした生
の希求と近づく死という二つの逆方向へ向かうベクトルのなかで短歌を作る
という営為は、節にとって救いなのであった。

注

1) たとえば、青木純一『結核の社会史』第8章「療養者の言葉と生活」(2004)、エルズリッシュ、ピエレ『病人の誕生』([1991] 1992)。

2) 『ハンセン氏病文学全集』(第1期全10巻、皓星社)『第8巻 短歌』(2006年)には、約1,200人の短歌20,000首が収められている。

3) 瞬時に短歌や俳句を詠むことは、それぞれ「即詠」「即吟」と呼ばれ、訓練としても活用される。1900年 (M33) 3月30日、節が二度目に子規を根岸庵に訪れた折、子規は線香一本が燃え尽きないうちに、根岸庵の実景を歌に詠めと命じ、節は「歌人の竹の里人おとなへばやまひの床に絵をかきてあり」をはじめ10首を作っている (橋田 1925: 87-88)。また、俳句結社〈軸〉の主宰であった河合凱夫 (1921-1999) は、マッチ一本が燃え尽きる間に一句つくらせるというトレーニングを、時に門人たちに課した。

4) 以下、歴史的文献から引用する場合、正字は新字とし、ひらがなは旧かなのままとする。

5) 医師で歌人であった上田三四二は、この一連を「子規一代の傑作」とし、また「これほど子規らしくない作品も稀」であるとしている (上田 1959: 15-16)。

6) 呼吸は肺呼吸と皮膚呼吸に分けられるが、一般に「呼吸」は肺呼吸を意味する。本稿でもこの用法を用いる。

7) 長塚節の生涯については、以下の文献を参照した。『新小説 長塚節追憶号』30 (12)、『アララギ 長塚節追悼号』8 (6)、斎藤茂吉編『長塚節研究 (上) (下)』東京:筑摩書房 (1944)、大戸三千枝『長塚節の研究』東京:桜楓社 (1990)。

8) 弟の長塚順次郎は次のように追想している。「今で云う神経衰弱ですね、ずい分弱って夜半に眠れない始末です」(長塚順次郎 1925:74)。

9) 「再び歌よみに与ふる書」(1898年2月14日新聞『日本』掲載) は以下の有名な文で始まっている。「貫之は下手な歌よみにて古今集はくだらぬ集に有之候」。

10) 長塚節全集 (東京:春秋社、1976-78) からの引用は、(全集 巻数 ページ) で、たとえば (全集6: 323) のように記載する。

11) 岡麓 (1877-1951) は本名三郎で、書家でアララギの歌人。

12) 節の「病床日記」12月10日の条に「左千夫、茂吉、中村憲吉君来る」とある (全集 4: 257)。

13) 『アララギ』の目次には「我が病」とあるが、本文にタイトルはなく詞書から始まっている。長塚節の短歌の引用は、すべて『アララギ』初出に拠る。

14) 芥屋の大門 (けやのおおと) は、福岡県糸島市の糸島半島の北西の大門岬にある高さ約64m、間口10m、奥行き90m浸食洞、日本三大玄武洞の一つ。長塚節の九

州旅行については別に論考を予定している。

15) 土屋文明は、「立ふぢ」はルビナス、「きんせん」は金盞花、ヒメジョンの花は夏に
咲くのでこの「ひめぢをん」はシラネリアであろうとしている（斎藤 1944: 155）。

16) この経緯は、東大分院に勤務していた黒田てる子の兄黒田昌恵宛書簡(5月27日付)
に詳しい（全集 7: 647）。

引用文献

青木純一　2004：『結核の社会史』東京、お茶の水書房。

上田三四二　1959：『アララギの病歌人』東京、白玉書房。

エルズリッシュ、クロディーヌとジャニーヌ・ピエレ　[1991] 1992：『病人の誕生』(小倉孝誠訳) 東京、藤原書店。

久保より江　1915：「長塚さん」『アララギ』第8巻第6号、116-121 頁。

斎藤茂吉　1925：「長塚節の歌」『新小説』第30巻第12号、65-72 頁。

斎藤茂吉（編）　1944：『長塚節研究（下）』東京、筑摩書房。

清水房雄　1984：『鑑賞長塚節の短歌』東京、短歌新聞社。

ソンタグ、スーザン　[1978] 1982：『隠喩としての病い』(富山多佳夫訳) 東京、みすず書房。

高崎義行　1915：「入院前後の長塚氏」『アララギ』第8巻第6号、142-144 頁。

橋田東声　1925：「節の子規庵入門」『新小説』第30巻第12号、85-90 頁。

橋詰孝一郎　1915：「思ひでのかず〳〵」『アララギ』第8巻第6号、111-115 頁。

福田眞人　1995：『結核の文化史：近代日本における病のイメージ』名古屋、名古屋大学出版会。

長塚順次郎　1925：「家兄の思出」『新小説』第30巻第12号、72-77 頁。

長塚節　1976-78：『長塚節全集』東京、春秋社。

中島哀浪　1915：「長塚節氏を憶ふ」『アララギ』第8巻第6号、152-156 頁。

中村憲吉　1925：「長塚さんの思出」『新小説』第30巻第12号、100-108 頁。

西巻透三　1915：「外来通院中の長塚氏」『アララギ』第8巻第6号、140-142 頁。
　　　　　2008：「長塚節の強迫性」『日本病跡学雑誌』第75号、5-18 頁。

平瀬泣崖　1915：「長塚さんのこと」『アララギ』第8巻第6号、147-150 頁。

松田修　1980：「銀器鏘然」『現代歌人文庫④中城ふみ子歌集』東京、国文社、142-
　　153頁。

Young, Alan 1982: "The Anthropology of Illness and Sickness." *Annual Review of An-
　　thropology* 11: pp. 257-285.

Passion and Quietude:
How Nagatsuka Takashi, a Tanka Poet, Lived with Tuberculosis

by Hideaki MATSUOKA

Nagatsuka Takashi (1879~1915) is best known as the author of *Tsuchi* or *The Soil* (1910), a novel which depicts the everyday life of poor farmers. However, he had been a tanka poet long before he started writing novels. He left many excellent tankas but the most prominent ones were written during the period from when he was diagnosed tuberculosis at the end of 1911 to December, 1914, two months before his death.

There still remains some mystery why he did not make any tanka for two years, from March 1912 to March 1914, during the three years of his fighting against his illness. This question might be answered by examining his life more closely. Throughout his life, Nagatsuka had a passion for travel and this passion was increased by his illness. There was a doctor in Fukuoka who was the only one at that time who was able to give patients a special treatment that he had brought from Germany. Nagatsuka traveled to Fukuoka, a city 550 miles west of Tokyo three times in his last three years. To receive treatment was, however, not the only reason for his journeying. Before and after staying in Fukuoka, he visited several sightseeing places, such as Kyoto, Nara, Hiroshima etc., and sent many letters to his friends. This passion for travel could have hastened his death as long trips like these at that time could have drained his bodily strength.

There is a sharp contrast between Nagatsuka's travel and tanka. In the field of tanka, his work is noted for its quietude. In 1912, he published two series of tankas: *Waga Yamai* or *My Sickness* and *Byosho Zatsuei* or *From My Sickbed*. After two years of being away from tanka, he returned to this traditional Japanese poetry form and published 231 tankas entitled *Hari no Gotoku* or *Like a Needle*. Usually, tankas written by those who are ill tend to be sentimental, but Nagatsuka's tankas seldom refer to his illness. Instead he depicted his everyday life including his illness in the *kotobagaki*, the one or several sentences immediately preceding a tanka, which explain the context to that particular tanka.

医系文学でたどる死生観の変貌
——昭和から平成へ——

藤 尾 　 均

1．本稿のねらい

　本稿の表題に掲げた「医系文学」の語をインターネットで検索してみる
と、所属大学ウェブサイト内の筆者担当科目のシラバスしかヒットしない。
どうやら筆者の造語らしい。ここできちんと定義しておこう。主として、患
者・医師・看護師などが登場する文学作品、医療現場を舞台とする文学作
品、病気そのものを主題とする文学作品のことである。

　とはいえ、ひとくちに文学といっても、小説をはじめ詩・俳句・短歌・随
筆などジャンルは多彩である。話が拡散しないよう本稿では小説にほぼ限定
することにしよう。また、文学は広く外国にも存在し、古代・中世・近世に
も存在したが、同様の理由によって、本稿では近現代（つまり明治以降）の
日本文学に限定する。

　森鷗外・夏目漱石・芥川龍之介・谷崎潤一郎・太宰治・川端康成・大江健
三郎をはじめ、日本近現代を代表する作家たちの多くが「医系文学」を発表
している。主要な「医系文学」をたどれば、明治から平成にかけての死生観
の変遷の一端をたどることができる。とくに戦後昭和期から現在への60余
年間の変遷には著しいものがある。本稿のねらいは、その変貌の特徴を明ら
かにするとともに今後の「医系文学」を展望しその理想的なあり方を追求す
ることにある。

　まずは、特定の作品に対する主観的感想を語ることは避け、できるだけ多
くの「医系文学」を客観的にカタログとして紹介しよう。むろん、該当作品
は膨大な数にのぼり、網羅は望むべくもない。筆者が管見した限りの作品を
もとに死生観の変遷までをもたどろうとするのは、快挙でも壮挙でもなく愚
挙あるいは暴挙であろう。にもかかわらず敢えて挑むのは、いままで掛け声
ばかりで実はほとんど行われてこなかった、文学作品を素材とする体系的・

歴史的な「死生観」研究の、ほんの一里塚を形成しておきたいためである。

2．「医系文学」と「死生観」の定義に関する補足

　本稿で作成しようとする「医系文学」カタログの内包と外延をもう少し厳密に規定しておこう。ポイントは次の5つである。

　（1）内容の如何を問わず、時代小説・歴史小説の類は「医系文学」カタログから除外する。

　発表時点における現代小説のみを対象とする。こういう作品なら、当該時点での「現代」を等身大に映し出している可能性が高く、「時代の空気」を探る歴史的資料としての価値が大きいからである。たとえば、「安楽死」問題を扱っている名高い時代小説に森鷗外『高瀬舟』（1916年）があるが、本作品はストーリー展開が江戸後期の寛政年間に設定されている。発表年とはざっと130年以上の隔たりがある。したがってカタログには含めない。

　（2）小説でなくても、職業作家の随筆なら「医系文学」カタログに含めることがある。

　そもそも日本の小説には「私小説」という特有のジャンルがあるため、「私」を主人公とする散文には、小説と随筆のどちらに分類してよいか判断に迷うものがある。そこで臨機応変に、随筆もカタログに含めることにする。たとえば、通例、志賀直哉『流行感冒』（1920年）、中勘助『母の死』（1935年）、幸田文『父　―その死』（1949年）などは小説に分類され、夏目漱石『思い出す事など』（1910～11年）は随筆に分類される。しかし、身辺雑記としての性格はほとんど変わらないので、後者もカタログに含めることにする。

　（3）職業作家の個人的体験にもとづく小説・随筆は「医系文学」カタログに含めるが、職業作家以外のそれらは含めない。

　たとえば、室生犀星の遺作となった癌闘病記『われはうたえどもやぶれかぶれ』（1962年）は含めるが、『病気になった時に読むがん闘病記読書案内』（2010年三省堂刊）で紹介されているような、職業作家以外の手になる闘

病記は、著者の有名・無名を問わず含めない。含めると「文学」の概念が拡散し過ぎてしまうからである。

　（4）リアリティーに乏しい小説やリアリティーを追求していない小説も「医系文学」カタログに含めることがある。
　執筆当時のいわば「時代の空気」を探り死生観の変遷をたどることが本稿の主目的である以上、むろん、奇想天外なＳＦ小説や、謎解き主体の推理小説でたまたま事件現場が医療現場であるようなものは、カタログには含めない。とはいえ、リアリティーは希薄でも、いわゆる純文学に属するものや、小説以外の手段では決して作者の死生観を表現できないような内容のものは含める。たとえば、吉村昭『少女架刑』（1962 年）には、死後に解剖され火葬され納骨される少女「私」の感慨が時系列的に綴られている。死体に意識があるとは通常考えられないであろうが、そこからは、こういう形でしか表現し得ない作者の死生観がうかがえる。

　（5）昭和以前の作品は一応の評価が定まったものに限定するが、平成の作品については評価を後世に俟つべきものも「医系文学」カタログに含める。
　この点についてはとくに詳しいコメントは要しないであろう。発表されてからまだ日の浅い平成の作品については、当然ながら、まだ評価の定まっていないものが多い。

　次に、「死生観」の定義にも言及しておこう。『広辞苑』（第６版）の「死生観」の項には、「生と死についての考え方。生き方・死に方についての考え方。」とある。本稿でもこの規定を踏まえるが、扱うジャンルは主として小説であり、小説には、いうまでもなくそれらの「考え方」が必ずしも論理的に説明されているわけではない。読者の方で作者の意図を推し量り死生観を探るしかない。読者が作品から感じとる死生観にも幅があり、それが作者の意図と一致するという保証もない。カタログで紹介するのは、「医系文学」の中でもとりわけ上述の意味での死生観が如実に表れていると思われるものばかりではあるが、事の性質上、曖昧さも残らざるをえない。
　ともあれ、以下、日本近現代の「医系文学」から厳選して引用文とともに

紹介し、その豊饒な内容を確認して死生観の変貌ぶりの一端をたどってみよう。なお、引用文中の省略部分は「……」で表す。

3.「医学文学」の具体的カタログ（読書案内）

（1）明治編

①泉　鏡花　『外科室』（1895 年）

　ある貴婦人が簡単な外科手術を前にして、心にもつ秘密すなわち夫以外に好きな男性がいることをうわごととして発するのを恐れ、吸入麻酔薬（おそらくはクロロホルム）の使用を拒否して結果的に死を選ぶ。好きな男性とは、じつは当日の執刀医であった。執刀医も同じ日に自殺して果てる。実話ではなく泉鏡花の創作した観念小説である。作者は最後に問う。「渠ら二人は罪悪ありて、天に行くことを得ざるべきか」。

②国木田独歩　『春の鳥』（1904 年）

　私塾教員の「私」が出会った知的障害（おそらくはダウン症）の少年。彼は周囲から差別と偏見の眼でみられるが、性格は純真で「天使」のようである。「私」は彼に勉強を教えるが、その甲斐なく少年には悲劇的な結末がおとずれる。作品の背景にイギリスの自然主義詩人ワーズワースの自然観・人間観・死生観が見え隠れする。悲劇的な結末に遭遇した「私」は感慨をこう漏らす。「人生不思議の思に堪えなかったのです。人類と他の動物との相違。人類と自然との関係。生命と死、などいう問題が年若い私の心に深い深い哀を起しました」。

③田山花袋　『一兵卒』（1908 年）

　日露戦争に従軍し脚気（ビタミンＢ₁欠乏症）にかかって非業の死を遂げる一兵卒の物語で、一種の反戦小説。当時は戦闘で死ぬ兵士より感染症や栄養欠乏で死ぬ兵士の方が多かった。「彼はすでに死を明らかに自覚していた。けれどそれが別段苦しくも悲しくも感じない。……ただ、この苦痛、堪えにくいこの苦痛からのがれたいと思った」。

④伊藤左千夫　『奈々子』（1909 年）

不慮の事故（溺死）によって幼い娘を喪った父親の哀感を綴った、作者の実体験に基づく短編。「今の自分には、哲学や宗教はことごとく余裕のある人共の慰み物としか思えない。……真に愛するものを死なした事のない人に、どうして今の自分の悲痛が解るものか、哲学も宗教も今の自分に何の慰藉をも与え得ないのは、とうていそれが第三者の言であるからであるまいか」。

⑤石川啄木　『赤痢』（1909 年）

1905（明治 38）年、啄木の郷里である岩手県渋民村を赤痢の大流行が襲った。人口約 400、死者少なくとも 25。当時はまだ治療法がなく、蔓延を防ぐには隔離がほぼ唯一の手段であった。住民は赤痢そのものよりも、警察官によって強制的に隔離病舎に収容されることのほうを恐れた。「時偶、胸に錐でも刺されたような赤児の悲鳴でも聞えると、隣近所では妙に顔を顰める。……村中湿りかえって巡査の沓音と佩剣の響が、日一日、人々の心に言い難き不安を伝えた」。

⑥高浜虚子　『続 俳諧師　－文太郎の死』（1909 年）

実兄をチフスで喪った作者の体験にもとづく自伝的作品。大病院での実兄の死にゆく過程は当時のパターナリズム医療の典型である。「『癒るでしょうか、難しいでしょうか』という質問に対して、『そりゃ君難問だ。医者はベストを尽すのみで、生死の予言は出来ぬ』こう言って……得意らしく笑った。……独り夜半の病室に呻吟して冷刻なる医師、看護婦と争わねばならぬ人は生きる寿命をも殺す人である」。

⑦夏目漱石　『思い出す事など』（1910 年）

かねて胃潰瘍の持病のあった漱石は 1910 年 8 月に大量吐血し危篤に陥ったが、その回復の後に綴った随筆である。想像・期待していたような臨死体験、すなわち「微かな羽音、遠くに去るものの響、逃げて行く夢の匂い、古い記憶の影、消える印象の名残」が無かったことは、彼には却って不可解で、この体験により彼自身の死生観は大きく転換した。

（2）大正編

①谷崎潤一郎 『異端者の悲しみ』（1917年）

大学生時代を回顧した自伝的小説。生きる意味を見出せず自堕落な生活を
つづけ、死に対する恐怖を覚え不安と焦燥を感じる日々を送る主人公。死の
恐怖が本作品の大きなモチーフである。「恐怖は殆んど章三郎を発狂させね
ば置かない程に昂奮させた。……彼は何とかして、海嘯のように襲い来る死
の恐怖を払い除けつつ、生きられるだけ生きたかった」。

②有島武郎 『実験室』（1917年）

主人公は研究ひとすじの病理学者。上司・同僚が主張する妻の死因に納得
がいかず、真相を探るため敢えて妻の死体を解剖し始める。真相を突き止め
て得意になるが、やがて後悔の念にとらわれていく。「厳粛に取りあつかわ
ねばならぬ妻の死体と記憶とをめちゃめちゃに踏みにじって、心ひそかに得
意を感じた稚気、衒気！ 恥じて死ね。……科学を生活する——なんという
おおそれた空言を彼は恥ずかしげもなくほざいたものだ」。

③志賀直哉 『流行感冒』（1920年）

作者の実体験をそのまま描いた私小説。1918～19年に世界的に流行し
たインフルエンザ（通称スペイン風邪）の最中に、幼い娘への感染を恐れ警
戒する主人公「私」。「三四百人の女工を使っている町の製糸工場では四人死
んだというようなうわさが一段落ついた話として話されていた」。ちなみに
1920年までの3年間における日本のインフルエンザ死者は約22万。

④芥川龍之介 『お律と子らと』（1920年）

複雑な家族関係を反映して、胃潰瘍で死に瀕した母お律に対して3人の
子ども（お律と現在の夫との間の子、前夫との間の子、現在の夫の連れ子）
が抱く感慨にも、きょうだい間で微妙な温度差がある。「『お母さん。お母さ
ん。』母は彼に抱かれたまま、二、三度体を震わせた。それから青黒い液体
を吐いた。『お母さん。』誰もまだ其処へ来ない何秒かの間、慎太郎は大声に
名を呼びながら、もう息の絶えた母の顔に、食い入るような眼を注いでい
た」。

⑤島崎藤村　『ある女の生涯』（1921 年）

　遊蕩好きの夫から梅毒（性感染症の一種）に感染させられ長年苦しんだあげく、認知障害を発症して寂しく死んだ老婆おげんが主人公。その娘も先天梅毒に罹っていた。おげんは夫の風評を案じるあまり病院にも行かず梅毒を隠し続けるという典型的な明治の女性。「父としては子を傷け、夫としては妻を傷けて行ったようなあの放蕩な旦那が、どうしてこんなに恋しいかと思われるほど」。

（3）昭和戦前編

①横光利一　『花園の思想』（1927 年）

　ある海辺の結核療養所。周囲には嫌がらせ（風評被害のため売れ残った魚を放置し蠅を誘発）する漁民たちがいる。夫は日々献身的に看護するが妻の死期は迫る。一秒でも長く生きよと願い呼吸器を当てがい続ける夫。苦痛に耐えかね、医師による注射を拒否して自ら死を選ぶ妻。尊厳死の問題を考えさせる秀作である。「もし吸入が永久に妻の苦痛を救うものなら、彼は永久にその口を持ち続けていたかった。だが……吸入がただ彼女の苦しみを続けるためばかりに役立っているのだと思うと、彼は彼女の生命を引きとめようとしている薬材よりも、今は、彼女の生命を縮めた漁場の魚に、始めて好意を持ちたくなった。しかし、医師は、法医学に従って、冷然としてなお一本の注射を打とうといい始めた。ただ、生き残っているもののためのみに。『いや、いや。』と彼の妻は彼より先に医師の言葉を遮った。『よしよし、じゃ、もう打つのは止そう』」

②梶井基次郎　『のんきな患者』（1932 年）

　作者自身の体験を映した遺作短編。末期結核患者の心理を冷静な筆致で描出。遺作ながら絶望に陥らず前向きに人生を扱う態度が一貫。「のんき」というより、今更ジタバタしても仕方がないと主人公吉田は達観。根本的な治療法がなく非科学的・迷信的な「薬」（脳味噌の黒焼、首縊りの縄など）に縋る患者も少なくなかった時代の空気が伝わる。「吉田は……そういう迷信を信じる人間の無智に馬鹿馬鹿しさを感じない訳に行かなかったけれども、……馬鹿馬鹿しさの感じを取り除いてしまえば、あとに残るのはそれらの人間の感じている肺病に対する手段の絶望と、病人たちの何としてでも自分の

よくなりつつあるという暗示を得たいという二つの事柄なのであった。……病気というものは……最後の死のゴールへ行くまではどんな豪傑でも弱虫でもみんな同列にならばして否応なしに引き摺ってゆく……」。

③中　勘助　『母の死』（1935 年）
末期の母親を在宅看護する息子の 1 カ月余にわたる感慨を「断片」のかたちで綴る。「私は仰向けに寝て目をあいてる母のうえへ身をかがめ顔を近づけてなのりながら『かわいいでしょう』といった。と、晴天の霹靂とでもいうように『そりゃ子だもの』といった。……顔を近づける。切れぎれに細ぼそと　あした　といった。それから先は声がつづかないのだ。なぜか『あした』にこだわっている。あしたは死ぬ　だろうと思う」。

④北条民雄　『いのちの初夜』（1936 年）
作者はハンセン病患者（癩者）。ハンセン病の感染力は極めて弱いが、外貌が特異になることから患者は忌み嫌われ差別と偏見に苦しんできた。収容された療養所内で絶望から立ち直り生き直そうとする主人公尾田。「生命です。生そのもの、いのちそのものなんです。……誰でも癩になった刹那に、その人の人間は亡びるのです。死ぬのです。……けれど、尾田さん、僕らは不死鳥です。新しい思想、新しい眼を持つ時、全然癩者の生活を獲得する時、再び人間として生き復るのです」。

（4）昭和戦後編
①原　民喜　『夏の花』（1947 年）
広島に投下された原爆で被爆した作者が惨状を綴った実録短編。「これは精密巧緻な方法で実現された新地獄に違いなく、ここではすべて人間的なものは抹殺され、……何か模型的な機械的なものに置換えられ……虚無の中に痙攣的な図案が感じられ……超現実派の画の世界ではないかと思えるのである」。

②幸田　文　『父　―その死』（1949 年）
父親（幸田露伴）の死の看取りと翌日の葬儀の模様を描き、娘の感慨を綴る。「『おとうさん、……文子がお口を洗ってあげましょう。……さ、綺麗な

お水をあがってください。』割りばしのさきに脱脂綿をつけ氷の水を含ませた。ごくりと喉仏が動いて通って行った。……『色が変った！』柳田さんの声だった。たちまち死色が顔から紅を奪って行った」。

③井伏鱒二　『本日休診』（1949 ～ 50 年）
　終戦直後の東京の下町で貧しい女性たちのために尽くす産婦人科開業医が主人公。胞状奇胎を除去されたり帝王切開の費用がないために穿顱術を施されたりして深い悲しみを背負った女性たちに対し、主人公は温かい眼差しを注ぐ。「もし切開に反対なら、穿顱術を施さなくては母体が持たないので、先生はその手術の説明をした。子宮口が開くまで待って、骨盤位牽出を行なって、肩胛部まで牽出した後に胎児の脳の実質を取出すのである」。

④川端康成　『川のある下町の話』（1953 年）
　医学部を卒業し研修に励む医師の卵（インターン）。「若返り」のために効果の不確かな健康法に出費を惜しまない富裕な人々。日々の糧を得るために自分の血液を売る貧しい人々。抗生新薬の普及は高齢者を増やし国の悩みを増すかもしれないと心配する先輩医師。時代の空気を濃厚に反映した長編。「『医者の技術よりも、もう新薬のおかげだね。死亡は少い、病気は悪化しない。老人の肺炎も助かる。しかしね狭くて痩せた土地に、人ばかりふえる日本で、老人の寿命が延びるというのも、国の悩みを増すかもしれないんだ。……僕はときどき考えてみるんだ。医学というものが、全く発達しなくて、人間が天然自然に死んでゆく時代は、どうだったか』。……『新薬で生かされる人と、原子爆弾で殺される人と、どちらが多いんでしょう』」。

⑤大江健三郎　『他人の足』（1957 年）
　脊椎カリエスという難病を抱え、ほぼ寝たきりのまま療養所暮らしを強いられている少年少女たち。その心の葛藤を描く。「僕らは、粘液質の厚壁の中に、おとなしく暮していた。……この不安定な、窮屈な姿勢のままで、あと四十年生きるんだ。寝椅子に寝そべったままで僕は三十歳になり、四十歳になる。……四十歳の僕は分別くさい顔をして、いつも穏やかに微笑しているだろう。そして看護婦に抱えられて便器にまたがるのだ。僕の萎びた腿の皮膚はかさかさして脂がなく、汚点がいっぱいできているだろう。まった

く、辛抱強くなければならないな」。

⑥三島由紀夫　『貴顕』（1957 年）
　貴顕とは身分が高く名声のある人。主人公は旧華族。日ごろ名画の蒐集・鑑賞に生き甲斐を感じていたが、死期が近いと悟ると、もっと創作に励んでおくべきだったと後悔する。「他人の作った芸術品が彼の人生を要約してしまっていた。……他人の想像した色彩や形態のうちに至上なものを見出し、……それに自分の人生を委ねたのはあやまりだった、と治英は切に思った。……もっと怖れずに創るべきだった。創造のよろこびという、不たしかな粗雑なよろこびに、もっと身を委ねるべきだった」。

⑦室生犀星　『われはうたえどもやぶれかぶれ』（1962 年）
　作者の実体験に基づく闘病記で遺作。入院先では肺癌とは知らされず胸膜炎と告知された。真相の「告知」はされなかったが、本人は癌であることを薄々「察知」していた。「一つの断崖のような処に押しつけられ、行かねばならない処が次第にわかって来るようであった。自分の行先がわかり始めたのだ」。

⑧吉村　昭　『少女架刑』（1963 年）
　交通事故で死んだ 17 歳の少女。貧しい両親は遺体引取りを拒否。大学病院に引取られ、解剖・火葬を経て納骨。その間の経緯が少女「私」の意識・感覚として語られる。「初めは単純であった炎の色が、私の体に火がつくと、にわかに多彩な紋様を描きはじめた。……骨からは、ひどく透明な青い炎が微かな音を立ててゆらめき、なにが燃えるのか、緑、赤、青、黄と、美麗な色の炎が、私の周囲をきらめきながら渦巻き、乱れ合っていた。私は……飽かずにじっと見惚れていた」。

⑨北　杜夫　『こども』（1966 年）
　妻の非配偶者間人工授精（ＡＩＤ）によって男児を得て、その妻に死なれた男。やがて、血のつながらない男児は学校で問題行動を頻発。男は実父（精子提供者）を突き止めたくなるが、果たせず悶々と暮らす。先端生殖技術のもたらす波紋を予見した精神科医の作品。「妻には子供へむかっての本

能まるだしの愛情があった。そりゃあ自分の真実の子だもの。おれにはそれがなかった。いや、たとえ無限の愛情にとりまかれていたとて、はたしてあの子は？……正体のつかめぬもの、そりゃあおばけだ……」。

⑩有吉佐和子　『恍惚の人』（1972 年）

認知症（痴呆症）を発症した舅の世話をする 40 代の嫁。食欲本能、徘徊、妄想、失禁……。嫁は苦悩を福祉事務所の職員にぶつけるが、その対応に失望する。慢性的に不足する老人ホームなど立ち遅れた福祉の実態も読み取れる秀作。「『私どもの方でホームに入れたいと思う方でも半年から一年も空くのを待たなきゃならないのが実情なんです』『空くというのは、入っている人が死ぬのを待つってことなんですか』『はっきり言えばそういうことです』……長い人生を営々と歩んで来て、その果たてに　耄碌が待ち受けているとしたら、では人間はまったく何のために生きたことになるのだろう」。

（5）平成編

①南木佳士　『ダイヤモンドダスト』（1989 年）

作者は長野で地域医療に貢献する医師。主人公は男性看護師（当時は看護士）。病院でさまざまな過去を背負う患者の死に立ち会う日々。ある患者はこうつぶやく。「検査の技術が進歩して、癌患者の予後が正確に分かるのに、治療が追いついていない。このアンバランスはきっと、星のアレンジをしている人が、自分勝手に死さえも制御できると思いあがった人間たちに課している試練なのだと思います。今、とても素直な気持でそう思う……思いたいのです」。「星のアレンジをしている人」とは神のことであろうか。

②水上　勉　『心筋梗塞の前後』（1994 年）

自宅で心筋梗塞の発作を起こして搬送され、集中治療室で過ごしたある日に「臨死体験」。「昼だか夜だかはっきりしない。つまりそこが冥土の入口のトンネルをつきぬけたさきで、つき当たりだったようにも思う。後ろから三十年近くも前に死んだはずの父親に似た声がして、そこからは冥土だから気をつけろ、と忠告されている気がしたとたんに、足下を流れる水に気付いた」。

③佐江衆一　『黄落』（1995 年）

　60 歳間近の息子夫婦が 90 代前半の父親と 80 代後半の母親を介護する日々。辛い「老々介護」の実態。母は認知症で絶食により絶命。『恍惚の人』から 25 年、高齢者介護の現状はますます深刻さを増した。「紙オムツは尿の悪臭を放ってぐっしょり濡れていた。手早く開いた。私は目をそらした。覚悟していたが、母の陰毛があった。……母がこれほどまでに痩せ衰え、老いさらばえているとは思わなかった。その母の躯の、なぜか白髪もない尿に濡れた繁み。私が生まれ出たそこを、妻は私に見せつけようとしたのか」。

④青山光二　『吾妹子哀し』（2003 年）

　「老々介護」の実態は『黄落』の頃よりもさらに深刻化。90 歳間近の夫が認知症の妻を介護。夫は妻の姿に若い頃の愛を蘇らせる。高齢者の性の問題をも照射した作品。「ＣＴやＭＲＩで脳を透視してアルツハイマー型認知症を如実に観察することはできるらしいが、認知症によって荒廃に荒廃を重ねる人間の心を透視する機械はないのだろうか。いや、機械にたよるまでもなく、……食器棚の硝子扉や木の扉を開けて見れば、そこに展開する光景の意味するものは、人間の心の荒廃以外の何ものでもないように思える」。

⑤荻野アンナ　『蟹と彼と私』（2007 年）

　英語で癌を意味する cancer は、元来は蟹のこと。蟹の甲羅のデコボコは癌のすがたに似ている。「私」の同居人「彼」が食道癌にかかり、それが肝臓に転移。ふたりは抗癌剤やサプリメントに関する情報の洪水に押し流されそうになる。現代風の癌闘病記。「本屋の棚の、健康コーナーの前に立つと、抗がん剤の反対派と賛成派の本がごっちゃに並んでいる。反対派いわく、ほとんどの癌に効き目がないのに副作用のみ強烈。たとえ一時的に効いて、癌が退縮しても完治せず、結局のところ寿命は延びない。賛成派いわく、抗がん剤の配分や点滴の時間帯を工夫すれば、副作用は抑えられる。あとは吐き気などで、ほとんど苦痛もないまま、寿命は延びる。両方を熟読玩味した患者や家族は、迷いの底なし沼に沈み込む」。

⑥太田靖之　『産声が消えていく』（2008 年）

　医師不足・過重労働がつづく病院産婦人科。受診歴の全くない臨月の妊婦

が救急車で搬送されるが、主人公の医師はもうひとりの妊婦の分娩にも対応しなければならない。やがて理不尽な医療訴訟に巻き込まれていく主人公。作者は医師。「『最後の生理がいつだったか、まったく憶えていないのですか……』『えーと、去年の九月だったか……、一〇月ではなかったと思うんですけど』……内診をすると、子宮口はすでに三センチ開大しており、展退も一〇〇パーセントだった。『尾張さん、痛いのは陣痛だよ。わからなかったの？』」。

⑦久間十義　『生命徴候（バイタルサイン）あり』（2008年）
　主人公はアメリカで心臓カテーテルの最新技術を身に付けたシングルマザーの外科医鶴見耀子。作者は医師ではないが医療現場を克明に取材。「『ラインを確保。ニトロペン錠を投与。採血を急いで。胸部レントゲンと心エコーをお願い。それとミリスロールの持続静注を開始』ペンライトを向けて確かめた患者の瞳が、彼女を祈るように見つめていた。耀子はその眼差しに力強くうなずいた。大丈夫。頑張って。生命徴候（バイタルサイン）はじゅうぶん。諦めないで生きるのよ、と心の中でつよくつぶやく。生きて、生きて、生き抜きましょう。すべては、そこから始まるのだから」。

⑧夏川草介　『神様のカルテ』（2009年）
　主人公は長野の医師不足の小病院で働く内科医栗原一止。最先端医療を誇る母校からの誘いを断り大病院が見放した患者を相手に地域医療に貢献する。医師である作者自身がモデル。患者がつぶやく。「一に止まると書いて、正しいという意味だなんて、この年になるまで知りませんでした。でもなんだかわかるような気がします。人は生きていると、前へ前へという気持ちばかり急いて、どんどん大切なものを置き去りにしていくものでしょう。本当に正しいことというのは、一番初めの場所にあるのかもしれませんね」。

⑨久坂部羊　『神の手』（2010年）
　近未来を想定した小説。主人公は末期癌患者の安楽死に手を下した医師。患者の母親から告発され送検されるも不起訴となる。果たして安楽死は「慈悲」か「殺人」か。やがてストーリーは「安楽死法」の制定へと展開。以下は同法制定に安堵する若く不勉強な医師たちの会話である。「『安楽死法がで

きてよかったな。おれたちも楽になったから』……『そうそう。患者の説得なんか、簡単だよな。相手はシロウトだからさ、話のもっていきようで、いくらでも安楽死に誘導できる』『延命治療なんかさ、どうせ助からないのに、いつまでもやってらんねぇよな』」。

　作者は『廃用身』『破裂』『無痛』などでも注目された医師。ちなみに、医師でありながら作家としても活躍している人物として、ほかに帚木蓬生（ははきぎ・ほうせい）・海堂尊（かいどう・たける）らがいる。

4．いくつかの勝手な比較の試み

　以上、日本近現代の豊穣な「医系文学」の一端を垣間見て死生観を探ってきた。それらの中には、モチーフの点で共通しているが内容は大きく異なるものもある。とくに昭和戦後期と平成期の作品を比べると違いは顕著である。膨大な作品群の中から筆者の管見によってたまたまリストアップされた作品どうしを、ことさら比較してみることに、何の必然性も無い。以下は文字通り、全く勝手な比較の試みである。ただ、この試みを通して筆者がひそかに志向しているのは、具体的テーマに即して昭和期と平成期の医系文学の違いの一端を際立たせることである。

　以下、（1）臨死体験、（2）安楽死・尊厳死、（3）周産期医療、（4）癌看護、（5）認知症介護、（6）ライフレビュー〈人生の総決算〉の6つのテーマをめぐって、比較を試みよう。結果的に、（1）は大正期と平成期、（2）は昭和戦前期と平成期、（3）〜（6）は昭和戦後期と平成期の比較となっている。

　（1）臨死体験をめぐって ── 夏目漱石『思い出す事など』と水上　勉『心筋梗塞の前後』

　「臨死体験」の証言は平安時代の『日本霊異記』や『日本往生極楽記』に現れ始めるので、ともすると我々は、近現代でも比較的古い時期の作品のほうにこそ「臨死体験」が多く見出されると思いがちである。ところが、大正期の『思い出す事など』（1910年）では、まさに九死に一生を得た夏目漱石に具象的「臨死体験」は全く無かった。無かったために却って彼の死生観は大きく転換した。これに対し平成期の『心筋梗塞の前後』(1994年)では、

水上勉自身の「臨死体験」が明確な像を結んでいる。

　水上は「冥土の入口のトンネルをつきぬけたさきで……足下を流れる水に気付いた」のであった。ほぼ同時期に発表された井上靖のエッセイ『生きる』（1991 年）にも、彼自身の明確な「臨死体験」が登場する。「三途の川が見えて来たためか、列は乱れ、それを見るために、列から離れて行く者もある。再び列が動き出して、大分経ってから気付いたのであるが、驚いたことに、私はいつか、三途の川なるものが横たわっている方角を背にしてあるいている。宣告とは反対の方へ向いている列の中に入っているのである」。

　水上勉・井上靖といった当代一流の作家が、揃いも揃って全くの作り話を自身の体験として披露したとも思われない。いずれも実際の体験なのであろう。「臨死体験」が国民多数の関心を惹起したのは平成になってからであり、そのきっかけは立花隆の『臨死体験』（1994 年文芸春秋刊）や『証言・臨死体験』（1996 年同）が提供した。それよりやや早い時期に水上や井上の体験が発表されていたのは意義深い。決して立花の本に引きずられた結果ではなさそうだからである。

　それにしても、彼らの体験の前提となる体外離脱は、現実体験であろうか、それとも脳内体験であろうか。後者だとすれば体外離脱は、脳内の特定部位に電気刺激が与えられたことによる錯覚、あるいは、俗に脳内麻薬ともいわれる脳内物質エンドルファンが大量に分泌されたことによる幻覚なのかもしれない。ほかに単なる夢とする説もある。いずれにせよ、水上・井上はじめ多くの人が証言する「臨死体験」なのだから、笑い飛ばすのではなく合理的な説明づけに努めるべきであろう。自然科学からの新たな照射が待たれるところである。

（2）安楽死・尊厳死をめぐって──横光利一『花園の思想』と久坂部羊『神の手』

　昭和戦前期の『花園の思想』（1927 年）は尊厳死のあり方を考えさせる逸品である。尊厳死とは主として、激しい苦痛のある末期患者に対し無意味な人為的延命を中止し、人間としての尊厳を維持したまま死に至らしめることである。『花園の思想』発表から 11 年後の 1938（昭和 13）年、武者小路実篤は『人生論』（岩波新書）の中で、尊厳死という言葉こそ使っていないが、こう述べている。「自然が死を許してくれているのを、無理に注射を

して静かな眠りを邪魔するのは、生きているものにとっては自然なことだが、死ぬものにとっては有がた迷惑の時もあると思う。それで又元気になれるのならいいが、ただ臨終をながくされるのでは困る。しかし生き残るものにとっては、愛する者の生命を少しでも地上に生かしておきたいのは美しい人情であるから、それを悪いとは言えないが、死ぬものは閉口する場合もあるとは思う」。白樺派の彼がこの文章を書いたとき新感覚派の横光の『花園の思想』に目を通していたか否か、定かではない。しかしこの文章は、文学的立場を超えて、『花園の思想』の一節に対する見事な注釈になっている。

　尊厳死は、苦痛からの解放を意図して患者を死なせる以上、当然、ある種の「安楽死」に該当する。ところが安楽死をめぐっては、刑法の殺人罪にあたるか否かがしばしば問題とされてきた。日本の裁判史上、殺人にはあたらない安楽死の要件が初めて示されたのは1962（昭和37）年のことである。1995（平成7）年にはそれを踏まえ、苦痛から解放するために患者の生命を直接に絶つ医師の行為（すなわち安楽死）は、次の4要件を満たすならば殺人にはあたらない、との判断が横浜地裁で示された。①患者が耐え難い肉体的苦痛に苦しんでいること。②患者は死が避けられず、その死期が迫っていること。③患者の肉体的苦痛を除去・緩和するための方法を尽くし、他に代替手段がないこと。④生命の短縮を承諾する患者の明示の意思表示があること。

　この判例により、「殺人」と「慈悲」との区別はかなり明確になった。しかし、この4要件があっても、依然としてその厳密な境界線は曖昧であり、医師には殺人罪での告訴・告発の危険が常につきまとう。いきおい、判例に依らず「安楽死法」の立法を企図すべきと考える人が日本人の間に増えてくるのも歴史の流れであろう。現にオランダなどには既に「安楽死法」が存在する。そんな平成の折も折、同法制定に向かう近未来の日本を描いたのが『神の手』（2010年）である。医師たちは告訴・告発の危険ばかりを気にし、医療費増大を懸念する政治家たちはその機に乗じて立法を急ぐ。「安楽死法」ができて安堵する医師と政治家。――患者はシロウトだから、いくらでも安楽死に誘導できる。延命治療などいつまでもやっていられない。

　『花園の思想』の時代には、安楽死は医師と患者・家族の信頼関係を前提に「阿吽の呼吸」でなされた。『神の手』の時代にはその信頼関係は希薄になり、安楽死は法律に基づく手続きに還元され、ビジネスライクな決着がつ

けられる。果たしてこの流れでよいのかどうか。

　（３）周産期医療の現場をめぐって――井伏鱒二『本日休診』と太田靖之『産声が消えていく』

　マンパワー増強のため「産めよ増やせよ」が国策スローガンとなっていた戦前・戦中は、妊娠した女性にとって「産みたくなくても産まなければならない」時代であった。これに対し、『本日休診』（1949 ～ 50 年）に描かれている終戦直後の混乱期は、少なからぬ妊婦にとって、身体的あるいは経済的に、「産みたくても産めない」時代であった。この作品では、そんな時代に巡り合わせた女性たちの悲しみが照射されている。

　母体保護と戦後復興との思惑が交錯し、人工妊娠中絶を合法化した「優生保護法」が制定されたのは、この作品の発表とほぼ同じ 1948（昭和 23）年のことであった。同法制定の結果、日本には、「産みたくなければ産まなくてもよい」時代が到来した。中絶の合法化は日本の「中絶天国」化を招いたが、ほどなく受胎調節の手段が普及し、中絶件数は大幅に減っていった。しかし、やがて中絶の理由は、母体保護ではなく、法律には規定のない、胎児のもつ障害へと徐々にシフトしてきた。出生前診断による胎児の選択的中絶が可能となってきたからである。

　時とともに産まない選択が増え、少子化が急速な勢いで進行した。しかし、むろん出産が禁止されているわけではなく、「産みたければ産める」時代である。医療技術・生殖技術は飛躍的に発達した。いまや、子どもは自然に授かるものというより人為的につくるものとなった。不妊治療は、配偶者間人工授精・非配偶者間人工授精（北杜夫『こども』参照）を経て配偶者間体外受精が昭和のうちに可能となり、平成の今は、非配偶者間の体外受精も視野に収まっている。

　ところが、このような自由な選択・決断が許される時代に、皮肉にも、自ら選択・決断したはずの妊娠・出産に対して無分別な女性が増えてきた。それを照射したのが『産声が消えていく』（2008 年）である。受診歴の全くない臨月の妊婦が夜間に救急車で担ぎ込まれ、そのため病院は機能不全に陥る。モラルが欠如した妊婦のため、主人公の医師は理不尽な医療訴訟に巻き込まれていく。妊婦に限らず、「死生観」など持ち合わせようとしない患者が増えてきている。モラルの劣化は医療をこの先どこへ導くのか。いまこそ

国民こぞって「いのちの尊厳」の基本に立ち返るべき時である。

（4）癌との付き合い方をめぐって——室生犀星『われはうたえどもやぶれかぶれ』と荻野アンナ『蟹と彼と私』

　闘病記『われはうたえどもやぶれかぶれ』（1962 年）が遺作となった室生犀星は、入院先では肺癌とは知らされず胸膜炎と告知されていた。その経緯は室生朝子『晩年の父犀星』（講談社文芸文庫 1998 年）に詳しい。とはいえ犀星は、真相は「告知」されなかったが癌を薄々「察知」していたらしい。当時は癌告知はまだ一般的ではなかったが、かねてから犀星は、癌告知は必要と考えていた。1957（昭和 32）年に発表した『行列の先にいる人』の登場人物はこう語る。「ひとかどに生き抜いた人間はガンだと言われても、ガン発生から死ぬまでの三四箇月を生きられるだけ生き抜く、最後の希望さえ生じてくるのだ。……何の病いで死ぬのか判らない程、不可解な悲しみはない筈です。何十万人という人間は何も知らずに死んでいる、そのくやしさは何十万人の人間に聞いて見なくとも、判るような気がするのだ」。日本はおろかアメリカでさえインフォームドコンセントという概念が一般的でなかった時代に、すでに犀星は「告知」の悲痛な叫びをあげていた。

　しかし、事態は犀星の理想とする方向へはなかなか進まなかった。国立がんセンター開設は犀星の死の年であり、「対がん十ヶ年総合戦略」により癌の本態解明が推進され始めたのは死の 22 年後、1984（昭和 59）年のことである。この戦略が効を奏し、癌が必ずしも絶望的な病気ではなくなってきて初めて、癌告知はタブーでなくなり始めた。やがて医療現場では癌告知は当然の前提となり、告知した後のケアにこそ万全が期されるようになってきた。この発想転換が国民に広がる起爆剤となった本は季羽倭文子『がん告知以後』（岩波新書 1993 年刊）であろう。

　癌告知を当然の前提とする流れを反映して、平成の作品『蟹と彼と私』（2007 年）では、冒頭から患者には癌が告知される。しかし、平成の時代は医療情報が過多な時代でもある。患者も家族も否応なく、抗癌剤・サプリメント・代替医療などに関する情報の渦に巻き込まれる。

　昭和までの時代は、おおむね癌は告知されないまま患者は死を迎えた。家族には癌を隠すことへのストレスが伴った。一部の患者は察知しつつ死を迎えたが、そういう患者には、察知したことを家族に悟られまいとするストレ

スが伴った。ところが平成の現代では、告知後の情報洪水こそが、患者にも
家族にもストレスを惹起している。癌患者を取り巻くストレスは質的に変化
した。とはいえ、ストレスはストレスである。そもそも癌はストレスが誘発
するとも言われる。人は癌にまつわるストレスからは永久に逃れられないの
か。なんとも皮肉な現実である。

（5）認知症高齢者の介護をめぐって——有吉佐和子『恍惚の人』と佐江
衆一『黄落』と青山光二『吾妹子哀し』

　65歳以上が全人口の7パーセントを超える「高齢化社会」(aging soci-
ety) に日本が突入したのは1970（昭和45）年のことである。『恍惚の人』
はその2年後に発表された。この作品で認知症患者を介護するのは40代の
嫁で、事態はさほど深刻ではなかった。1994（平成6）年には65歳以上が
14パーセントを超える「高齢社会」(aged society) に突入した。その翌年
に『黄落』が発表され、ここでは60歳間近の息子夫婦が90代前半の父親
と80代後半の母親を介護する日々が描かれ、辛い「老々介護」の実態が白
日の下にさらされた。さらに2007（平成19）年、日本は65歳以上が21
パーセントを超える「超高齢社会」(hyper-aged society) となった。ほぼ
同じタイミングで発表されたのが『吾妹子哀し』（2003年）である。「老々
介護」の実態はさらに深刻になった。ここでは90歳間近の夫が認知症の妻
を介護している。これらを読み比べるとき、高齢者介護の出口の見えない実
態は、厚生労働省発表の統計資料を眺めるよりも遥かに鮮明に浮かび上が
る。

（6）ライフレビュー（人生の総決算）をめぐって——三島由紀夫『貴顕』
と南木佳士『ダイヤモンドダスト』

　『貴顕』（1957年）が発表されたのは、まさに高度経済成長が始まろうと
する時期であった。主人公のモデルとなった人物はそれより前に死んでい
る。主人公は迫りくる死期を前に、それまでの人生を後悔し始める。美術品
の蒐集よりは創作に励むべきであったと。しかし、この悩みは経済的に恵ま
れていればこその贅沢な悩みであった。高度経済成長期に働きざかりであっ
た日本人の多くは、ただがむしゃらに働き、ライフレビュー（人生の総決算）
などする余裕もなく死んでいったことであろう。

その後の日本は、低成長期、バブル期を経て、先行き不透明の平成の長いトンネルを抜け出せないでいる。その平成の初頭に発表されたのが『ダイヤモンドダスト』（1989年）である。ここではもはや、ライフレビューは都会の一部の富裕層の特権ではなく、地方の病院のごく普通の患者たちをも巻き込んでいる。主人公の日常は彼らの人生の総決算に立ち会う日々である。ある患者は、「検査の技術が進歩して、癌患者の予後が正確に分かるのに、治療が追いついていない」と言うが、それは決して落胆の言葉ではなく、「自分勝手に死さえも制御できると思いあがった人間たち」に課された試練だと、素直な気持ちで達観している。しかし、その後、平成も20余年を過ぎ、「思いあがった人間たち」は増えこそすれ減る気配はないように思われる。「治療が追いついていない」と医療者に理不尽な怒りをぶつけるモンスターペイシェントが多数現れてきている。人間の「生きたい」という思いは果てしない。フランスの哲学者モンテーニュはすでに16世紀に『随想録』の中で、古代ローマの詩人オウィディウスを引き合いに出してモンスターペイシェントを戒めている。「愚か者よ、何とて、いたずらに、そんな子供じみた願をかけるのか。……我々は、ただ病に値しない時だけ、苦情を言う権利があるのだ」（関根秀雄訳）。

6．まとめと展望——医系文学の可能性

　医師であり作家でもあるという「二足の草鞋」を履いた人物は、明治・大正・昭和期にも多数存在した。森鷗外・木下杢太郎・斎藤茂吉・北杜夫・渡辺淳一など枚挙に暇がない。彼らからは医師兼作家ならではの「医系文学」が数多く産出されてきた。そして既述のように平成期には、新たに南木佳士、太田靖之、夏川草介、久坂部羊、帚木蓬生、海堂尊らが活躍している。むしろ医師兼作家の輩出率はさらに高まってきている。医療現場の高度化・複雑化に伴い、医師でなければ書けないシチュエーションが確実に増えてきたことによるのであろう。医師でない作家の場合には、医療現場に密着した作品を発表しようとすれば、久間十義のように取材に膨大なエネルギーを費やさなければならない。医師による支配が医系文学の領域にも及んでいるとの感を深くする。それに加え、平成の医系文学は、先端生殖医療、安楽死・尊厳死、インフォームドコンセント、脳死など、「生命倫理」の諸問題を反

映して、妙に哲学臭くなってきた。文学的感性に訴えるというより哲学的理性に訴える作品が増えてきた。これも時代の流れではあろう。

　しかしながら、文学は、読者の鋭敏な感性に訴えてこそ面目躍如たるものがあるといえよう。今後の平成医系文学には、医師や哲学者の発想から脱却して文学本来のすがたに戻ることを期待したい。活路を見出すその方向性として指摘したいのが、吉村昭『少女架刑』(1963年)のような、ファンタジックな世界を持った作品の出現である。前述のようにこの作品では、解剖・火葬を経て納骨に至るまでの経緯が少女「私」の意識・感覚として語られている。「初めは単純であった炎の色が、私の体に火がつくと、にわかに多彩な紋様を描きはじめた。……骨からは、ひどく透明な青い炎が微かな音を立ててゆらめき、なにが燃えるのか、緑、赤、青、黄と、美麗な色の炎が、私の周囲をきらめきながら渦巻き、乱れ合っていた」。吉村昭は若いころ結核を患い九死に一生を得たことのある作家である。また彼は、細部にわたり綿密な取材をする作家としても知られる。この数行の文章にも嘘や虚飾は無いのであろう。単なるファンタジーではない。これこそ、医師でも哲学者でもなく、長らく患者生活を送ったことのある文学者ならではの、鋭敏な感性の産物といえよう。ちなみに吉村は2006(平成18)年に死去したが、その死にざまは、看病していた長女に「死ぬよ」と告げて自ら点滴の管を抜くという、潔いものであったという。後を継いでくれるような作風の医系文学作家が早く登場してくれることを期待したい。

(付記)

　　本稿の原点は拙著『医療人間学のトリニティー──哲学・史学・文学』(2005年太陽出版刊、ただし旧姓(近藤)で発表)にある。同書では明治・大正・昭和の「医系文学」32点を厳選して論じた。本稿では、そこから作品を取捨選択したうえ、同書で割愛した作品6点にも触れるとともに、新たに平成期の作品9点に言及した。本稿でカタログとして提示した作品は、そのほとんどが文庫本等で容易に入手できる作品ばかりである。筆者が参照した版(たとえば岩波文庫版・新潮文庫版・筑摩現代文学大系版等々)は、煩瑣になるのでいちいち明記はしなかった。

　　なお、本稿は2010年11月13日に東洋英和女学院大学死生学研究所で行った同題の講演に加筆して出来上がったものである。末尾ながら、講演の機会を賜った同研究所の渡辺和子教授と大林雅之教授に厚く御礼申し上げたい。

A Catalog of Modern Japanese Novels which deal with Life and Death in Medical Situations

by Hitoshi FUJIO

The author of this article is an investigator in the field of medical humanities, especially in research connected with bioethics, the history of medicine, and medicine in literature. In this article he explains how he has introduced thirty-five modern Japanese novels, which especially deal with life and death in the practice of medicine and care, to students who have wanted an instructive catalog in this field. The author argues that this work is a necessary preparatory step in preparing an ideal new textbook for the field of medical humanities.

ケースで考える臨床現場の倫理

服 部 健 司

　「トムはニューモシスチス肺炎で人工呼吸器につながれていた。エイズを発症したのは今回が初めてのことだった。HIV 陽性であることが告げられたのは入院して五日目のこと。そして今、彼は今後の治療の一切に同意することを拒みつづけ、現在受けている治療も止めてほしいと訴えつづけている。これから先何度も入退院を繰り返したり、エイズのほかの症状が出現したりして、体が弱っていくといった長い経過をたどっていくといったことを彼は望んでいなかった。トムはまた、自分が限られた医療資源を使うに値しないとも考えていた。いろいろな点からみて、彼には判断能力が保たれていたし、家族からのサポートも受けられていた。そこで主治医は病院の倫理委員会のコンサルテーションを受けることにした。トムのケースを討議した倫理委員会は速やかに結論に達した。議論は比較的短時間だったが、そのほとんどは彼に意思決定能力があるかどうかに向けられていた。自分の要望が通ったときどんなことが帰結するのか、トムは理解しているように思われた。そこで倫理委員会は、彼の自律は尊重されなければならず、主治医は彼の要望を聞き入れるべきだとした」[1)]。

　この一文が世に出てから十数年が経ち、エイズの治療は格段の進歩を遂げた。診療に不慣れな医師がエイズを鑑別診断のひとつに入れないなどして診断を誤るようなことがないかぎり、今日ではエイズがもとで命を落とすようなことはなくなってきた。けれども、いやそうだからこそ余計に、上のように治療停止の要求が患者から出されたとき、医療者はどう対応したらよいのかという問題は悩ましいものに感じられるだろう。わたしたちはこの病院の倫理委員会の決定をどう評価したらいいのだろうか。

1．作品の意義への問い

　何らかの作品を通して生と死の問題を感じ考えることの意味は何だろうか。作品を媒介とせずに直截に死と生の問題を感じ考えることとは何が違うのだろうか。2010年度東洋英和女学院大学死生学研究所の死生学講座のテーマは「作品にみる生と死」であった。ここで作品というのは狭くは芸術作品を指していると考えてよいと思われる。が、芸術とは何か、芸術作品とそうでないものとを分けるものは何か、という法外な問題系に深く立ち入ることは避けておきたい。そうでないと限られた紙幅の中で先へ進むことができなくなる。そこで、作品をやや広く非日常的な枠の中で意図的に表現された創作のことだと、本稿ではごく大雑把に捉えておきたい。創作といい作品ということによって、思想そのものを直接的に表明する論考や教説の類は——境界線上に位置するように思われるものもあることは確かだが——ひとまず外すことになる。さらにまた、非言語的な作品、たとえば典型的には音楽作品をここでの考察の対象からひとまず外しておきたい。そうして、言語を用いて作品として表現された作品、詩や小説、演劇、映画を考察の中心にしたいと思う。これらの作品を通して生と死の問題を感じ考えることの意義は何だろうか。

2．科学と文学

　「科学は粗雑であり、人生は微妙である。そして両者の距離を埋めるからこそ、文学はわれわれにとって重要である」[2] と語ったのはバルトだった。ここで科学という語が狭く自然科学のみを指していると考えるとしたら間違いである。そこには当然のこととして人文科学や社会科学が含まれている。科学が真理を追い求め、普遍妥当的な言表を企てるかぎりにおいて、そこからは、客観的な定式化にそぐわない、個別的なもの、多面的で曖昧なもの、ニュアンスとでも表現するよりほかないものが、程度の差はあれ、抜け落ちてしまう。あるいはこうも言えるかもしれない。どの学にも隣り合う他の諸学との間に境界線があり、その囲いの中、自分たちの言葉、様式のうちにそれぞれの学は自足し、その射程内で世界を捉えようとする。そうするかぎ

り、学は世界の、死と生の部分的側面に光をあてることしかできない。たとえ学際領域と称される新分野が創られたとしても、科学であるという資格と引き替えにすることなしに、科学がもつ根本的な制約から逃れることはできないだろう。

　一方、実際の人生はあまりに多種多様であり、ときに感興をおぼえずにいられないが、たいていのところ退屈きわまりない。科学ほどぱさついてはいないが、さりとて常にみずみずしいわけではなく、その粘度の高い希薄さはときに胸やけを引き起こす。もし仮に誰かの人生の裏表のすみずみまで、相手に気取られることなく間近でつぶさに観察する魔力を得ることができたとして、そんな背徳的で特権的な営為にもやがて飽きあきする時がくるのは明らかだろう。

　この点、写真が世界から風景を切り取るように、文学は希釈された牛乳のような人生を煮詰め、かたどり、それに「味わい」³⁾を与える。人の一生どころか何世代にもわたる一族の物語が一編の作品に凝縮して描かれるその一方で、『フィネガンズ・ウェイク』のように１日の出来事が１日ではとうてい読み切ることのできない頁に増幅されたりもする。文学は誰かの生の積分であり微分である。死とはこんなもの、生とはこんなもの、という規定的で性急な語りは文学には似合わないし、不必要である。そんなことをしてしまっては作品が台無しになってしまう。ものごとを一義的に規定しようとする欲動は論考や教説においてこそ果たされるのが似つかわしい。

　とはいえ、このことは、文学が科学を弾き斥けることを意味しはしない。ふたたびバルトを引くならば、「文学の記念碑的作品のうちには、あらゆる学識が含まれている」⁴⁾。たとえば『ロビンソン・クルーソー』には「歴史、地理、社会、技術、植物学、文化人類学などに関する知が盛りこまれている」。

3．医療の文学

　さまざまなジャンルの文学作品がある中で、医療の場を借景にした作品が数多く生み出され、多くの読者を得てきたのは何故だろうか。一つには、医療の場が非日常的な空間であり、一種の限界状況だと目されているからだろう。そこは生老病死が屹立したかたちで問われ描かれるのにふさわしい場だ

とみなされている。ある人の生のいわば負の局面が、ときに反転した輝きを放ちながら、死に直結しかねないという緊迫さをもって、むき出しに描かれるところに読者は惹きつけられる。もっとも、医療の場が人の生と死とを照らし出すのに適した限界状況であるということは、実は一種の思いなしでしかないかもしれない。そしてそこには、まるで腫瘍が周囲の正常組織に浸潤していくかのように本来的には非医療的あるいは前医療的なわたしたちの生と死とを医療と医療者とがおのれの領分としてきたこと、すなわち過剰なまでのメディカライゼイションの影を見ることができるように思われもする。医療の場を描く文学が読者の関心を惹く二つめの理由は、ゴラーの言う「死のポルノグラフィー」[5]とおそらく通じ合うものであろう。直接目にすることを封じられた人の死を、人々は映画やドラマで垣間見ようとする。医療の世界はつい最近まで専門家以外の者の立ち入りや口出しがゆるされない聖域でありつづけてきた。全人的医療なる標語の下で、見ず知らずの人々の精神的、身体的、社会的な秘部を明かし、直視する権能はひとり医療者のものである。診察室や手術室、病室のカーテンの中、剖検室、病衣の下、胸腔や腹腔、頭蓋内、医学用語の飛び交う空間、裁量権をもつ専門家どうしの関係性の網の目は秘められており、医療者でないかぎり作品の中で垣間見ることしかできない。

4．医療倫理とケース

　今日、医療は医療者による専断的な医療行為の場ではなくなっている。医療は、社会の中、医療者と、患者とその家族との間のやりとりを通じてなされるものである。そこで、よりよく望ましい医療のあり方を考え、探ろうとするとき、これは医療倫理学と呼べるのだが、それはもはやひとり医療者だけに託されたあるいは課された課題に収まりきるようなものではない。たとえば、患者や家族は医療者に対して何をどこまで求めることがゆるされるのかという問いもまた医療倫理学の問題の一つである。医療倫理学はあからさまな医療者の悪徳を告発する手段でもなければ、医療者の患者接遇上のマナー・エチケットの向上を図るための手段でもない。医療倫理学のうち、とりわけ医療現場で遭遇するような個々の具体的なケースに即して望ましい医療のあり方を考える分野は臨床倫理学と呼ばれているが、この臨床倫理学は

ケースの具体的記述を検討すること、すなわちケーススタディを抜きにしては成り立ちえない。

　ケースは診療録からの抜粋をもとにした物語（ナラティヴ）のかたちをとることも、ドラマや映画のかたちをとることもある。ケースを通して医療の倫理を考えることの意味を浮かびあがらせるために、次節以降しばらくドラマ化されたケースに即して具体的に考察していくことにしよう。ここでは、医療倫理学分野において開発された視聴覚教材の嚆矢で、本邦の教育機関にも広く所蔵されていると推測されるカナダ政府映画庁製作のドラマ教材『生命倫理を考える』シリーズの中から選んでみたい[6]。第2巻「花のプレゼント」（原版1985年）は、冒頭近くに映し出される血液検査機器の古めかしさに時代の移ろいを感じずにいられないが、内容構成的にも映像技巧的にも優れた作品である。

5．キャロラインのケース

　「エホバの証人を信仰するキャロライン17歳、法律上は未成年である。彼女は不治の血液疾患に冒されており、進行する貧血で、すぐにも輸血が必要な状況である。しかし、キャロラインの信じる教義では血液は魂そのもの、つまり輸血を受けることは自らの魂を失うことを意味し、彼女は輸血を拒む。担当医は、彼女の信念を尊重してこのまま死を迎えさせるか、裁判所の命令を得て強制的に輸血を行うかの選択を迫られた」。これが、この巻のパッケージや商品カタログに付された、出版会社の手になるあらすじ書きである。

　製作されたカナダにおける医事法的状況を背景にしており、病院の顧問弁護士を通して裁判所の輸血命令を取り付けるよう主治医カークランドに勧める同僚医師の発言は、本邦の医療現場においては実効的ではない。カークランドは病棟の談話室のテーブルの上に腰をおろして彼女の病状説明を両親に行うし、彼女のベッドサイドには誰からか贈られた鉢植えの花が置かれている。こうしてあちらこちらで文化の違いを感じるのは確かであるが、それによってこのケース・ドラマがはらむ問題喚起力が本邦において減じて感じられることはない。

5.1　前景にせりだしてくる倫理学的な問題

　このケースの問題点は何だろうか。授業や研修会でこのケースを取り上げることがこれまでに幾度となくあったが、このときに学生や受講者からよく挙げられる問題点を列挙してみると、次のようになるだろう。医療現場で患者の信仰はどこまで、あるいはどこまでも、重んじられるべきだろうか。生物学的な生命と宗教的ないのちとではどちらがより重く受け止められるべきなのだろうか。未成年であるキャロラインの意思は医療現場でどこまで尊重されるべきだろうか。12歳か13歳のときから一緒に暮らしている里親の信仰と養育とによってキャロラインの意思が過度に誘導されていたり、抑圧されていたりすることはないのだろうか。里親は未成年であるキャロライン本人の利益を保護しているといえるだろうか。裁判所は患者の意思に反して輸血を命令する権能を有すると本当に認めてよいのだろうか。

5.2　鍵となる経験心理学的な諸問題

　上述した問いにおいて「〜すべきか」ではなく「〜してもよいか」と、助動詞を取り替えて問う立場も当然のこととしてあるだろう。こうした論点をふまえた上で、結局のところカークランド医師はこれからどうするべきなのか。ドラマには未登場ながら、担当看護師はカークランド医師やキャロライン、そして両親に対してどのような関わりをもつべきなのだろうか。最終的にはそうしたことが問われることになるだろう。けれども、一足飛びにそこまで急がずに、もう少し基本的な点に立ち返って考えてみる価値もありそうだ。そもそも当のキャロラインは本当のところどう思っているのだろうか。たとえ未成年だとしても、本人の意向を端から汲もうとしないとすれば問題だろう。そもそも本心なんて仮想の虚焦点にすぎないのではないかという哲学的な問いは措くことにしよう。彼女の本心はどこにあるのだろうか。そうやって問いを差し向けると、半数近くの学生は、信仰ゆえに輸血をしてまで延命をはかることを本心から拒んでいるのだと答える。けれども、キャロラインの心は揺れているのではないか、そう答える学生も出てくる。何故かというと、キャロラインは、病院側の求めに応じて裁判所が輸血命令を下すという事態がこの病院にいるかぎり起こりうることを知っており、それでいながら、絶対的無輸血の方針を貫く病院を「牧師さまが紹介して下さっている」という養父の転院の勧めを、さらには輸血を諦めない「あの医者を説得

しようか」という語りかけを拒んでいるからである。どうしてキャロライン
は自分の宗教的信条に即した治療が約束されているはずの病院へと転院しよ
うとしないのだろうか。「どうしてあなたたちの法律に従わなくちゃならな
いの」、「一番大切なもの、永遠のいのちを失うくらいなら、5年や6年長生
きしたって意味がないの」、「先生も私もいずれ死ぬのよ、そうでしょ。なら、
今はわたしの考えを尊重して」。そう語りながらキャロラインは一体どうし
てこの病院を飛び出そうとしないのか。

　そう問いを繰り出してみると、経験的に半数近い学生たちからは、キャロ
ラインは本当のところはもっと長く生きていたいと思っている、言葉とは裏
腹に実は死がこわいのだ、信仰心はそれほど堅いものではない、かたくなに
なって強がってみせているのだ、という意見が出てくる。これに対して、む
しろ間近に迫った死が恐ろしいからこそ懸命に信仰をまもろうとしている、
といった意見が返ってくる。「輸血しなかったら、あとどれくらい？　2ヶ
月？　それとももう少し？」と尋ねるキャロラインに、医師は「貧血が進行
している」とだけ答える。予想していた以上に自分に残された時間が少ない
ことを感じとったキャロラインの心に迷いとゆらぎが生じたとしても無理は
ないだろう。クリティカルな状況であればこそなおいっそう信仰心がかた
まっていくものなのだという見方もできるかもしれない。だがしかし、それ
ではキャロラインが牧師の薦める病院への転院を希望しようとしない理由が
いっこうに見えてこない。そこで再び、転院を拒む理由を合理的に説明する
のに、信仰のぐらつきという解釈に戻りたくなる。この病院に居続ければ、
強制的に輸血をしてもらえる。自分から輸血を望んだわけではなくてあくま
で拒み続けたのに裁判所命令によるのだから仕方がないという表向きの言い
訳ができる。そのために転院をしないのだ。キャロラインが信仰の自由につ
いて声を荒げればあらげるほど、逆説的に、その切羽詰まった心情のほどが
うかがえる、という学生の読みを言下に否定することはできない。確かにそ
うした読みも可能なように思われるのだ。ここからひるがえってもう一度、
信仰はどこまであるいはどこまでも重んじられるべきか、キャロラインの意
思は里親によって誘導され、あるいは抑圧されてはいまいか、彼女の意思は
どこまで尊重されるべきか、といった前景にせり出していた先述の諸問題が
反芻して問われることになる。そこでまた、キャロラインの本心や信仰心の
ほどを推しはかるといった作業が待ち受けることになるわけだが、しかしそ

んな途方もない判断を誰がいったいどんな権能をもってして成し遂げること
ができるのだろうか。このように、倫理学的な問題といわば背中合わせのと
ころで、経験心理学的な問題に行き当たり、それを読み解くことができぬま
ま、学生たちの議論は堂々めぐりになって、たいていは煮詰まってしまう。
しかしさて、これでこのキャロラインのケースの問題性の隅々まで十分に照
明を当てることができたといえるだろうか。

5.3 ケースの底に見えてくるもの

　病室でのなにげない親子の会話に注意を向けてみると、このケースの見え
方は一変するだろう。冬の一日と思われるその日の寒さや、その週ずっと仕
事を休んで病院に見舞ってくれている理由を父親に尋ねたあと、キャロライ
ンは母親に「毛抜き、もってきてくれた？」と聞く。そんなものを何に使う
のかと聞き返す父親に、キャロラインはいかにも少女らしい笑みを浮かべな
がら「まゆをそろえるのよ」と答える。深刻な空気の中で交わされるほほえ
ましく他愛のない会話として多くの学生たちはこれを聞き流す。ドラマの過
度の緊張を和らげる一種の緩衝効果として挿入されたのだと受け止める者も
いる。毛抜きでまゆをそろえ、身繕いし身なりをととのえるのは、多感な時
期の少女であればなおのこと、一見するとごくふつうの日常事に思われなく
もない。けれども、このキャロラインのケースにあってはそれにとどまらな
い意味をもっているのかもしれない。入院中いったい誰に向けてまゆをそろ
えたいと思っているのだろうか。

　そう問うてみると、一人の男性の姿が浮かび上がってくるだろう。ほかな
らぬ主治医カークランドに対するほのかな思いが今のキャロラインをつき動
かしているのではないか、彼がいるからこそこの病院から移りたくないので
はないか、という読みはあながち外れていないように思われてくる。輸血治
療を勧める主治医に向かって発せられている「わたしの人生なのに、他人か
ら支配されている。先生にね」というキャロラインの言葉は、そう発した
当人の意図を超えて、事態の深層を正確に写し取っているのかもしれない。
もっと踏み込んで読めば、彼女はもっと支配されたがっているのかもしれな
い。

　患者―治療者関係のあり方に鋭敏な精神医学、とりわけ精神分析では、か
つて誰かに想いをいだきながらその想いの上に生きることがかなわず無意識

の内に抑圧してきた欲望や感情を、患者が現に目の前にいる治療者に向けて現実的に満たそうとするとき、この過程を転移と呼んでいる。そして患者からの転移に対する無意識的な反応として同様のことが治療者の側に起こるとき、これを逆転移と呼んでいる。キャロラインは信仰を異にするカークランド医師に対して陽性の転移感情をいだき惹かれている。一方、カークランド医師の側に逆転移を見いだすことは容易だろう。事実、彼はキャロラインに花の贈りものをしているようだ。こうして転移―逆転移という対概念を持ち込むことで、このケースの相貌は一変して見えてくるだろう。

　キャロラインがゆれているのは、神への愛と死の恐怖、信仰と棄教とのあいだでというよりも、死と愛、そして垂直的な信仰と水平的なエロスのあわいにおいてなのだと読むことができる。こうしてみると、カークランド医師が顧問弁護士を介して裁判所による輸血命令をどうして取り付けようとしないのかの理由も見えてくるだろう。彼は暴力的に振舞いたくないのだ。最後の手を使うよう勧める同僚に対して、「そんじょそこらの17歳の子とは違うんだ」と返す彼は、逆転移感情ゆえに、キャロラインを力ずくで押さえ込むようなことをしたくない。かといって彼女の生命を終わらせたくもない。彼が望むのは、キャロライン自身が自分でこの世の意味、人生の意味を考え直し、彼と同様の価値観を共有し、生きる決意をしてくれることだったのではないだろうか。

5.4　ケースに特異的な問題は何か

　精神分析的な視点を導入することによって、このケースで問われている特異的な倫理問題が見定められることになった。すなわち、カークランド医師は、彼へと向けられた患者キャロラインの陽性転移感情を、彼女の生存期間の延長を図る治療への動機づけとして利用することがゆるされるのか。

　だが、ここでこう問われるにちがいない。ケース・ドラマを見終えてまっ先に挙げられる倫理学的な問題、つまり患者の信仰そして意思の表明は生命の延長と両立しない場合にも重んじられるべきかなどといった諸問題こそが、このケースにおける核心的な問題群なのではないのか。これに対して、個人の自己決定と生命延長との比量というあまりに明白に前景化している問題――これは確かに内在する問題であるにはちがいない――ではなくて、医療者は患者の陽性転移感情を治療に利用してよいかという問題の方こそがこ

のケースにおける特異的かつ核心的な問いである。そう答えてみたい。どうしてそう言えるのか。それに答えるためには、試みにケースの設定にほんの少しだけ仮の変更をくわえてみればよい。

　信仰の自由や意思の自発性、生命の尊厳といった問題を論じるだけのことなら、患者は14歳のボブでも16歳のマイクでも、17歳のレアンドロでもよかったはずだ。けれども、彼らが主人公となって登場するケースでは、逆に、人間関係性の問題はおそらく浮上してきにくいだろう。そうするためには、彼らが同性愛であることをほのめかす場面を追加的にはめ込まなければならない。つまり、ことさら7歳ならぬ17歳の少女キャロラインと若い男性医師を主人公に設定したからこそ、少なくとも異性愛中心主義の社会において、ぬきさしならない心理学的な人間関係性を医療の場に持ち込むことの倫理問題を問うことが可能になったのである。すなわちこのキャロラインのケースにおいて鍵となる情報は、性別であり、年齢であり、毛抜きと贈り物の花であったわけだし、医師や両親を前にしたときのキャロラインの表情や仕草であり、同僚の言動に対してむきになるカークランドの態度であった。いまいちどひるがえって逆から問い返すならば、もし信仰の自由と生物学的生命の二律背反を中心的に主題化してそれをもっぱら問おうというのであれば、患者は医師と同性の異性愛者でよかっただろうし、もっと低年齢でよかっただろう。もっといえば、わざわざドラマに仕立てる必要性すらなかっただろう。先に引いた出版社の手になる数行のあらすじ書きでも議論することは十分に可能であったはずである。

5.5　ケースにおける問いの発見と同定

　キャロラインのケースがはらむ中心的な倫理学的問題をめぐる多くの学生や医療者の読みとここで試みられた読みとの優劣関係を決定することや、ここでの読みを正当化することが本稿のねらいではない。ここで主張したいのは、とるに足らないように見える些細な情報がケースの構造を支え、性格を規定することがあるということであり、そしてまさに深読みによってこうした要素を読み解くことこそがケーススタディの醍醐味であり、存在理由なのだということである。そしてこれがとりもなおさず、作品を通して生と死の問題を具体的に感じ考えることの意義のひとつにほかならない。

　ケースにおいて何が問題なのかということは決して自明でない。寒風が吹

きすさぶ高山の頂近くの岩肌のように、常に顕然化しているとは限らない。むしろ問題が顕然化して見えているときこそ、伏蔵されているより深部の問題を探り当てる必要があると言えるように思われる。問題はそこに転がってあるのではなくて、発見され同定されなければならない。わたしたちは問題を見つけることなしにはそのことについて考えることができない。立てられた問いこそがその後のわたしたちの思考と討議の方向性と質とに大きな決定力をもつ。古来、学において問いの立て方そのもののよしあしが、問いの入射角が、答え方よりも重んじられてきたのはそのためである。

　キャロラインのケースを「宗教的信条によるとある治療法の拒否」の問題の一例であると同定したとしたら、主治医―患者関係における力動をめぐる文脈的な問題はたちどころに吹き飛び、問われることがなくなってしまう。それは、大文字の問題に目を奪われることで、小文字の問題を、ケースのケース性を見殺しにし、埋葬することである。

　臨床倫理学のケーススタディとは、すでに剥き出しになっている一般論的な問題を抽象的に考えることではなく、文脈や関係性の中に埋もれて隠れている問題群を剖出するとともに、つねに具体的に個別的に考えていこうとする過程である。ひとたび剖出された後にはそれぞれの問題は程度の差こそあれ抽象的な仕方での議論を呼び起こしもするだろう。けれども、ケースを通して考えることの意味の大部分は、ケースというテクストの織り目のなかに隠れている綾を、図柄を地から浮かび上がらせるように、その文脈や関係性のうちに透見し、同定する過程のうちにある。それは想像力を必要とし、また逆に、想像力をみがいてくれる。さらに臨床倫理学ケーススタディは、ある程度抽象的に考えた過程をもう一度具体的な関係性の場に嵌め込んでみて、釈然としない齟齬感がないかどうか、溶けきらない何か苦いものが口の中に残らないかどうかを点検することを要求する。

6．トムのケース

　それでは、一体何が、ケースにおいて問題は何なのかということの発見そのものを可能にするのだろうか。この問いの答えを筆者は解き明かすことがいまだ出来ずにいる。しかし、ひとつだけ言えることがある。臨床倫理学のケーススタディに習熟していない初学者は、既定の倫理学的原理にしがみつ

き、そうした原理から帰結する答えを盲信し、その答えからひるがえって問いを設定する傾向にあるということである。こうして答えを先に出しておいて、その答えにつながる問いを問いとして立てる限り、迷いは少なくてすむだろう。

　倫理学的原理や倫理学説をケースに機械的に適用すれば、まがりなりにもなにがしかの答えは導き出せる。そうやってすべらかに答えを出すためには、ケースの細部にこだわらず、なるたけケースの些細なことを見ないようにすることが肝要である。本稿の冒頭に引用したトムのケースを扱った倫理委員会はまさにこのことを忠実にやってのけてみせたと言えるだろう。この倫理委員会のメンバーの頭の中では、トムの生や生活史ではなく、自律尊重の原理や意思決定能力、インフォームド・コンセントといった大文字の抽象的な概念装置が大きな位置を占めていた。普遍妥当的な原理や概念に比べれば、一個人の個別的で特殊な事情などとるに足らない、誤差のようなものでしかなかった。だからトムが「同性愛を嫌悪すべきものと、同性愛者を重罪人とみなす保守的なキリスト教の伝統のなかで育てられてきたということ、家族とりわけ父親との関係がしっくりいっていなかったこと、彼の自己肯定感情は少年期以来ずっと弱く、自殺企図を三度行っていたこと、友人関係もなめらかでなかったこと、エイズ治療の進歩に関する知識が不十分かつ不正確だったことなどについて、把握しようと努めていてもよかったはずだった」[7]が、そうしたことよりも倫理委員会のメンバーにとっては普遍妥当的な自律の原理の方が支配的なのだった。

　ある思想やある信仰のうちに生きることができたら、もしかするとそこにはもはや問題はないのかもしれない。そこには解消されてしまった生と死の問題の残り香と、進むべき道とがあるだけかもしれない。しかしそれでは人生は、公式に数字をはめこむだけの小学校の算数の応用問題と変わらなくなるだろう。ところが価値多元的な社会における医療現場では、思想や信仰、価値観を異にする人々が互いの生と死に関わり合わざるをえない。それゆえ、ある特定の教説の演繹によって問題の解消を図ろうとすることは現実的でない。ひるがえって言えば、予定調和的な答えから逆算して同定される問いにだけ目を奪われていることはゆるされない。わたしたちは、具体的なケースの個別的事情に即して、もっと別の問題はないのか、もっと別の見方はできないものかと問いつづけなくてはならない。

7．ケースの空所と解釈の多様性・暫定性

　ケースに即して考え、ケースの中の小文字の問題を発見し見据えるということは、大文字の原理の適用例の例示としてでなく、ドラマとして、物語として、作品としてケースを捉えるということである。そしてそれは、テクストとしてのケースのあちらこちらに空所を見つけ、そうした空所を埋め繋ぐのにふさわしい解釈、そう言ってよければ小さな物語を組み立て、ジグソーパズルのピースをそっと置くようにして、そのはまり具合を試し確かめる作業を重ねることを意味する。無理にピースをはめようとすれば、周囲に歪みが生じてしまう。

　どんなに密に見える物体でも、断面を観察すれば無数の空隙があり、常に無数の素粒子によって射貫かれているように、どのケースも空所に満ちている。中でも大きな空所のありかを手探るためにわたしたちはケースをめぐってさまざまな疑問文を作る。キャロラインは何故転院しようとしないのか。トムはどうして自分が有限な医療資源を使うに値しない存在だと考えたのか。空所のありかに気づき、その空所を埋め、架橋するのはわたしたちの想像力である。想像力はわたしたち一人ひとりの経験にもとづいて、経験の圏内ではたらく。わたしたちはどうやっても直接には自分自身の生しか生きることができない。だから、各人それぞれの生活史を背景とした想像力の飛跡には差があり、空所の埋め方、すなわち解釈の仕方も異なっていて当然である。ケーススタディは参加者の経験と解釈の相違を前提にして初めて成立する。もしもこうした差異がなかったとしたら、ケーススタディそのものの意味はないだろう。

　けれども、ケースや作品を通して、わたしたちは自分の実の人生では経験することができない、異なる人々の経験をわがものに近づけることができる。いわば経験の経験とでも表現できるようなもの、さらには同じ作品同じケースをめぐって他者と解釈を異にするという経験が、わたしたちの想像力の飛距離を伸ばしてくれる。そしてこれが、作品を通して生と死の問題を具体的に感じ考えることのもうひとつの意義にほかならない。

　とはいえ、わたしたちがどんなに経験を重ねたとしても、万人の経験が、想像力が、解釈が完全に重なり合うことはない。それゆえ、ケーススタディ

や臨床現場でのケース討議で、客観的で絶対的な倫理学的判断に到達することは端から困難である。たとえいくら道徳的立場を同じくし、道徳原理に関して共通了解を分かちもっていたとしてもである。たとえば、患者中心の医療というスローガンに異を唱える者がいないとしても、患者中心ということが患者当人の意向（あるいは利益かもしれない）を第一に考えることだという共通了解が成立していたとしても、患者当人の本心、言動の真意を直接、誤りなく認識することはできず、そこには常に想像力が架橋しなくてはならない空所、とりもなおさず解釈の相違の余地がある。とすれば、解釈にもとづいたケース理解それ自体が固定的ないし絶対的でありえないわけだから、それに引き続く倫理学的判断も暫定的なものにとどまらざるをえないことになる。テクストは常に別様の解釈へと開かれている。もっとも、それはわたしたちの落ち度でも恥ずかしいことでも悲しむべきことでもない。今なお『ハムレット』や『マクベス』をめぐって新しい解釈が提出され続けていることがシェイクスピア作品の汲み尽くせぬ豊かさの現われであるように、ケース理解の多様はわたしたちの生の機微の豊かさの証である。

8．実在のケースと作品としてのケース

　実在するケースを手短に要約して、これを検討することはできる。しかし要約され物語られ、あるいは映像化されたどんなケースも、ただ解釈にゆだねられる中立的な素材ではなくて、ケースを提示する者自身の視点、関心、動機、立場によって構成され、意識的にせよ無意識のうちにせよ、切り貼りの選択がなされた結果の産物である。とはいえ、それはまた語り手の恣意に帰されてしまうものではない。それは受け手の「特定の関心、欲求期待、憶測、関心、性向の発現として個々の読者が示す反応」をあらかじめ予想し、織り込んだ上でなされる言語行為である[8]。だから、「受け持ち患者の物語を、患者の入院中に委員会の席上で提示するのか、ひと月後にきどらない夕食の席上で同僚に語るのか、何年も経ってから似たようなケースをかかえて困っている若い医師に語るのか」、それによって語られる語りは変わり、ちがったケースになりうる[9]。こうしてみると、すでに出来上ったケースを解釈し、論じ、暫定的で蓋然的な判断を下すのに比べると、実在のケースを再構成し、ケースとして仕上げるにはさらにもう一段階、想像力を要する過程

を踏むことが求められるということができる。すでに形を与えられた、作品としてのケースを想像力を駆使して読み解くことによって、あるいは人の生と死の陰翳を見事に照らし出したすぐれた芸術作品を味わうことによって、わたしたちの想像力と解釈力は磨かれていき、それはやがて実際のケースを、問題発見的にケースとして再構成するのに役立つことになる。読むことと書くこととが相即的であるのは、なにも語学力の習得に限ったことではない。

　既定的な道徳原理を機械的に演繹することで医療現場の悩ましいケースに客観的ですっきりとした解決を与えることが臨床倫理学の本道であるかのような見方が広がっている現今、大文字の原理より先立つものとして、フィクション、ノンフィクションの別なく、小文字の生と死の綾を味わい読むことの意義が見直されるべきである。

註

1) Edwin Dubose and Ronald Hamel 1995: pp. 211-227.
2) ロラン・バルト 1981：21 頁。
3) 同書、23-24、58 頁。
4) 同書、20 頁。
5) ジョフレェイ・ゴアー 1984：66-71 頁。
6) カナダ国立映画制作庁（日本語版監修／赤林朗）『生命倫理を考える』(DVD 7 枚組) 丸善、2009 年。
7) Dubose and Hamel, pp.225-226.
8) バーバラ・ハーンスタイン・スミス 1987：329-361 頁。
9) Tod Chambers and Kathryn Montgomery 2002: p. 79.

参考文献

ジョフレェイ・ゴアー（ジェフリー・ゴーラー） 1984：「死のポルノグラフィー」ロバート・フルトン編『デス・エデュケーション』（斉藤武・若林一美訳）現代出版（原著：Robert Fulton (ed.), *Death and Dying*, 1978）、所収、66-71 頁［編者注：この論文は宇都宮輝夫によって 1986 年にもう一度邦訳された。ジェフリー・ゴーラー 1986：「死のポルノグラフィー」（原 *Encounter*, 1955 に掲載）、G・ゴーラー『死と悲しみの社会学』（宇都宮輝夫訳）ヨルダン社（現：しののめ出版；原著：Geoffrey Gorer, *Death, Grief, and Mourning in Contemporary Britain*, 1965 に付論 4 として再録）201-212 頁に「付論二」として訳出］。

ロバート・スコールズ 1987：『テクストの読み方と教え方─ヘミングウェイ・ＳＦ・現代思想』（折島正司訳）、岩波書店（原著：Robert Scholes, *Textual Power: Literary Theory and the Teaching of English*, 1985）。

バーバラ・ハーンスタイン・スミス 1987：「物語の異型、物語の理論」（新妻昭彦訳）W・J・T・ミッチェル編『物語について』平凡社（原著：W. J. T. Mitchell, *On Narrative*, 1980, 1981）、所収、329-361 頁。

ツヴェタン・トドロフ 2009：『文学が脅かされている』（小野潮訳）、叢書ウニベルシタス 929、法政大学出版局（原著：Tzetan Todorov, *La littérature en péril*, 2007）。

服部健司　2009：「医療倫理学ケースの物語論」『生命倫理』20、112-119 頁。

―――　2010：「臨床倫理学と文学」『医学哲学医学倫理』27、49-57 頁。

ロラン・バルト　1981：『文学の記号学』（花輪光訳）みすず書房（原著：Roland Barthes, Leçon: *Leçon inaugurale de la chaire de sémiologie littéraire du Collège de France prononcée le 7 janvier 1977*, 1978)。

Tod Chambers and Kathryn Montgomery 2002: "Plot: Framing Contingency and Choice in Bioethics," in: Rita Charon and Martha Montello (eds.), *Stories Matter: the Role of Narrative in Medical Ethics*, Routledge, pp. 77-84.

Edwin Dubose and Ronald Hamel 1995: "Casuistry and Narrative: Of What Relevance to HECs?" *HEC Forum (HealthCare Ethics Committee Forum: An Interprofessional Journal on Healthcare Institutions' Ethical and Legal Issues)* 7 (4), pp. 211-227.

Hilde Nelson (ed.) 1997: *Stories and Their Limits: Narrative Approaches to Bioethics*, Routledge.

Ole Skilleas 2001: *Philosophy and Literature: An Introduction*, Edinburgh University Press.

Interpreting Literary Texts Involving Clinical Cases in the Teaching and Practice of Medical Ethics

by Kenji HATTORI

The prevailing method of solving ethical problems in medical practice is deductive, usually starting from certain moral principles. However, by adopting this standpoint one can easily ignore or overlook the rich complexity of each individual case. Subtle elements that are imperceptible when viewing each case from the heights of seemingly objective but abstract theory or doctrine, are likely to be missed. Scientific propositions are often too far from the realities of human life and death, but at the same time, actual everyday life usually seems too monotonous to observe and contemplate closely. Therefore, literary texts including short stories and dramatic texts, can be useful in helping us to reflect on human nature as well as think about what we should or may do in existential situations that often can arise in clinical settings. Furthermore, in this article the author argues that each clinical case which evokes our ethical concern can be regarded as a literary text. As reading a literary text inevitably requires our imaginative interpretation, understanding and describing a particular case in a clinical setting also demands medical personnel's sensitive interpretation and imagination. To develop our sensibility and a deeper interpretative ability, we should build up our experience of appreciating literary texts thoroughly by raising questions about the meaning of what characters in the texts say and do, and by endeavoring to answer these questions. By doing this, we should come to realize that literary texts are always open to deeper understanding from different angles, and that there cannot be only one, single correct interpretation. In the same way, our moral judgment must also remain tentative and open to revision as a deeper understanding is gained of each individual case.

夢分析で語られる「死」について

前 川 美 行

1．はじめに

　夢分析は、来談者（クライエント）が自分の見た夢を記録して心理療法家（セラピスト）に話して内的変容を目指す、心理療法アプローチの一つである。夢で見たり感じたりした情景や体験等を言語化し、セラピストとともに再体験して深めることで内的変容を目指すのである。

　身体感覚を伴う日常における体験を話すと身体は言葉によって再び体験する。それによって、面接の場の「今、ここ」にその体験を喚起して、体験を改めて検証していくことができる。これは夢も然りである。夢見手にとって夢は単なる映像や作り物ではなく、身体感覚を伴った体験である。そして夢見手は夢をただ「見る」のではなく「体験する」からこそ、「夢の世界を意識に関連づけ、これを考慮することによって認識を広げ、昼間の体験を豊かにする[1]」ことが可能となるのである。

　時に夢は覚醒後も生々しい体験として残り、昼間の意識を揺さぶることがある。特に「死」の現れる夢は夢見手に強い印象を残す。自分の死、身近な人の死、誰かの死、死者など直接的な形で現れるさまざまな「死」だけでなく、間接的に「死」を表現している夢もそうである。では、われわれにとって現実には生活体験から遠ざけられつつある「死」を夢で見ることは、どのような体験となるのであろうか。

　ここでは、文献やセラピストとして筆者が夢を聞いた事例から、夢に現れた「死」を紹介して、夢分析において夢の中の「死」がどのような意義を持つかについて考察する。

2．夢分析理論

（1）フロイトとユングの夢理論

夢を心理療法で取り上げられるべき素材としてとらえたのはフロイト（Freud, S.）である。フロイト[2]は、錯誤行為や症状と同様に夢を無意識の願望をたどり得る手がかりとして捉えた。「夢は願望充足」であり、覚醒時の行為と同様に「心的諸行為の関連の中に組み入れられるべきものであり、極度に複雑な精神的行為の作り出したもの」と考え、歪曲や圧縮・移動という夢の作業を解き明かしながら、さまざまな類の夢に現れる無意識的願望を明らかにする試みを行った。

また、ユング（Jung, C. G.）[3]は夢解釈の方法論について、夢は「意志や願望、自我の意図や目標設定によらない特定の機能」であり、意識と関係なく起こる「自然現象」であると述べた。自然と同様に、「合目的的な自動性」を持ち「親切で寛大であるが、まったく残酷でも[4]」あるという。フロイトの理論とは違い、夢のテキストは歪曲や圧縮など加工されたものではなく、「夢そのものとして受け取らねばならない」本質であり実質そのものと理解することを重視した[5]。つまり、夢は隠すものではなく顕すものであり、われわれの現実を「認識したように」ではなく、「ありのままに」描写していると考えたのである[6]。

さらにユングは夢そのものを感じ取るために、夢イメージを「拡充し」豊かにして全体像をとらえる「拡充法」を考案した。夢の内容が個人的なイメージである場合と、普遍的イメージを含んでいる場合に分けて考える[7]ことで、より深い理解が可能となると考え、個人的イメージを深めて夢に向き合う「個人的拡充法」と、昼間の意識から遠い時には、普遍的イメージである「象徴と神話的モチーフ」を適用して深めていくことを提唱した[8]。

ユングの夢理論は現象学的理解であり、その後の多くの理論の先駆として考えられている[9]。夢には相補的で建設的な力があると考えて夢分析を実際的なものへと結びつけたのである。ともすれば普遍的イメージへのアプローチの超越論的で宗教的な側面が注目されがちであるが、夢を占いや謎解きから解放し、夢見手個人にとって意味あるものへと還元した上で普遍的無意識との関連が夢によって理解できると示唆したのである。

（2）夢分析理論の展開

フロイトとユング以降、夢分析理論はさまざまに展開した。

まず、ユングと個人的に直接交流もあり学問的にも影響を受けたとされるビンスワンガー（Binswanger, L.）やボス（Boss, M.）[10] による現存在分析は、哲学的・人間学的な精神医学の立場であり、認識する主体としての人間存在という理解のもとに、人間にとって「生きる意味」や「存在意義」が重要であると考え、個人が生きる意味を見出し生きるための力を得られるようになることを心理療法治療の目標としている。

20 世紀半ば以降には人間性を重視した心理療法理論から夢理論が発展した。たとえばロジャース（Rogers, C. R.）の心理療法理論から発展し体験過程を重視したジェンドリン（Gendlin, E.）のフォーカシングと呼ばれるアプローチや、実存主義的現象学の流れを持つパールズ（Perls, F.）のゲシュタルト療法のドリームワーク（倉戸 2008）[11] などである。この立場では精神分析とは違い、無意識を想定せずに夢を理解する。たとえば、ゲシュタルト療法は実存主義的現象学の流れに属し、夢は個人のパーソナリティの中の生きられていないものの投影であり、実存的メッセージであるととらえている。

一方精神分析は、治療関係における「転移－逆転移」という視点を重視した治療論が展開されていったが、夢も治療関係の中で語られた会話と連続してとらえ、夢に現れる「転移－逆転移」を重視して理解する。フロイト以降の精神分析学派には、自我を中心とした視点でとらえる自我心理学派[12]、早期対象関係を重視する対象関係論[13]（クライン派[14]）と呼ばれるアプローチなどがある。これらの立場では基本的に「転移－逆転移」を重視して夢にアプローチする。また同じ精神分析学派でも少し距離を置いたものとして新フロイト派[15] と呼ばれる流れがある。彼らは精神分析学派であるが無意識を中心にするのではなく、社会や文化・対人関係等の視点を持って現実生活を重視する心理療法アプローチを展開した。たとえば新フロイト派に位置づけられるボニーム（Bonime, W.）[16] は、夢を臨床的に利用するために力動的視点を示しつつも伝統的な精神分析的概念に頼らないアプローチを紹介している。夢の中での感情に焦点をあて、そこで経験されるものを正確に理解していくことや、治療関係において生じる対人的な相互作用に重きを置き、夢見手とセラピストが共同作業を成し遂げる関係ができていることが夢理解

の前提になるとして、セラピスト側の適切な働きかけの重要性を強調している。

　また、ユング派においても古典的な学派のみならず、対象関係論と近く発達的視点を持つロンドン学派[17] や、元型を重視した元型的心理学派[18] などさまざまな学派があるが、いずれの立場も普遍的無意識や象徴的理解をもつ点が特徴であり、心理療法面接の中で夢やイメージを語り、内的世界に近づくことを重視している点も共通している。

（3）主体レベルの夢理解

　このように現在では多くの理論で、夢内容は夢見手の心の世界の投影と考えられているが、その世界の理解には、夢に登場する人物や状況を「客体レベル」と「主体レベル」の２つの方向からのアプローチが可能である[19]。客体レベルの解釈とは「空想や夢の中に登場する人物あるいは状況が客体的実在の人物や状況に結びつけられる解釈」であり、主体レベルの解釈とは「夢の中に現れる人物や状況はもっぱら主体的な枠に結びつけられる」とユングは述べている。たとえば、実在する人が夢に出てきた場合に客観的にその人物を指していると考えるのが客体レベルの理解であり、夢見手自身の内的世界の要因と結びつけて、内的な要因が「ある人物」の形をとって表されているとするのが主体レベルでの理解である。夢に登場する人物も「客体に対する主体の関係が生み出す像」と考えるアプローチ、すなわち人物も事物も状況も主観的な表れと考える主体レベル的理解により、夢を通して自己と向き合う内的作業の夢分析アプローチが確立したのである。

3．夢に現れる「死」の理解

（1）「死」の予知について

　夢について語るときに予知夢があるのかどうかが議論になることが多い。フロイト[20] は、偶然の持つ影響力の大きさや、「意味ある偶然」（超感覚的現実）を軽視してはいけないと考えつつも、そのような現象に対して「残念ながら私は、霊もその動きをやめ、超感覚的なものも避けるような救いがたい人間の一人であり、したがって、奇跡を信じたくなるようなことを自分で経験したことは一度もないことを告白しなければならない」[21] と述べてい

る。そして神秘的に解釈するしかないような現象（予感・予言的な夢・テレパシー・超感覚的な力など）も研究によって今後解明されるだろうと述べている[22]。そして彼が認める夢（テレパシー体験ではなく）は、すべて願望充足で理解できると主張した。

　このようなフロイトの主張に対するユングの「共時性」という視点からの反論[23]は有名であるが、ボス[24]も、「司教が親しい友である大公が暗殺された当日に見た夢（暗殺されたという手紙を受け取る）」などいくつかの予言的な「死」の夢を挙げている。日本でもユング派の山中[25]がクライエントである少女が亡くなった時間に少女の姉と叔母が見た予知するかのような不思議な夢、フロイト派の鑪[26]が恩師の亡くなった時刻に自分が見た「父（昔に亡くなっている）の死」の夢を紹介している。また、内科医の岸本[27]はある癌患者の治療が順調であった時期に自分が見た「患者の父親が弔辞を読む」夢を報告している。患者はその16日後に順調な経過中に死因不明のまま急死した。岸本は急死の頃この夢をすっかり忘れていたが、後に記録を見直して改めてこの夢に出会い驚いたという。それほど患者と死が意識の上で結びつかない時期にそのような夢を見ることもある。

　身近な他者の「死」を予知するかのような夢に関しては、あまりにも大きな衝撃が残るためか、多く報告されているようである。そこには残された者が親しい者の「死」という受け入れがたい事実を、死者と自分の親密な関係においてとらえたいという意志が働いていることも影響していると考えることも必要だろう。

（2）他者の死・死者の夢

　フロイト[28]は、「他者の死の夢（誰かが死ぬ夢）」もほかの夢と同じく願望充足の歪曲された形と考えることができるとした。それは「死んでほしい」という単純な願望充足ではなく、複雑な屈折した心理が絡んで、それを読み解くために夢が何を置き換え、隠しているかを中心に夢分析を行った。さらに「死んだ人が出てくる夢」も願望充足と読み[29]、夢によって「会いたい」という願望を充足している点と、同時に死の意義を否定している自分に死を認識させる意味、すなわち願望充足と現実への直面化の両極の意味が見られると考えた[30]。

　新フロイト派の流れをくむ名島潤慈[31]は、「他者の死の夢」は、他者への

夢見手の「敵意や競争心」を表し、他者を殺す場合にはより敵意は強いもので、「実際に死んだ人の夢」を見るときには夢見手の死者への「思慕の念」や「罪悪感」が読みとれると考え、他者と夢見手との関係や、夢見手の感情を確認しながら夢分析を進めることを勧めている。これは客体レベルで実際の死者との関係における自分の感情を見つめていくことになる。

　夢で出会うことによって、その人の不在をあらためて認識する。不在に接して「会いたい」と哀願し思慕の念が募るとともに、大事な人の「死」という現実に否応なく直面化させられ、「死」を認識させられる。「非日常的な、異質なものを受け入れるという体験」は難しいことであり、死による喪失体験などは「ゆっくりと氷が解けるように心になじむ」ものである[32]。その「死」に関する両価的葛藤に引き裂かれながらもその感情を生きることで、死を受け入れられるようになる。そんなときに夢の中で「お葬式」が行われることもある。受け入れがたい「死」は身体に事実としてなじんでいくプロセスが必要であり、心理療法が支えとなって夢の中で死の受容のプロセスが始まることも多いのである。

（3）夢見手の「死」

　では夢見手本人の死の夢（夢主の死の夢）はどのような心理的意味をもつだろうか[33]。心理療法における終結などの転換期を表す[34]ことや、「何らかの危機」を表わすこともある。特に青年期では「同一性の危機と関連する」と考えられる。これまで維持してきた自己態勢の変化が「過去の自分の死」というイメージとして現れることが多いためである。しかも死の夢は大きな変化が起こる場合で、小さな変化の場合には「洋服の仕立て直し」や「裸で水浴びをする」など服との関連として現れるともいわれる[35]。このように「夢見手の死の夢」は夢見手自身の根本的変容と関連があるといえるだろう。成熟のプロセスとして起こる根本的な変容とは、崩壊と再建と呼べるほどの大変革であり、ある一線を越え向こう側に行くこととして表されたり、渡河や死として夢に現れることが多いのである。

　しかし、「夢見手の死の夢」を、成熟の現れと安易に理解することは大変危険である。現実には身体的死は再生を確約していない。また実際に命に関わるような大きな変化を夢が示唆している可能性もあり、警告夢として慎重に受け取る必要がある。「死」の夢を、事実死に匹敵するほどの内的危機を

表すと真摯にとらえ、危機を転機へと生かしていく姿勢によってこそ、根本的変容は成し遂げられる。ユング[36]は、「事物を先取り」したり「周囲の人の重大な心的経過が知覚」されたりしたものとして、夢の中に「死」が現れてくる可能性を考えている。また例としてある子どもが死ぬ1、2年前に実際にみた夢を挙げて、「思考の筋道が極端に異質」というその夢の特徴を、事実死による影が夢に現れている、すなわち無意識からの圧倒的な力が表されたもので、何らかの内的危機を示していると述べている。

　ところで、実際に身体疾患等により死に直面している人の夢は何か特徴を持っているであろうか。名島[37]は、「実際に肉体の死に直面している人々（臨死患者）では、直接的な死の夢は生じにくく、むしろ『恐怖や苦しさ、さみしさ』のような感情がこもり、『襲われる、追いかけられる』『激しく争う』などの夢が現れることが多い」と述べている。しかしながら名島の引用した夢をみると、そのような感情のみではなく死に対する恐怖や、間接的に「死」を表わしているように思われた。たとえば慢性腎不全患者の反復夢、「玄関の鍵を閉めようとするが、外から白装束のおばあさんが物凄い力で押し開ける。部屋の中を逃げ回るが、おばあさんに追いかけられ、もうだめだと思ったところで目がさめる」、「後ろ姿がよく知っている人に似ていたので声をかけると、この世のものとは思えない恐ろしい顔がこちらを振り向き、びっくりする」などでは、直接的ではなくても、まさに死の影がそこには感じられるといってもよいのではないだろうか。

　一方ユング派では、すでに述べたように近い将来における事実死が夢にも現れる可能性を考えている[38]。内科医として身体疾患の治療に携わりつつ、ユング派夢分析の訓練を受けた岸本[39]は、患者や治療者の夢や描画、語られたイメージの中に多くの「死」が現れていることを事例に基づいて報告している。実際に「死」を間近に感じている身体疾患患者の夢には「死」は象徴的に色濃く現れていると考えられるようである。

（4）内的体験としての「死」──ユングの理解

　最後に「死」の意義を重視するユング派の考え[40]を紹介しておこう。ユング派の河合隼雄（1967）[41]は、「死は挫折であり消滅であり、否定的な面を持つ」と同時に、「心像の世界における『死』は『再生』へとつながるとき、むしろ劇的な変化の前ぶれを示すもの」でもあると、死の両義性を強調

している。そもそも心理療法において、「象徴的な死」を通して夢見手の「心の中で何ものかが死に、新しい、よりよいものへと再生していく過程」が起こるものであり、「大きい人格変化を生じてきたときに、死の夢をみることがある」。このようにイニシエーションとしての「象徴的な死」の体験として、「死」の夢を重視する。

　イニシエーションとしての死とは、エリアーデ[42]によれば「新しい人間形成を目的とする次々の啓示がやがて書き込まれる真っ白な石板、タブラ・ラサを準備すること」であり、「精神生活の始原に欠くことのできぬこと」として、始まりに不可欠なものと考えている。また、厳しい苦行を乗り越えて得た「生」こそが、生き生きした「生」であるという考えがそこにはある。秘儀としての加入礼が「象徴的な死」（ほとんど身体的な死に等しいほど厳しいものも多いが）の儀式を受け継いできたことにも認められよう。新しい「生」の段階への過渡や移行を生み出す「象徴的な死」の体験は、昔から重視されてきたのであり、それは「人間が『死』に積極的意義を見出し、『死』をより高い存在様式への過渡の儀礼としてうけとろうとする永遠の願い」[43]を心の奥底に持っていることとも重なるとエリアーデは述べる。

　われわれは「生」を更新したいと願って、「死」を願うこともある。また本来「死」に積極的価値を与え意義あるものとして受けとめたいという意思を、信仰にかかわらず持っているのではないだろうか。「死」を「再生」の願いをこめて受容するのだろう。夢の中で死んだ時、目覚めて「生」を実感する。「死」を強く実感すればするほど、目覚めた時、「生」を新鮮なものとして強く実感するだろう。

　さらにユングは夢の中の死者は「夢見手のある特性の死」を示すとも考えている。自分の中の何かが死んでいることを認識せず、問題から目をそむけてそのまま生きていくことを「魂の死んだ」状態と呼んで[44]、それを知らせる夢と向き合うことを勧める。無意識が感じている「死」を意識が受け取れるようにすること、それが夢分析の仕事であり、自分の死も他者の死も象徴的な死もいずれの「死」も、夢見手に重要な問題を突きつけていると考えて生を見直すことが生きる助けになると考えるのである。

4．「象徴的な死」の体験

　フロイト・ユング等力動的立場や現象学的理解を中心に夢理論や夢理解の方法、「死」のとらえ方などを概説してきたが、次に臨床的考察の素材として筆者が担当したケースから実際の夢分析を紹介して、事例に現れた夢の「死」の意義について考察していきたい[45]。クライエントの言葉は「　」、セラピストの言葉は〈　〉で引用した。

（1）身体的・心理的傷の受容―Aさんの夢

　Aさんは重大な疾患のために手術を受け、身体的にも心理的にも大きな傷が残って、その後不安で落ち着かなくなり、心理療法を受けることを医師から勧められた中年女性である。

《事例概要》

[主訴等]　「一人でいられない。不安でたまらない。傷が受け入れられない」という主訴で身体疾患の主治医から心理療法を勧められた。

[家族・生育歴]　夫と二人暮らし。専業主婦。夫は会社員。結婚当時から夫の実家で同居して夫の両親との間の確執で苦しんできた。夫の仕事が忙しく義父母の介護はAさんの仕事だったが、これまで特に不満も言わずに生活してきた。実の両親は20代の頃に相次いで病死。あっけない死だったという。また、仲がよかった兄も脳血管障害で数年前に亡くなっていた。Aさんは3人兄妹の末っ子で甘えん坊だったという。

[面接経過]　隔週で2年間継続して終了。初めは不安でたまらないといった様子で甘えるように話していたが、それでも現実的で精神的健康さを持った人であることが話からはうかがえた。

《前半の1年間》

　病気だとわかってから手術までが、たった数日だったこと、術後の経過が悪く心身ともに危機的な入院であったことなどを泣きながら話していた。初めの頃、突然降りかかった病と身体の変化に苦しみ、傷を知ってほしい、自分の苦しみを知ってほしいと話すAさんとの面接では筆者も苦しくなることが続いていた。すぐそばに感じている死の恐怖が話されたが、そのほかにこれまで誰にも話してこなかった家族や夫の両親との確執など、胸に秘めて生きてきた思いが吹きだしているようだった。その話を聞いているとふとA

さんのほうから夢を話した。

　【夢A-1（開始1ヵ月後）：大広間、襖を開けながら一つまた一つと進んでいくが、急に荷物をまとめて出て行かないといけないことになる。死んだ兄もいる。兄の荷物を一緒に片付ける。兄はのんびりしているが、私は「早くしてくれないと私の物が片付かないな」と思ってる。】

　この兄は5年ほど前に亡くなっているが、亡くなった年齢と今のAさんとが同じ年であるとのこと。この兄が生きていてくれたら心強かったのにと語っていた。目覚めたときに心細さと懐かしさを感じていた。

　【夢A-2（同じ頃）：母とレストランで食事をしていると急に大勢の人が入ってくる。】

　母親もAさんが20代の頃に亡くなっており、二つの夢では亡くなった人が登場し行動をともにしている。そして、突然の引越しや大勢の邪魔が入ったりと急な展開が起こる。夢を聞いた筆者はAさんの日常から突然何かが失われたこの現実を夢がこのように表わしているのだと考えた。しかも、亡くなった兄と一緒に引っ越す夢は、今まで心の中にあった兄の持ち物を整理していくことであり、兄の死を受け入れ、送る作業と思われた。母との食事は死者との食事であり、やはり心の中で維持してきた娘としてのAさんを送る作業と思われた。現実に合わせて無意識レベルでも、急激な変化が起こっているのだろう。しかし意識レベルではまだ変化についていけないAさんは急激な変化によって置き去りにされていた状態である。筆者は〈今回の急な変化を夢が表しているのでは？　信頼できる亡くなった家族がAさんとともに何かをしているように思う〉と伝えた。

　この後も、急な手術や大きな傷の話、生活がうまくできない不満や不安の話が続いていたが、少しずつ家事はできるようになっていった。

　【夢A-3（3ヵ月後）：兄と一緒にたくさん部屋のある新しい家に引っ越す。】

　手術後危機的な時期を過ごしたAさんが、信頼できる懐かしい死者に守られ新しい家に引っ越したと筆者は思った。同じ頃、夢の中の自分が手術後の身体で登場したと話していた。このことから、「新しい家」への引越しというメタファーは「新しい身体像の受容」と考えられ、兄という死者に守られながら、身体像の変化が無意識レベルで行われたといえるだろう。これは、急激な変化を受け入れるプロセスに兄の姿を持ったもう一人の自分の存

在が助けとなったことや、その存在によって「生きている自分」が対照的に浮かび上がって来たともいえる。身体の引越しが終わったが、傷が身体になじみ新しい身体を心が受け入れていくのには、新しい家に慣れるように時間が必要であった。

《後半の１年間》

　Aさんにとって心理療法の場は、これまで話したことのないような話をし、自分の気持ちを振り返る場になっていった。そのような場合に自分のイメージにおぼれたり、激しい感情にとらわれたりする場合がある。そうなると心理療法は膠着状態になるのだが、そのような場合にセラピストは、やや意地悪とも思われるような質問をしながら、語り手が自分の感情や行動に気づき向き合うよう働きかけをする。Aさんの場合、直面化のタイミングは夢によってやってきた。

　　【夢A-4（１年３ヶ月後）：逃げているが数人の男につかまり「おまえが殺したんだろう」と死体を見せられる。私は違うと言うが、信頼している友人が証人だと男は言う。驚く。友人に裏切られたショック。殺してない、と言っても信じてもらえない。】

　誰かを殺したと糾弾されるAさんは必死で抵抗するが、友人にも裏切られ絶望的である。しかも死体を直視させられる。殺したつもりのない死体を直視させられるという夢は、なにかの罪悪感の現れともいえるが、これまで生きてきた中で殺してきた自分の中の何かとの直面とも考えられる。〈死体を見ろといわれているのですね〉「どうしてでしょう。殺してないといっているのに信じてもらえない。この友人は最も信頼しているのに信頼するなということ？」と不安なAさんに対して〈最も信頼している人だからこそ、裏切る役を夢は与えたのでは？〉と筆者は感想を述べた。それを聞いたAさんは不思議そうだった。

　夢の中でAさんは友人に頼らず自分一人でしっかり見るように強制された。そして死体や裏切りと向き合わなければならない。Aさんはこの夢によって大変なショックを受けていたが、「死体はなんだろう」と自分自身と向き合うきっかけとなった。この後、実際に一人で解決しなければならない問題が発生し、Aさんはしっかりと対応をし、自信を取り戻し日常へと戻っていった。自分自身の甘えたい気持ち、甘えたくても甘えられなかった気持ち、それを認識したことで、強がるのではなく自然な強さが出てきたよう

だった。

[まとめ]　まず、死の恐怖や急な身体変化を受け止める経過で現れた「死者」の夢では、死者を送ることで自分の生を確認し、更新している印象があった。また、急激な変化に追いつき、意識が新しい自分を獲得するためには、自分自身と向き合う必要があったのだが、そのタイミングは夢A-4によって知らされ、意識に直面化を促す機が熟したと思われた。そして面接では、見ないできたものが何かと考える方向へと動き出した。もちろんクライエント自身がそのことを受け入れられるように、である。

（２）「内的な死」を象徴的に生きること─Bさんの夢

　40代女性のBさんの夢を紹介して、象徴的な「死」の体験について考えてみたい。

《事例概要》

[主訴等]　「父親の死と婚約者との突然の別離で生きる意欲が感じられない。死にたいと思っている。友人と会うのもおっくうで誰とも会いたくない」。初回は知人に紹介されてしかたなく相談にきた様子だった。

[家族・生育歴]　母親と二人暮らし。自分以外の兄弟は既婚し地方に住んでいる。父親の闘病のために結婚を見合わせていたら、父の死後、結婚も破談となり抑うつ状態に。結婚退職予定だったためそのまま退職。母親はBさんに実家をついでほしいとかねてから言っていた。

[面接経過]　若いときからテキパキと仕事をしてきたキャリアウーマンでもある。知人の顔を立てるために来たようで、すでに死ぬ準備をしているという初回であったが、偶然三つの夢を話したことから心理療法は始まった。約4年間の経過である。

《初めの1年間》

　【夢B-1：（初回）父が川原の土手の柔らかい土の上を走っていく。「危ない」と私は追いかけるが、父は「急がないと」と言って行ってしまう。】

　【夢B-2：川をボートで下っている。大人数人と女の子。雨が降ってきたので岸にあがろうとその子を抱き上げると日本人形になった。】

　【夢B-3：坂道を降りていくと沼のような池があり、蓮の花が咲いていた。】

　これらの夢からは「死」のイメージが感じられ、Bさんが「内的な死」を体験していることが考えられた。死んだ父を追うのは死者を送るのとは違って引き止める行為であり、父の死を受け入れられないBさんの姿だろう。Bさんは内面的な死を「象徴的な死」として体験するのではなく、「事実死」と結びつけて、「死にたい」と考えていた。つまり、父の死や婚約者との別れにより内的に死を体験しているのだが、それを内的体験として生きられずに「外的な死」を望んでいたのが初めの頃のBさんであった。Bさんの夢はこのあとも凍りついたような流れないイメージが続いていたが、2ヵ月後、印象的な夢を話した。

　【夢B-4：甥（幼児）が海の方に走っていき、井戸のような穴に落ちた。見ていると、穴から甥が横になったまま浮き上がってきた。水があったんだ。死んじゃったのか？甥は目を開けた。浴衣のようなものを着ていた甥を風呂に入れて着替えさせようと家に連れて帰る。】

　この夢を話しながら初めてBさんは涙ぐみ、凍りついていた感情が流れ出したようだった。この夢には「死」「再生」「禊」のイメージが含まれており、筆者も死と再生を意識するような大きな夢が現れたと感動し、つながった、動き出したと感じた。この後、「黒い塗り箸を男性に餞別として渡す」など別れの夢がいくつか続いた。

　【夢B-5：（3ヵ月後）母が亡くなったが悲しくも何ともない。兄弟がやってきて私にこれからどうするかと聞くが、今の私には答えられないなと思う。】

　Bさんにとっては母親との別れはまだ実感がなく、感情は動かないままであった。この後、B-4の死と再生を思わせる夢や別れの夢に力をもらって、Bさんは家から離れることを決意し一人暮らしを始めた。ところが、その矢先大きな不運に見舞われ、現実に「死」に近い体験をしてしまう。

　このとき、筆者はさまざまなことを考えた。無理な計画で急に動き出したBさんを止めるべきだったのではないか。B-4のような夢を見たことで勢いがついてしまったが、実際には慎重に動くべきところであったのだろう。夢ではゆっくりと別れの作業を始めていたが、まだ実感を持って母との別れができる状態ではなかった（B-5）。そして筆者はBさんにこの考えを話し、二人で話し合った。母親は、親を捨てるようなことをしたから因果応報だとBさんを責めたが、Bさんはそれでも今度はしっかりと計画を立てて家を出

て行きたいと決意した。自分の意思の強さを確認できたのである。

《2年目から終了まで》

その後、Bさんは生活の基盤を作る努力を現実に重ねていった。それから1年以上たって「傷が癒える」夢や、「天空の大きな動き」を見る夢、「川に架かっている橋の下から歩き出す」夢、「大きな川に沿って歩いて海に出る」夢などを見た。そして開始3年半後、独立して家庭を持ち安定した生活が送れるようになった頃に次のような夢を見た。

【夢B-6：お祭りのような行事で家族が集まっている。母方祖母がいる。私が「美容院に行かなければ」と言うと、祖母が私の足首に鍵の束の入った袋を結び付けた。祖母の腰にも袋が結び付いている。祖母が教えてくれた場所にいくと、戸が閉まっているので帰る。戻ると誰かのお葬式をやっていた。香典を5千円位にするかと知人が相談しているのを聞いて1万円でなければと思う。】

筆者はまるでBさんが自分の葬式に遭遇したかのように感じ、Bさんも「大事な旅立ちの感じ」と語った。夢の中で、死者である祖母から鍵の束を結び付けられ出発するが、鍵を使わずに引き返して戻る。帰ってきて遭遇した葬式では高い香典で大切に弔おうとしている。自分の葬式でもあるような葬式で、死者を弔い、送る作業をしたように感じた。母方祖母とのつながりを絶ち、母親の実家の流れを持つ娘としての死でもあったのだろう。生活も安定していたBさんの内的作業もこうして終結へと向かった。

［まとめ］　Bさんのテーマは、強く繋がっていた父の死の受容、母子密着であった母親との分離、そして自分の人生に主体的に関わり、生き方を決定していくこと、などであったと考えている。Bさんは内的体験としての「死」を社会的・身体的な「死」と同一視し、現実的な死を求めていたが、夢B-4の子どもの「死」によって初めて内的な「死」を実感し、感情が流れた。ここで内的な「死」を危機としてとらえ大事に留まり、慎重に進むべきところだったのであろう。しかし現実的な基盤のないまま行動したBさんは、危機を実際に体験し、生死の境をさまようことになった。心理療法での話し合いを経て、Bさんは行動に意識的になり始めた。ただし、これは因果論的に結びつけて考えているのではないことを断わっておきたい。この出来事をBさんは自分の体験として生き、身体の傷を被ることによってさらに深いレベルへと入り、新しい次元が開かれたと筆者は考えている。内的な「死」を認

めきれずに止まったままであった時間が、夢によって具体的な「死」と直面したことで動き出し、身体的「死」に瀕したことを経て、Bさんは主体的に生き始めた。そして自分の内的な「死」を葬り送ることで新しい「生」の次元が開かれたと考えている。その重要な転機に「死」の夢が現れていたと言えるだろう。

（3）繰り返される「死」—Cさんの夢

　Cさんは専門学校に通う20代女性である。希死念慮があり自傷行為を繰り返し自殺未遂歴もある。何度も死ぬ夢をみていたが、繰り返される「死」が必ずしも内的変容と結びつかない例として最後に考えてみたい。

《事例概要》

[主訴等]　「死にたい。中学の頃から『死』に憧れがある。自傷行為も中学のころから少しずつあったが、今ではエスカレートしている。何もしたいこともなく、死んではいけないと思っているが死にたいと思う気持ちが消えない。なんとなく憧れていた男性が結婚すると聞いて自殺未遂をした」と語り、自殺未遂後搬送された病院の医師から心理療法を勧められた。

[家族・生育歴]　地方の実家に両親・母方祖母・妹（6歳年下）がいるが、本人は独り暮らし。小さい頃から友達ができず、アニメや漫画を読んだりしていることが楽しかった。中学の頃、リストカットをしている同級生を見て、急に自傷行為に憧れ、やってみて以来、手首に限らず比較的見えにくい部位に傷をつけることを繰り返している。止めようと思うが、止められないという。

[面接経過]　約3年半の経過。学校やバイト先での人間関係や母親との関係がうまく行かないという話や死にたい、死に憧れているという話が主である。夢を聞いてみたところ、話したいといって毎回話すようになった。イメージ豊かな夢が多く、筆者も圧倒されるほどたくさんの夢を毎回持ってきた。死者や神が出てきたり、殺し合い、手術、出産などさまざまなイメージが出てくる。死後の世界や死に方が詳細に表現された死の夢が多いのが印象的だった。

《初めの1年間》

　夢や漫画はうれしそうに語るが、現実の話を聞くと母親や周囲の人間への怒りや不満、自己否定を繰り返し話すことが多く、些細なことで、「もうだ

めだ、死にたい」と自傷行為を繰り返す。筆者は死にたいという気持ちや死に憧れる気持ちを、大人になる段階で内的に「死」と近い体験をしているのだろうと理解していた。大きな変化の時期でもあり、「死」は重要な意義を持つ。しかし周囲の人間にすぐにがっかりして怒り、安易に繰り返す自傷行為に、〈それで死んでいいの？〉と問うこともあった。すると「死は魅力的。憧れは誰にも理解できない」と筆者にも怒ったり、自殺した芸能人の話をうっとりとしたりする。筆者にはＣさんにとって「死」は、空想や漫画の中にある美しいものとしてしか感じられていないように思えた。しかし、筆者に話すことで理解されたと思えたこともあったのか、自傷行為はなくなっていった。

《２年目から２年半》

　１年たったころ、これまでとは少し違う「死」の夢を話した。

　　【夢C-1：海で手術を受ける。水の中に身体を半分沈めながら切り開かれ、目を開けたまま手術を受けている。麻酔をしないで痛みを感じることが大事と思っている。】

　痛みの実感もあるようで、筆者はようやく訪れた内的な「死」であると思った。しかし、直後に再び人への怒りで自傷行為を始めた。すごい夢を見た自分なのに理解されない、と自我肥大を起こして周囲への怒りの激しさが増し、自傷行為が再び繰り返されたのである。その後もさらに「死」の夢を語るＣさんに、筆者は夢のイメージでさえ作られていることがあると気づいた。筆者は、ここでようやく現実から逃避するかのような、自己愛を幻想的に満たすようなイメージであったのだと気づいた。そこで方針を変更して、詳細なイメージを語っても聞かず、実際の自分の気持ちや母親への自分自身の感情を問いかけ続けた。Ｃさんは問いに対して怒ったり、イメージで答えたり話がずれたりを繰り返した。

　しかし根気よく続けるうちに、少しずつ具体的な場面での自分の感情を言葉にできるようになっていった。自傷行為はなくなり、死んでもどうでもいいという態度は減った。そして、自分自身のうちにある怒りや甘え、怖さ、悲しみなどの感情を少しずつ話すことができるようになった。人に対しての態度も変わりつつあった頃、卒業と同時に実家に帰ることになり、筆者との面接は終結した。

［まとめ］　意識的にではないが、夢もイメージへの逃避として作られていく

ことがある。それを聞くことでますます現実感の薄いイメージを増幅することがある。現実感のない身体から遊離したようなイメージは単なる記号であり、象徴としての機能を果たさない。したがって、そのようなときに夢やイメージを話すままに聞いていたのでは、ただインフレーションを起こし内的「現実」も現実ではなくなる。内的「現実」ではなく、空想の中に生きてしまうことで、現実も内面も生きることができない。本当に孤独である。現在多く見られる希死念慮や自傷行為の背景には、Cさんのように「死」が生活から遠ざけられ、「生」も実感できないまま不死の幻想を生み出していることや、生まれ変わりへの憧れのみで現実を生きられないことがテーマとなっているケースがあるのではないかと考えている。

5．おわりに

　これまで述べてきたように、夢に「死」が現れるときには「死」と同等の状態が心の中に存在していることが考えられる。内的な「死」が示唆するものは、心的現実としての「死」であり、夢見手の中に死んでいるような面があること（抑うつ状態、向き合っていない問題、生かしていない可能性や能力など）や、「死」に等しいような内的移行や内的危機である。意識から遠く、まだ気づいていない内的な「死」を、夢によってはっと目覚めて気づいたり驚愕したりできる。その時意識は新しい認識の手がかりを得たのである。そこで夢の中の「死」で表されたものが何であるかを自分に問いかけ、自分自身と向き合うことで意義ある「生」を生きることになる。すなわち内的な「死」の存在が夢を通して意識に届き、夢に現れた「死」と向き合うことで内的な「死」と向き合い、「生」と向き合うことができるのである。

　また、大事な人の「死」を受容するプロセスの中で夢に現れる「死」も、現実の「死」と向き合うよう否応なくわれわれに強いてくる。そして夢によって「死」を認め、自分自身の思慕や自責の念を再び生々しく生き、その感情を収めていくプロセスが行われる。それは同時に死者を弔い葬る心のプロセスでもある。

　しかし、「死」の夢が必ずしも内的成長や変化を表しているわけではない。自傷行為に痛みを感じないことや、自殺未遂の際に苦しい処置を受けても「死」の恐怖を感じることができないような場合、「死」は身体に届かず、抽

象的なままである。たとえ自己変容を求めて「死」を望んでいても、自ら「生きる」ことを放棄したかのように非現実的に生きているのでは、夢の中でも実感のない「死」が反復されるにすぎなくなると筆者は考えている。死ぬことを想像できない「生」であるために、生きていることも実感できない。夢やイメージさえも、そのような生きられない現実を表わさざるを得ない。つまり、体験において身体と意識が遊離している場合には、夢やイメージも身体とはかけ離れたものとなり、象徴として機能できないのである。また、「死」を覆い隠して生と死の境界線を見えなくさせている現代においては、「死」が見えないばかりか、「生」も見え難くなっている。そのような場合にはイメージにおいても境界がなく、超越することもなく創造力を失うのであろう。

では、内的な「死」と向き合うとはどのようなことだろうか。それは実感できる「死」を感じる想像力によって、身体や心の深い部分で体験する「死」から目をそらさないことである。それは心身の危機に向き合い、実際に主体的に生きることから生まれる姿勢である。

現代社会のめまぐるしい動きは、医療処置が身体を心から奪いとり、心と身体を引き裂くようなこともある。それによって身体的体験と心的体験が遊離する。夢は、その動きをゆっくりと補う。そして心が変化に追いついたとき、心的体験として「死」の体験が起こる。心理療法を受ける時間は、社会から少し離れて生きる時間となるものだが、夢を見ることは眠ることでもあり、昼と夜の時間の両方に目を向け、その時間を生きていくことでもある。

《謝辞》 考察のために、夢を掲載させていただいたクライエントの方々に心からお礼申し上げます。

注

1) ディークマン（1988）22頁を参照。ここではディークマンの言葉として挙げたが、ユング派分析家においては、夢のみならず幻覚や妄想なども含めた内的現実 psychic reality は外的現実を補償する形で現れることがあるとの考えが基本にある。ヤコービ（1973）『ユング心理学』、ヒルマン（1999）『世界に宿る魂』、フォーダム（1997）『ユング派の心理療法』などに詳しい。

2) フロイト、S.（1969 a）210頁を参照。錯誤行為については、フロイト、S.（1970）を参照のこと。ヒステリーや夢の精神分析に続いて、日常生活における現象を抑圧された願望を要因として精神分析的に考察した論考である。

3) ユング、C. G.（1992）『子どもの夢Ⅰ』17-50頁参照。ユングの貴重な講演録をまとめたセミナーノートである。聴衆と質疑応答しながら、具体的な夢を例に挙げて自分の夢理論をわかりやすく述べている。そこで、ユングは自分の夢に対しての態度を明確にフロイトと違うものとして強調した。

4) ユング、C. G.（1992）Ⅰ：210頁参照。

5) ユング、C. G.（1992）Ⅰ：216頁参照。

6) ユング、C. G.（1992）Ⅰ：291頁参照。

7) ユング、C. G.（1992）Ⅰ：21-23頁参照。夢の理解を個人的意識との関連で次の4つに分けて考えている。「意識に対する無意識の補償的作用として日中の印象を示す夢」、「無意識の自発性による夢で意識との間に葛藤状態を生じさせる夢」、「意識より強く、意識的態度をすっかり変容させるような夢」「意識との関係が見えない圧倒的な夢」である。とくに「圧倒的な夢」はビッグドリームと呼ばれ、集団や人類の根源的で普遍的イメージの現れとして理解できることがあると重視した。

8) ユング、C. G.（1992）Ⅰ：44-50頁参照。

9) ボニーム、W.（1987）『夢の臨床的利用』のウルマンによる序文を参照。ウルマンはボニームの夢理論を紹介するにあたり新フロイト派のボニームに近い理論としてユングの夢理論を紹介している。ユングによって生まれた現象学的な夢理解は多くの理論の共通点であることがわかる。

10) ボス、M.（1970）に詳しい。

11) 倉戸（2008）18-19頁参照。

12) アンナ・フロイト（Freud, A.）やハルトマン（Hartmann, H.）らが有名である。

13) クライン（Klein, M.）によって提唱された理論でクライン派とも呼ばれている。

14) ビオン（Bion, W. R.）が有名である。

15) ホーナイ（Horney, K.）、フロム（Fromm, H.）、サリバン（Sullivan, H. S.）らがよく知られている。

16) ボニーム（1987）「まえがき」xxiii-xxv 頁参照。ボニームの著書は夢を臨床的に聞く基本的姿勢について丁寧に論考がなされており、現象学的でもあり学派にかかわらない入門書として位置づけることができる。

17) フォーダム、M.（Fordham, M.）やローズマリー、G.（Rosemary, G.）らが有名である。

18) ヒルマン、J.（Hillman, J.）やギーゲリッヒ、W.（Giegerich, W.）らが日本でもよく知られている。河合俊雄（1993）「ユング／ヒルマンの元型的心理学」に詳しい。

19) ユング、C. G.（1987）210 頁、233-234 頁を参照。訳本では、「主体段階 Subjecktstufe」「客体段階 Objektstufe」と訳されているが、現在は「主体レベル」「客体レベル」と訳されることが多いので、ここでも「主体レベル」「客体レベル」とする。

20) フロイト、S.（1970）216-236 頁参照。フロイトはユングを意識してこのようなことを述べているのである。

21) フロイト、S.（1970）221 頁参照。

22) フロイト、S.（1970）221 頁参照。

23) ユング＆パウリ（1976）17 頁および 28-35 頁参照。ユングが物理学者とともに著した著書。ユングが出会った共時的出来事について事例を挙げ、共時性という概念を提示した。

24) ボス、M.（1970）248-266 頁参照。

25) 山中（1978）112-113 頁参照。

26) 鑪（1979）50-52 頁参照。

27) 岸本（1999）109 頁参照。

28) フロイト、S.（1969a）262-279 頁および 422-458 頁参照。

29) フロイト、S.（1969b）196-205 頁および 340-342 頁参照。

30) フロイト、S.（1969b）340-343 頁参照。フロイトの挙げた例は【ある父親が、息子を献身的に看病したが、かいなく息子は亡くなった。通夜のとき、息子の棺が安置されている隣室で休憩中に見た夢：『子どもが父親のベッドの横に立って非難の意をこめて「お父さん、僕がやけどするのがわからないの？」と言った。』父親は目覚め、実際に隣室で火事が起こっていることに気づき、息子の片腕が焼けていたことを発見する】である。この息子の言葉はおそらく生前の父との関係における重要な体験と結びついていると解釈する。そして夢の中でも現実と同じく息子を亡くしてしまう父親の体験を追体験させ、かつ息子に会いたいという願望を充足させているというのである。

31) 名島（1995）355 頁参照。名島の論文では、フロイト派を中心に夢のとらえ方を紹介している。

32) 鑪（1979）247-248 頁参照。新フロイト派の一人である。

33) 名島（1995）354 頁参照。

112

34) 名島（1995）354 頁参照。また、治療終結に際して「夢見手が死んで、再び生まれ変わった」夢が報告されたケースをボニームも紹介している。ボニーム（1987）486-487 頁を参照のこと。

35) 名島（1995）354 頁参照。

36) ユング、C. G.（1992）Ⅰ：27 頁、30 頁、398-416 頁を参照。

37) 名島（1995）354-355 頁参照。

38) 人は「死」そのものを体験できないが、「死」を心的現実として内的に体験する可能性をもつことを重視するからである。したがって身体的危機にあるときに、人は「死」を怖れたり不安に思うなど、死に触れて内的に重要な体験をしているのであり、それが夢にも現れて当然なのである。ローズマリー、G.（1989）を参照のこと。

39) 岸本（1999）を参照のこと。岸本は内科医であるが、ユング派の分析を受けて患者との心理療法を実践している心理臨床家でもある。著書では病棟での心身の治療医としての苦闘を事例を提示しながら紹介している。

40) ローズマリー、G.（1989）やヒルマン、J.（1993）などを参照のこと。

41) 河合隼雄（1967）181-189 頁参照。

42) エリアーデ、M.（1971）10-11 頁参照。

43) エリアーデ、M.（1971）275 頁参照。

44) ユング、C. G.（2001）Ⅰ：125-134 頁。

45) 事例に関してはプライバシーに配慮して年齢等夢の流れに影響を加えない範囲で変更や省略を加えていることをご了承願いたい。なお、筆者はユング派元型的心理学派の流れを汲む立場で夢分析を行っている。

参考文献

エリアーデ、M. 1971：『生と再生』（堀一郎訳）東京大学出版会（原著：Eliade, M., *Birth and Rebirth*, New York, 1958）。

河合俊雄 1993：「ユング／ヒルマンの元型的心理学」J. ヒルマン『元型的心理学』（河合俊雄訳）、青土社、155-182 頁。

河合俊雄 2010：「夢への内在的アプローチとその限界」『こころの科学』No.154、日本評論社、2-9 頁。

河合隼雄 1967：『ユング心理学入門』培風館。

岸本寛史 1999：『癌と心理療法』誠信書房。

倉戸ヨシヤ 2008：「『夢を生きる』といわれるゲシュタルト療法の立場から」『心理臨

床の広場』第 1 巻　第 1 号、日本心理臨床学会編、18-19 頁。

鑪幹八郎　1979：『夢分析の実際―心の世界の探求』創元社。

ディークマン、H.　1988：『魂の言葉としての夢』（野村美紀子訳）紀伊國屋書店（原著：
Dieckmann, H., *Träume als Sprache der Seele*, Fellbach, 1978）。

名島潤慈　1995：「精神分析的心理療法における夢の利用」『熊本大学教育学部紀要』
44 巻、333-361 頁。

ヒルマン、J.　1993：『元型的心理学』（河合俊雄訳）青土社（原著：Hillman, J., *Arche-typal Psychology*, 1983）。

ヒルマン、J.　1999：『世界に宿る魂』（濱野清志訳）人文書院（原著：Hillman, J., *The Thought of the Heart & the Soul of the World*, 1981）。

フォーダム、M.　1997：『ユング派の心理療法―分析心理学研究』（氏原寛訳）誠信
書房（原著：Fordham, M., *Jungian Psychotherapy: A Study in Analytical Psychology*,
1978）。

フロイト、S.　1969a：『夢判断・上』（高橋義孝訳）新潮社（原著：Freud, S., *Die Traumdeutung*, London, 1900a）。

フロイト、S.　1969b：『夢判断・下』（高橋義孝訳）新潮社（原著：Freud, S., *Die Traumdeutung*, London, 1900b）。

フロイト、S.　1970：『フロイト著作集 4　日常生活の精神病理学』（懸田克躬ほか訳）
人文書院（原著：Freud, S., *Zur Psychopathologie des Alltagslebens*, 1901）。

ボス、M.　1970：『夢―その現存在分析』（三好郁男／笠原嘉／藤縄昭訳）みすず書房
（原著：Boss, M., *Der Traum und seine Auslegung*, Bern, 1953）。

ボニーム、W.　1987：『夢の臨床的利用』（鑪幹八郎／一丸藤太郎／山本力訳）誠信書
房（原著：Bonime, W., *The Clinical Use of Dreams*, 1962）。

ユング、C. G.　1986：『ユング・コレクション 1　心理学的類型 I 』（佐藤正樹訳）人
文書院（原著：Jung, C. G., *Psychologische Typen*, Zürich, 1921）。

ユング、C. G.　1987：『心理学的類型 II』ユング・コレクション 2（高橋義孝／森川
俊夫ほか訳）人文書院（原著：Jung, C. G., *Psychologische Typen*, Zürich, 1921）。

ユング、C. G.　1992：『子どもの夢 I ・ II 』（氏原寛訳）人文書院（原著：Jung, C. G.,
Kinderträume. Herausgegeben von Lorenz Jung and Maria Meyer-Grass, Olten, 1987）。

ユング、C. G.　2001：『夢分析 I ・ II 』（入江良平訳）人文書院（原著：Jung, C. G.,
Dream Analysis (Seminare), Olten, 1984）。

ユング、C. G.　＆パウリ、W.　1976：『自然現象と心の構造』（河合隼雄／村上陽一郎訳）
海鳴社（原著：Jung, C. G. & Pauli, W., *The Interpretation of Nature and the Psyche*,
New York, 1955）。

ローズマリー、G.　1989：『死と創造』（氏原寛訳）創元社（原著：Rosemary, G.,
Dying and Creating : A Search for Meaning, 1978）。

ヤコービ、J.　1973：『ユング心理学』（池田紘一／石田行仁／中谷朝之／百渓三郎訳）
　　日本教文社（原著：Jacobi, J., *Die Psychologie von C. G. Jung*, 1959）。
山中康裕　1978：『少年期の心―精神療法を通してみた影』中央公論社。

　　本論の一部は死生学研究所 2009 年度第 3 回研究会（2010 年 1 月 9 日）での発
　表「心理療法で語られた夢の中の死」に基づいている。

Death Narrated in Dream Analysis

by Miyuki MAEKAWA

Dream analysis is one approach used in psychotherapy. In this approach, clients narrate their dreams, seen to be inner experiences, to their therapist. Freud began analyzing his clients' dreams because he considered dreams to be the royal road to the unconscious. Also, Freud thought that one's dreams appeared in forms modified by neurotic desire. On the other hand, Jung proposed that one's unmodified dreams were necessary expressions of one's nature that had yet to be understood. Since then many theories of dream analysis have been discussed.

The meaning of a death image in dreams is very important because it suggests a dead aspect of a dreamer's personality, a radical change and/or a psychological crisis. In this paper, the author presents several meanings of death images in dreams, and emphasizes the importance of considering what such death images signify and confronting those issues. The author considers that "symbolic death" in dreams often appears after the process of undergoing a with hard struggle for existence. Such a dream signifies the dreamer will be able to proceed to a new life.

ヒルデガルト・フォン・ビンゲン
——幻視と生きる——

鈴 木 桂 子

はじめに

　1098年、ヒルデガルト・フォン・ビンゲンはこの世に生を受けた。ベネディクト修道会の権威ある女子修道院長として故郷のラインヘッセン地方を越えて広く名を知られ、当時の教皇や皇帝とも接触があった彼女は、しかし没後、比較的はやく人々から忘れ去られていった。20世紀になってウーマンリブの運動とともに彼女に関心が向けられ始めたが、そのきっかけとなったのは、彼女が著したとされる薬草に関する書物であった。中世に生きた女性の豊富な知識に人々は驚嘆した。それだけではない。生誕900年を機におこった「ヒルデガルト・ルネッサンス」で彼女に与えられた現代風肩書きは、彼女の幅広い活動と才能を反映している。シンガー・ソングライター、エコロジスト、政治家、医者、健康食研究家などなど。しかしこのような少々皮相的な現代的評価の中で、彼女の人生を一貫して規定するものが見落とされている。すなわち、彼女が生来もっていた幻視能力である。この特殊な能力によって彼女は当時のヨーロッパで名声を確固たるものとしたが、同時に、この能力故に、相反する二つの世界の間を揺れ動いた。一つは世俗的なものへの傾倒であり、もう一つは神性なるものへの希求である。本稿では、このような内面的矛盾の中で人間的弱さを克服していく一人の人間としてヒルデガルトを捉え、彼女にとって「生きる」とは何を意味していたのか、考えてみたい。

1　ヒルデガルトの生涯と幻視

　病弱であったにもかかわらず、ヒルデガルトは81年という長い人生を送った。多くの苦難困難を強靭な精神力で乗り越えてきた彼女が最晩年に遭遇したのは、彼女のルペルツベルク修道院を管轄するマインツ司教座の聖堂参事

会との抗争だった。それは教会から一度破門された貴族を自らの修道院墓地に埋葬したことをめぐって起こった。この貴族は教会と和解していたが、マインツ参事会はこの和解が公式な手順で行われなかったとして、遺体を墓地から掘り起こすことをヒルデガルトに要求。それを拒否した彼女は聖務禁止の命令を受けた。埋葬された貴族と自己の修道院の権利のために、彼女は一通の書簡をしたため、それを携えてマインツに赴き、聖職者たちの前で読み上げた。この書簡で彼女はまず、神からの幻視において書簡をしたためるよう要請されたと前置きし、参事会の命令に従うことができない理由を述べ、さらに修道院が置かれた現状況の苦しさを訴えて禁止の解除を懇願し、最後に神の正義に反抗する「女々しき時代」の危険を暗示した。[1] しかし書簡は効を奏さず、抗争は当時ローマに滞在していたマインツ大司教クリスティアンの援護によって終息した。ヒルデガルトがこの世を去ったのは、それから数ヵ月後のことだった。

　この事件の経過は男性中心社会におけるヒルデガルトの対外姿勢を象徴している。まず書簡という手段を用いること。次に神の正義の道を示して自己の権利の正しさを主張すること。その際、同時に人々への教化を目指すこと。そして書簡内容の正当性を神の声を借りて保障することである。つまり書簡は幻視公表の手段であり、幻視は教化という目的を持つ。何百という現存する書簡の数とその社会的発言力は、当時いかに彼女の幻視能力が広く認められていたかを証明している。

　幻視が公式に承認されるその40年以上も前から、彼女は幻視を体験していた。最初の幻視の記憶は、預言的幻視著作『スキヴィアス（道を知れ）』[2]（1141-1151年に執筆）の序によれば5歳、『聖ヒルデガルト伝』[3] 第2書2章では3歳にさかのぼる。同箇所で、また上述の書簡の冒頭でヒルデガルトは、誕生する前に創造主である神によって、幻視が自分の魂に刻印されたと述べている。人間の形成誕生について、肉体は両親から得るが、魂は神から由来し、人間が母の胎内にいる間に息吹として吹き込まれると考えるヒルデガルトにとって、[4] 幻視能力は神から授かった生来のものである。そしてこの能力は上述の事件が物語るように最晩年まで衰えることがなかった。生涯にわたって幻視を体験したヒルデガルトはまさに幻視とともに生きた。

　この特異な能力を彼女が明確に意識し始めるのは15歳頃である。それまでに彼女はすでにベネディクトの戒律に従った修道院生活を一年間経験して

いた。修道院に入るまでどのような内容の幻視を視たり聴いたりしていたのか我々には知る由もない。しかし自己の一生を神に捧げると誓った後、彼女が自己の能力を神とかかわらせるのは当然であろう。修道院という環境の中で途絶えることなく幻視を体験したヒルデガルトは、絶えず神とともにいるという宗教的信念を次第に強固なものにさせていったと思われる。この宗教的信念があったからこそ、幻視は彼女の人生で意味を持ち、幻視と生きた一生は単なる幻視者の一生ではなく、宗教的修行者の一生となった。それは人間としての弱さと神への強い信仰の間でおこる内面の葛藤を克服していく過程でもあった。

　最初の葛藤を彼女は43歳の時に体験した。1141年、それまで二人の信頼できる人物、修道女ユッタと修道僧フォルマールを除いて幻視を秘密にしてきた彼女に、神から幻視公表の命がくだった。「汝が視るもの聴くものを書き記せ」。この啓示は幻視を一つの書物に纏めよというものだった。しかし自己の幻視能力への確信には翳りがあった。執筆への躊躇が彼女を病床に追いやり、それを神の罰と捉えた彼女は病を押して神の命を実行に移した。この出来事は確かに神の命令から執筆開始までの彼女の内面的成長を物語っており、その意味で彼女の人生の転機とみなされる。しかし本稿のテーマから指摘したいのは、幻視の秘密から公表へという経緯が彼女の内的二極性を暗示しており、しかもこの紆余曲折の事情が二極間での葛藤として捉えられることである。

　一つの極は信仰である。それはこれまでの幻視体験で徐々に強くなってきていた。神の委託の受信は、彼女の内部における信仰の高まりの爆発と解釈できる。他方の極は彼女の性格と才能に後押しされた個人的願望である。当時ヒルデガルトは、ディジボーデンベルク男子修道院内の修道女共同体を率いていた。彼女の師であったユッタの後任として5年間、集団における指導者としての力をつけていった彼女が、自己の幻視能力を修道院を超えた外的世界へ知らしめたいという願望を持ったとしても不思議ではない。これまでのヒルデガルト研究では重きが置かれていないが、彼女がディジボーデンベルク修道僧フォルマールに幻視を打ち明けていた事実は注視されるべきである。つまり彼女は幻視を完全に秘密にしておいたのではない。フォルマールは14歳のヒルデガルトの教育を引き受けた人物であり、30年にわたる援助者であった。彼女の幻視能力が公に試されてもよいほどに深まってきて

いることを、彼もヒルデガルトと同様、感じていたのではないか。彼の支え
もあって彼女の願望は堰を切ったように具現化を必要としたように思われ
る。以上の二極をバランスよく保つことがヒルデガルトの進むべき道であっ
た。すなわち幻視を『スキヴィアス』という書物に纏め、時代や社会との繋
がりの中で信仰に生きること、幻視による人々の教化である。しかし二極間
の葛藤は当然おこった。何故なら、個人的願望があったが故に信仰は弱めら
れ、それが自己の能力に対する不信に繋がったからである。

　この葛藤は『スキヴィアス』着手から 5、6 年経過してもまだ続いていた
とみてよい。誰が著作を信じるであろうかという疑念を絶えず抱いていたヒ
ルデガルトは、権威者の判断を必要とした。未だに著作完成に至っていない
1146-1147 年、彼女はまったく面識がないシトー派クレルヴォーの修道院
長ベルナールに書簡で助言を求めた。自己を幻視者として初めて外に示す行
動と、現存する最古のヒルデガルト書簡とが期を一にするのは、単なる偶然
ではない。書簡が幻視公表の手段として彼女の生涯で重要な役割を果たして
いくその発端がここにある。残念ながら、内面の悩みを吐露するヒルデガル
トに対し、彼の返答はあっさりとした事務的なもので、二人の間の往復書簡
はこれが最初で最後であった。[5] しかしこの行為は、ヒルデガルトが内面の
葛藤克服のために、いかに自己と神に忠実であろうとしたかを示している。

　その後、彼女の著作の一部がマインツの大司教ハインリヒの尽力でトリー
ア公会議（1147 年 11 月 30 日-1148 年 2 月 13 日）で審議される際、教皇
エウゲニウス 3 世の賛同を促したのは、教皇の後見人でその場に同席して
いたベルナールであった。教皇は書簡でヒルデガルトに幻視公表の許可を与
え、執筆の続行を勧めた。[6] 預言的幻視著作に教皇が正式の許可を与えたこ
とはそれまで恐らく例がなく、この事態は異例と言ってよい。これには当時
の教皇庁の政局がヒルデガルトに大きな幸運をもたらしている。エウゲニウ
ス 3 世もクレルヴォーのベルナールもシトー派である。H. グルントマンに
よれば、この修道会は 1134 年から総会で、修道院長、修道士が書物を著す
ことを禁じており、最初のシトー派教皇であったエウゲニウス 3 世は書物
の検閲をシトー会外のもので、つまり、ベルナールに促され、ヒルデガルト
の著作で実践したのである。[7] シトー派の創設は奇しくもヒルデガルトの生
誕年である。このシトー派の教皇承認によって、ヒルデガルトは異端として
排斥されることもなく、また刑に処されることもなく、預言者的意識を自ら

に定着させることができた。こうしてヒルデガルトは幻視者として自立し、名声確立への一歩を踏み出したのである。

2　幻視体験の特徴

　矛盾する二つの世界に生きるヒルデガルトの姿を追う前に、彼女の幻視体験とはどのようなものだったのかみることにする。『スキヴィアス』の序、あるいはジャンブルーの修道士ヴィベルトに宛てられた書簡、また『聖ヒルデガルト伝』の報告を基に、彼女の幻視体験の特徴を知的な啓示という観点から捉えてみる。

　ヒルデガルトは、夢のような状態や睡眠時、あるいは精神の錯乱状態ではなく、醒めた、明瞭な精神で、目は開けたままで意識を失うことなく、そして昼夜を問わず、誰もが行けるような普通の場所で幻視を体験する。しかしそれは心に浮かんだ考えや、あるいは五感による知覚ではなく、「内なる目と内なる耳」による魂 anima における体験であり、「自分や、あるいは他の人が作り上げたものではなく」、「神の隠された秘密」を通して受けとめたものである。彼女が主張するような醒めた精神状態は、幻視が人間的理性に伴われた知的啓示であることを示している。それは聖書における神の言葉の真の意味を理解することであり、同時に創造者としての神との出会いでもある。しかしその際、神は個人的な魂の会話のパートナーではあり得ず、また神との神秘的合一は試みられない。この点でヒルデガルトを中世後期の女性神秘主義者たちと同列に置くことはできない。ヒルデガルトは自己の幻視体験形式として、肉体的苦痛を伴うエクスタシー（自己忘却）を繰り返し否定している。

　ヒルデガルトの幻視体験は神の啓示を受信するものであるが、霊という超自然的存在と直接交信するシャマニズムの呪術からは明確に区別されねばならない。霊との接触が脱魂によるにせよ、あるいは憑依によってにせよ、通常の意識が変化した状態で託宣や予言を行う霊能者と、醒めた精神状態で幻視を体験するヒルデガルトは、まったく異なる。精神の非日常的状態を作り出すための手段、例えば特殊な呼吸法や呪文、あるいは麻薬や特別の薬草などを彼女が用いていたという事実は、残された資料からは見当たらない。

　理性をともなった知的な啓示によって神の言葉を理解したばかりでなく、

その言葉を代弁したヒルデガルトは預言者的性格を担ってもいる。そして彼女自身、幻視の預言的作用を意識し、自ら預言者としての前提条件、すなわち「病弱で無学」を満たそうとした。彼女によれば病弱は神への畏怖や謙虚さを失わないためであり、また文法上の知識がないために、かえって聖なる書の意味がインスピレーションによって明らかになるのである。『スキヴィアス』の序で神は「虚弱な人間」とヒルデガルトに呼びかけ、「視たものを記述するには無学」である故、「人間の表現方法や利口さの認識によるのではなく、また人間が文章を作成しようとする意志によるのでもなく、天からの幻視で汝に授けられる才能によって幻視を述べ書き記せ」と命令する。

　「天からの幻視」は光の現象である。彼女が視る光は太陽を包んでいる雲よりずっと明るく、またその高さや長さ、幅を測ることもできない。彼女はその光を「生き生きとした光の影」umbra viventis luminis と名づけている。その光に、まるで太陽や月、星が水面に映るように、聖なる書やもろもろの言葉、徳、人間の書物が、輝き映し出される。そこで視たり聴いたりする言葉は、人間の口から響くような言葉ではなく、稲妻の炎や、澄み切った大気の中を流れ行く雲のようである。太陽の球を完全に眺めることができないように、この光の形も認識することができない。この光の中に、彼女は、時折、別の光を視ることがある。彼女はこれを「生き生きとした光」lux vivens と名づけている。この光をどのように視るかを言うのは「生き生きとした光の影」よりもっと困難である。しかしこの光を視ている間に、すべての悲しみや苦しみが記憶から消し去られる時があり、彼女は自分をまるで少女のように感じる。「生き生きとした光の影」と名づけられている方の光は彼女の魂に一時も欠けることはなく、彼女はあたかも輝く雲を通して星のない天空を眺めるようにこの光を視る。この光に、彼女は自分が普段言うべきことを、そしてこの中の「生き生きとした光」の輝きに、尋ねられていることへの答えを視る。[8]

　彼女の魂に一時も欠けることはない「生き生きとした光の影」を視るヒルデガルトは幻視の体験日時を述べることは一切なく、そこに彼女の幻視体験の特異性がある。さらに光を内なる目で視ることを強調する彼女には光の現象を裏付ける証人がいない。没後、人々の関心が次第に彼女から遠のいていく理由として、幻視内容の難解さと並んで、幻視体験の特異性からくる弱点、すなわち人々を納得させる威力の不充分さがあげられるであろう。また

1220年代後半に試みられた列聖への働きかけが不成功に終わったことも、このような事情とまったく無関係とは思えない。

　知的な啓示は奇跡的ではあっても奇跡ではなく、ヒルデガルトの人生で持続して起こっている。「幻視で視たり聴いたりするものを、私の魂はまるで泉から汲んでいる。にもかかわらず、この泉はいっぱいで尽きることがない。」[9] ヒルデガルトのこの表現では意外にも、幻視は神からではなく、内面の泉から湧き出ることが、暗示されている。この泉は汲んでも汲んでも枯渇することがないインスピレーションの源泉である。たとえ彼女が『スキヴィアス』の序で「稲妻の輝きをもった火のような光が開かれた天から脳全体に注がれた」と述べても、すべては彼女の内的インスピレーションによる出来事である。しかし神の言葉の代弁者たる役目を担う彼女にとって、内なる泉は当然神からの賜物である。何故なら、すでに述べたように、幻視が刻印された魂は母親の胎内で神から吹き込まれたものだからである。

　絶えず湧き出る泉と比較される幻視能力は、天才の音楽家や芸術家が生涯失うことのないひらめきの才能と比較できるのではないかと思われる。ただし、近世以降の芸術家たちが自己の主観的表現として作品を創作し、インスピレーションを自らの創造の源として利用したのに対し、ヒルデガルトの幻視では、たとえそれが彼女の個性としてのインスピレーションであっても、主観性は無視される。インスピレーション、つまり神の啓示は人々の教化のためにある。芸術家の作品に相応するものは、教化のために文字化された書簡や幻視著作である。彼女にとって幻視を通しての個性の発露は問題外であった。

3　二つの世界の狭間から葛藤の昇華へ

　ヒルデガルトの世俗的なものへの傾倒は、まず彼女の貴族階級意識にみられる。生まれながらにして当時の特権的階層に属していた彼女は、経済的条件だけではなく、人間関係や縁故の面でもこの階層の恩恵にあずかった。彼女の貴族階級意識は、もともと恵まれた環境と条件のもとにあった彼女に当然のように備わっていたものだろう。興味深いことに、修道女の受け入れの際にも、また交友関係においても、政治的とも思えるほど彼女は高貴な出自に強くこだわり続けた。彼らは、彼女が1151年に創設したルペルツベルク

修道院を物質的に豊かにしただけではなく、修道院運営にも利益をもたらしたのである。

　独立した修道院を確保したいという個人的願望の成就は貴族階級意識に強く支えられていた。このような事情がヒルデガルトに一種の驕りをもたらしたのではないかと推測させるのが、1151 年の修道女リカルディス・フォン・シュターデをめぐる一件である。高貴な出である彼女は、ヒルデガルトから特別な信頼を得て秘書的役割も担っていた。しかし兄で、ブレーメンの大司教ハルトヴィヒの取り計らいにより、バッスム（ブレーメン近郊）の女子修道院長に選出され、ヒルデガルトの意志に反してこれを受けたのである。大きな心理的打撃を受けたヒルデガルトは、諦めきれずに必死になって彼女を取り戻そうとし、教皇エウゲニウス 3 世にも書簡を出すが、何ら支援を得ることはできなかった。この件はリカルディスの死という悲劇的結末で終わるが、最初の幻視著作を 10 年かけて完成させた 53 歳のヒルデガルトが、人間的修養においてはまだ未熟さを残していたことを示している。

　ところで、当時、貴族階級の女子だけを受け入れるというのは、何もヒルデガルトの修道院に限ったことではなく、クリュニーの改革派に対して封建的な秩序をある程度保とうとする傾向も存在していた。ディジボーデンベルク修道院もヒルデガルト自身も改革派に影響されず保守的であった。ヒルデガルトに特有なのは、貴族階級が持つ世俗的な面を修道院の祝日の慣習に受け入れ、それを自己の幻視能力によって、つまり神からの啓示として正当化していたことである。具体的には、まず女性として身を飾ること。解かれた髪や長いベール、頭飾りや指輪である。次に絹や金など高価な素材への愛着、そして弦楽器の演奏である。このような贅沢な慣習は『スキヴィアス』執筆時期には始められていた。同書第 2 部幻視 5 では、弦楽器と歌声を鳴り響かせる天上の乙女たちが祝日の修道女と似たような装いであらわれる。すなわち、幻視能力者故にヒルデガルトの内部に生じた特権意識が、特権階層所属意識と重なっているのである。

　ヒルデガルトはこのような貴族的世俗的要素を独自の解釈によって宗教的に反転させる。こうして修道女たちの装いはキリストとの婚姻という宗教的な場面へと置き換えられる。また階層は神の意思によって天上にも地上にも存在するもので、それは秩序を保つため必要なのである。[10]『スキヴィアス』でしばしばみられる「高貴な」nobilis という形容詞も、貴族的世俗的観点と

124

宗教的精神的観点の両方から使用される。[11]貴族は高貴であり、また徳の高いことも高貴である。高貴を代表するのはキリストであり、次いでキリストを倣う処女性に価値が置かれる。

　貴族階級意識と並んでヒルデガルトの世俗的側面を特徴づけているのは名声志向である。それはトリーア公会議後、明確になってくる。幻視者としての強い意識と自信は交友範囲を聖俗界の権力者へと広げていった。教皇エウゲニウス３世とは書簡交換が成立し、また皇帝フリードリヒ１世とも対等の立場で意見を交わした。このような事実が彼女にさらなる名声をもたらしたのは明らかである。それはルペルツベルク修道院長としての、また幻視能力者としての彼女が意図したことでもあった。名声に裏付けられ、著名人との書簡交換は数を増し、それによって彼女の幻視はますます人々に浸透していく。というのも書簡で意見を述べるのは、彼女ではなく、「生き生きとした光」だからである。

　書簡はヒルデガルトの文筆活動で重要な位置にある。しかし書簡は幻視著作と異なり、書簡写本成立伝承に関して複雑な背景を持っており、信憑性は大きな問題となっている。これまでの研究成果によれば、彼女の存命中に彼女のルペルツベルク修道院で、書簡写本の編纂者、恐らく秘書のフォルマールが編纂に際して意図的な操作を加えた可能性がある。ヒルデガルトの名声や実力、権威を高めるための計画的編纂である。それ故、高位聖職者との書簡交換では、イニシャティブがどちらにあるかが非常に重要になる。一例をあげれば、本稿ですでに言及したクレルヴォーのベルナール宛書簡である。自己の幻視能力に関して助言を求めたヒルデガルトは彼から比較的あっさりとした返答を得た。これがフォルマールの編纂ではこの逆で、彼がまず幻視能力を賞賛してヒルデガルトに書簡を送り、彼女がそれに返答したことになっている。また1145年から1159年までの歴代の教皇、エウゲニウス３世、アナスタシウス４世、ハドリアン４世が、あたかも自ら進んでヒルデガルトに接触を求めたかのような事実が作り上げられている。確かにヒルデガルト自身は各教皇たちに書簡を出しているが、実際は、エウゲニウス３世以外、彼女に返信を送った教皇はいない。[12]フォルマールはヒルデガルトが14歳の時から満幅の信頼を寄せていた人物である。1150年代半ば頃から始まり、彼の死（1173年）まで続いた書簡本編纂の操作について、ヒルデガルトがまったく知らなかったとは思えない。彼女は自己の名声を高めるための意図

的操作を恐らく許可したのだろう。

　貴族階級意識と対になった名声志向は彼女の人生に不可欠だったように思われる。それはこれらがある種の現実的確かさを彼女に保障し、彼女の内的不確かさを補填するからである。この不確かさは二つの事実によって生じていた。一つは病弱な体質である。彼女は絶えず肉体的苦痛に脅かされ、その不安と悲しみから完全に解放されることがなかった。もう一つは、女性として生を受けたことである。七自由学科を体系的に学ぶことができなかった彼女はラテン語の文章を正しく書くためにフォルマールの助けを必要とし、教義を学問的に修得できなかったことから幻視の公表を時としてためらった。

　しかしヒルデガルトはこの内的不確かさを世俗的なものによってのみ埋め合わせしようとしたわけではない。強い信仰心から生じる神性なるものへの希求も彼女にはあった。上述の「高貴な」という形容詞の世俗的ならびに宗教的解釈にみられるように、理論的な地平では、彼女はすでに相反する世界の矛盾に解決を見出していた。ただしそれは直ちに彼女の内面的成長を意味するわけではない。より重要なのは彼女が実践したことである。まず女性としての弱さを節制という徳によって克服したことがあげられる。ヒルデガルトによれば、女性のみがキリスト教的な節制を完全に満たすことができる。彼女はこれによって女性を高く評価し、修道女たちの処女性に大きな価値を置いた。[13] 次に病の肉体的苦痛を説教旅行の企てによって克服しようとしたことがあげられる。彼女にとって病とは「神の罰」であり、それは神への畏敬の念を思い出させるためのものである。人間のすべての疾患の原因をアダムの不遜と関連づける彼女は、[14] 自己の病を「神への愛」と「謙虚」という徳への切望によって克服しようとし、その信仰上の生き方を四度の説教旅行という宗教的課題によって証明しようとした。彼女は二度、三年間にわたる重篤な病（1158-1161 年と 1167-1170 年）を体験しているが、説教旅行はすべてこれら病の時期と重なっている（1158-1163 年に三回、1170-1171 年に一回）。しかも説教旅行の命は『聖ヒルデガルト伝』（第 2 書 10 章、第 3 書 23 章）によれば幻視によって示された。つまり彼女の幻視は内面の成長を反映しているのである。神を求めることで、現実の存在の不確かさは内的強さへ変化する。

　個人的な人間の弱さが名声志向によって補填される時、その名声は個人的関心事の枠を出ることはできず、世俗的な権威や人間の驕りと結びついてい

る。しかし、強い信仰心が神性なるものを求めた時、人間的弱さは徳への切望によって克服される。そして同時に名声もまた、個人的願望や世俗的関心事から解放され、神の命に従った宗教的課題遂行のために不可欠の手段となる。説教旅行をはじめとして、幻視著作や書簡を通してヒルデガルトが実践しようとしたのは、幻視による人々の教化であった。教化の目的を高めるためには自己の名声や権威を高める必要がある。上述の書簡本編纂の例でみられた意図的操作もこの関連で解釈されるべきであろう。

　ヒルデガルトの内面的成長は、三つの幻視著作の展開で辿ることができる。初期の作品『スキヴィアス』では、「高貴な」*nobilis* という語の多用を始め、位階をテーマにした幻視（第 1 部幻視 6 の天使の位階、第 2 部幻視 5 の教会内での序列、同部幻視 6 の階級制度）がヒルデガルトの貴族階級意識を反映している。それが中期の『価値ある生の書』[15]（1158-1163 年に執筆）では 35 組の徳と悪徳のたたかいが主題となる。本稿ですでに指摘したように、彼女の幻視が天から自動的に降ってくるのでなければ、幻視内容の展開は彼女の内面における意識の変化と言える。この著作では人間が神に倣って目標とすべき道徳的あり方が彼女の関心事であり、徳と悪徳のたたかいは、世俗的なものと神性なるものをめぐる彼女の内面の葛藤でもあろう。ヒルデガルト晩年の著作『神の御業の書』[16]（1163-1171 年に執筆）は「神の作品」をテーマにしており、その中核をなすのは、ヨハネ福音書第 1 章、すなわち神の言葉の永遠性、言葉による世界の創造、言葉の受肉の解釈である。神の作品としてのコスモスは、天上の父の「愛」を象徴する美しき像の胸に輪の形であらわれる。そのコスモスの中心に両腕を広げて十字の形で立つのはミクロコスモスとしての人間である。壮大かつ包括的な宇宙は全体においても各部分においても神の尺度に従っており、均衡と調和を目指す。この宇宙の姿がヒルデガルトの卓越した幻視能力を証明していることは明らかだが、均衡と調和は、彼女の内に生じた様々な葛藤の究極的な昇華ともとれる。

　三著作での幻視内容の展開はヒルデガルトの宗教的修行の深まりをも意味している。これは彼女の幻視体験の変容で理解できる。初期の著作『スキヴィアス』の序で彼女は次のように述べている。「稲妻の輝きをもった火のような光が開かれた天から脳全体に注がれた。そして私の心臓と胸を炎のように、しかし燃やすのではなく、太陽の光線が物を暖めるように、熱した。そして突然、詩篇や福音書、旧約新約聖書に書かれていることの意味を理解した。」

ところが晩年の、修道士ヴィベルト宛書簡には、「生き生きとした光の影に映し出される聖なる書やもろもろの言葉は稲妻の炎や澄み切った大気の中を流れ行く雲のようだ」と書かれている。すなわちここでは、光の現象における言葉の理解は、稲妻の炎に象徴される瞬間性ばかりでなく、大気の透明性によっても特徴づけられている。これは、火のような光の全身的作用が強調される40歳代の幻視体験には見られなかったことである。言葉の理解が澄み切った大気の透明性と比較されるのは、幻視を体験するヒルデガルト自身が宗教的修行によって身体の透明感を得るところまで達しているからではなかろうか。『聖ヒルデガルト伝』第2書16章の幻視報告はこの例証である。「しばらくたって、私は神秘に満ちた素晴らしい幻視を視ました。私のすべての内臓はつき動かされ、身体感覚が消されたほどでした。というのは私の意識がまるで自分自身を知らないかのように変化したからです。そして神の霊感により、私の魂の認識の中に、優しい雨粒のようなものがふりまかれました。」[17] 肉体の重みから遠ざかることによって生じる身体の透明感が、ここでは「魂の中にふりまかれた雨粒」と表現されている。ヒルデガルトはこの幻視体験を、福音書記者ヨハネがイエスの胸元で非常に深い啓示を受け、聖霊によって満たされ、「最初に言葉ありき」と語ったことと比較している。自己の幻視体験を福音書記者ヨハネのそれと同列に置こうとする彼女の姿勢からも、宗教的修行の跡がうかがわれる。

4　ヒルデガルトにとって「生きる」とは

　宗教的修行を通してヒルデガルトは内面的成長をとげた。彼女が指針としたのは「人間の生きるべき道」であり、それは神を畏れ、神の愛に感謝し、そして徳を、何よりも謙虚と節度を切望することであった。特に節度は、ベネディクトの戒律に従った修道院生活でヒルデガルトが根底に置いていたものである。聖ベネディクトによればそれは諸徳の母である。幾人かの司祭や修道院長に宛てた書簡で、ヒルデガルトは、理性的でない節制はかえって肉体を蝕むと説く。極度の節制は賢い思慮分別なしに徳を得ようとする努力で、それは悪魔の計略にはまることである。[18] ヒルデガルト自身、過度の苦行を否定していた。これは、彼女が自己の幻視体験形式として苦行によるエクスタシーを否定していることを裏付ける。

　「人間の生きるべき道」を彼女は自己に課したばかりでなく、教化の目的で人々にも伝えようとした。人間を救い導くというこの行為を彼女は医者が患者を治療することと比較し、キリストを医師の模範とみなした。自ら病に苦しみ、実際に薬草の知識で自らを治療したであろうヒルデガルトは、現実的な意味で患者であると同時に医師であったが、幻視に支えられた信仰上の生き方のうえでも、この二つの役目を自ら背負っていた。内面の葛藤を克服した自己の成長があったからこそ、彼女は人々を救い導くことができたのである。

　「生きる」とは「人間の生きるべき道」を生きることによって成長することである。その成長は成果をもたらす。その成果の具現化がヒルデガルトの幻視では彼岸の表象となってあらわれ、『スキヴィアス』の最終幻視では喜びに満ちた光溢れんばかりの彼岸から賛美の頌歌が聞えてくる。『価値ある生の書』は、輝ける天上の人々の美しさと至福の叙述で終わる。「生きる」ことが成果をもたらすならば、そして彼岸が栄光の地であるならば、「生」の最終地点としての「死」は、「生命」の終わりという消極的な意味から解き放たれ、「生きた」ことの結果である「実り」として解釈することができる。どのような成果が人生の最終地点で期待されるかは、それまでの生き方すべてにかかっている。

　ヒルデガルトは「死」を、肉体というテントがたたまれて魂がそこを去る時と捉える。[19] 彼女の医学的著作『病因と治療』では、魂が肉体から「出て行くこと」、すなわち「死」に、ラテン語の「エクシトゥス」 *exitus* という語があてられている。この語は本来「出ること」を意味し、「終点、終わり、死、没落」に繋がると同時に、「結果、成果」をも意味する。一般的な「死」を意味する語「モルス」 *mors* に対し、「エクシトゥス」はあくまでも魂との関連で用いられる。[20] このことから「エクシトゥス」は魂を持った人間がどのように生きるかを問う。アダムの不遜によって人間にもたらされた死、「モルス」よりも、より積極的に「生」に関わるのである。ヒルデガルトによれば、魂は肉体に命を与え、二つの主要な働き、つまり善悪を認識判断し、物事を実行する意思によって、人間を死の淵へ追いやることもできれば、悪魔の誘惑から救うこともできる。魂の浄化はそれ故、死、「モルス」とは逆方向へ、つまり生命力に満ちた健康な状態へ人間を導く。

　ヒルデガルトにとって「生命力」とは「緑の力」であり、ともにラテン語

では「ヴィリディタス」*viriditas* と言う。この概念は、人間も含めた自然界の事物が持つ新鮮さや若々しさ、活力を言い表すばかりでなく、人間の魂の生命力や徳と結びつく。魂の「緑の力」とは徳の力である。ヒルデガルト晩年の幻視著作『神の御業の書』（第1部幻視4）では、マクロコスモスとしての世界とミクロコスモスたる人間は、ともに神の作品として、様々な構成要素において「緑の力」によって比較される。例を挙げれば、緑の力で大地を支える大小の川は、血液で全身を支える脈管と似ている。人間の体内の血液が欠けてくるようであれば、彼の魂の力も消え失せる。川が暖かさと湿気ですべての植物の若芽を出させるのは、ちょうど魂が肉の欲望を抑え、謙虚などの徳の力が目覚めることと同様である。

　魂が持つ「緑の力」は、より高い、天上的なものを求め、神の力を見ようとする。ミクロコスモスたる人間がこの魂の「緑の力」によって救われる構造は、マクロコスモスとしての世界にそのまま見られる。何故なら、愛によって宇宙を創造した神は、あらゆる要素を人間の魂を救うことと関連づけたからである。例えば、大地に恵みを与える雨は涙と比較され、涙からは後悔という「緑の力」が育つ。後悔は魂の輝きである。こうして「人間の生きるべき道」はマクロコスモスとしての世界に「緑の力」を見出すことから始まる。

おわりに

　幻視能力を所有していたヒルデガルトは、それ故に個人的願望や名声、世事にとらわれていたが、しかし同時に神性なるものを希求する強い信仰心から幻視を神の啓示として受け止めた。この意味で幻視体験は宗教的修行の一部であったし、また幻視内容はこの修行の深まりを反映した。晩年まで絶えることがなかった幻視体験の持続性は修行の持続性でもあり、「人間の生きるべき道」は年を経るに従いより鮮明に幻視に示されていった。「幻視と生きる」とは、ヒルデガルトにとってまさに宗教的修練と努力の道を歩むことであったと言える。

注

1) Hildegardis Bingensis Epistolarium, I, ed. L. van Acker, Turnhout 1991. Corpus Christianorum Continuatio Mediaevalis（以下 CCCM と略）91. Epist. XXIII, p.61-66; Im Feuer der Taube. Die Briefe. Hildegard von Bingen. Erste vollständige Ausgabe. Übersetzt und herausgegeben von Walburga Storch, Augsburg 1997, S.59-63.

2) ラテン語校訂版 Hildegardis Scivias, ed. Adelgundis Führkötter/ Angela Carlevaris, Turnhout 1978. CCCM 43, 43A. 独訳 Hildegard von Bingen, Wisse die Wege. Nach dem Originaltext des illuminierten Rupertsberger Kodex ins Deutsche übertragen und bearbeitet von Maura Böckeler, Salzburg 1954 (2. Aufl.), 1978 (8. Aufl.); Scivias – Wisse die Wege. Eine Schau von Gott und Mensch in Schöpfung und Zeit, übersetzt und herausgegeben von Walburga Storch, Augsburg 1991. 邦訳『スキヴィアス（道を知れ）第二部』（佐藤直子訳）、上智大学中世思想研究所／富原眞弓編訳・監修、『中世思想原典集成 15　女性の神秘家』平凡社、2002 年、77-306 頁。

3) 修道士ゴットフリートとテオデリヒによるヒルデガルトの伝記。第 1 書は 1174（1175）年に、第 2、3 書は 1181 年から 1187 年に書かれたとみられる。この中にはヒルデガルトが一人称で語る彼女の幻視が数節含まれている。ラテン語校訂版 Vita Sanctae Hildegardis, ed. Monika Klaes, Turnhout 1993. CCCM 126. 独訳 Das Leben der heiligen Hildegard von Bingen, berichtet von den Mönchen Gottfried und Theoderich, übersetzt und erläutert von Adelgundis Führkötter, Düsseldorf 1968, Salzburg 1980 (3. Aufl.). 邦訳（英訳からの重訳）ゴットフリート修道士、テオーデリヒ修道士著『聖女ヒルデガルトの生涯』（井村宏次監訳・解説、久保博嗣訳）荒地出版社、1998 年。

4) 『スキヴィアス』第 1 部幻視 4 参照。

5) CCC M91. Epist.I, IR, p.3-7; Im Feuer der Taube, S.19-21.

6) この書簡は残されていない。

7) Herbert Grundmann, Zur Vita s. Gerlaci eremitae, in: Ausgewählte Aufsätze, Teil 1, Stuttgart 1976, S.187-194.

8) CCCM 91A. Epist. CIIIR, p.262; Im Feuer der Taube, S.208f.

9) 同上。

10) アンダーナハの女子修道院長テングスヴィンドはヒルデガルト宛書簡で「普通ではない」慣習に疑問を投げかけたが、ヒルデガルトは彼女への返信で、幻視を通してこのような独自の見解を示している。CCCM 91. Epist. LIIR, p.127-130; Im Feuer der Taube, S.112-114.

11) Tilo Altenburg, Soziale Ordnungsvorstellungen bei Hildegard von Bingen, Stuttgart 2007 (= Monographien zur Geschichte des Mittelalters, Bd.54), S.80f.

12) L. van Acker, Der Briefwechsel der heiligen Hildegard von Bingen. Vorbemerkungen zu einer kritischen Edition, in: Revue Bénédictine, Bd.98 (1988), S.141-168; Bd.99 (1989), S.118-154; Monika Klaes, Von der Briefsammlung zum literarischen Briefbuch. Anmerkungen zur Überlieferung der Briefe Hildegards von Bingen, in: Hildegard von Bingen. Prophetin durch die Zeiten. Zum 900. Geburtstag, Freiburg 1997, S.153-170.

13) 男性の場合には、成熟過程において射精という自分自身との性的問題が殆ど不可避である。『スキヴィアス』第1部幻視2によれば、童貞の修道僧たちは、射精を耐えなければならないとしたら、自分たちが意志するほど貞潔ではありえない。同幻視はまた、体質からしても、女性が受身であるのに対し、男性は性を攻撃的にあらわす傾向にあると述べている。さらに同書第2部幻視3では、男性と女性は子をつくる力と豊かな耕地との対比で語られる。肉体の相違からくる純潔のあり方は、キリストとのかかわりにおいても反映される。同幻視によれば、女性はキリストへの愛から処女としてとどまり、キリストの花嫁になるが、キリストへの愛から結婚を断念した男性は、自らに勝利したことによって、つまり上述の性的問題を克服することによってキリストの仲間として受け入れられる。第2部幻視5は女性の形を用いて教会内の序列を示すが、使徒に割り当てられる彼女の頭から喉までの部分に次いで、喉から下腹部までは処女と童貞の位置である。その際この部分は、胸のあたりで両者のために分割される。童貞よりも上位である処女は、その完全性によって朝焼けの輝きと比較されるが、童貞は貞潔を守るために自制することで強くなり、紫色とヒヤシンス色の光で象徴される。

14) 『スキヴィアス』第1部幻視2、幻視4参照。

15) ラテン語校訂版 Hildegardis Liber vite meritorum, ed. Angela Carlevaris, Turnhout 1995. CCCM 90. 独訳 Hildegard von Bingen, Der Mensch in der Verantwortung. Das Buch der Lebensvedienste, übesetzt und erläutert von Heinrich Schipperges, Salzburg 1972. 1985 (2. Aufl.).

16) ラテン語校訂版 Hildegardis Bingensis, Liber divinorum operum, ed. Albert Derolez/ Peter Dronke, Turnhout 1996. CCCM 92. 独訳 Hildegard von Bingen, Welt und Mensch. Aus dem Genter Codex übersetzt und erläutert von Heinrich Schipperges, Salzburg 1965; Hildegard von Bingen, Das Buch vom Wirken Gottes, übersetzt und herausgegeben von Mechthild Heieck, Augsburg 1998.

17) CCCM 126, p.43.

18) Hildegard von Bingen, Briefwechsel. Nach den ältesten Handschriften übersetzt und nach den Quellen erläutert von Adelgundis Führkötter, Salzburg 1990 (2.

Aufl.), S.185.

19)『スキヴィアス』第1部幻視4参照。Heinrich Schipperges, Der Garten der Gesundheit. Medizin im Mittelalter, München/ Zürich 1985, S.51f.

20) 例えば以下の箇所を参照。Beate Hildegardis Cause et cure, edidit Laurence Moulinier, recognovit Rainer Berndt, Berlin 2003: p.271,12 *"ibi anima flammas suas ad exitum non producit"*; p.271,25 *"anima pennas rationalitatis subtrahit et se ad exitum preparat"*.『聖ヒルデガルト伝』第3書23章（CCCM 126, p.66,17）にも次の表現が見られる。*"Ego autem exitum anime mee adesse non vidi."*

本論は死生学研究所2009年度第5回研究会（2010年2月20日）での同題の発表に基づいている。

謝辞　東洋英和女学院大学死生学研究所所長の渡辺和子先生から、貴重なご意見を頂戴し、査読をお引き受けくださった先生からは、有意義なご指摘をいただきました。また同研究所幹事のミリアム・T. ブラック先生には英文要旨の英文チェックをお願いいたしました。ここに記して、感謝申し上げます。

Hildegard of Bingen:
Her Life and her Visions

by Keiko SUZUKI

Hildegard of Bingen (1098-1179) was an authoritative Benedictine abbess, who influenced prominent persons in the twelfth century. However, soon after her death she fell into oblivion. The women's liberation movement in the twentieth century, as well as the 900th anniversary of her birth awakened a new interest in her. Modern interpretation of her life that has focused on her multiple talents and activities in various fields, has given her many titles, for example, that of a musical composer, an ecologist, and a health food researcher. But focus on these aspects of her life overlooks the importance of her visionary gift. According to Hildegard, her soul was given the gift of visions in her mother's womb through the breath of God. She experienced visions continuously throughout her life.

The purpose of this paper is to explain Hildegard's life from the viewpoint of her visionary gift and to discuss her thoughts about human life. Her spiritual visions were intellectual experiences, not ecstatic ones like those that often arose in the female mystics in the late Middle Ages. Her visionary gift was acknowledged by Pope Eugenius III, and that established her fame. Her problem in life was how to eliminate the inner contradiction that arose between her desire for secular fame and her profound faith in God. She solved this problem through religious training. This led to spiritual growth, which was also reflected in her visions. Hildegard preached about the necessity of spiritual growth in human life. Furthermore, she believed that without the *viriditas* (vitality) of virtues, especially humility and discretion, it is not possible for one to achieve spiritual growth.

ギルガメシュの異界への旅と帰還
―― 「英雄」と「死」――

渡 辺 和 子

はじめに

　古代メソポタミアで粘土板に楔形文字で書かれた『ギルガメシュ叙事詩』
は「世界最古の長編叙事詩」といわれる。そのほかにも様々な性格をもつ
ことについて筆者は検討を続けてきた。[1] 今回は『ギルガメシュ叙事詩』は
「英雄神話」かという観点から、「英雄」と「死」を鍵概念として再検討して
みたい。ここでは標準版の『ギルガメシュ叙事詩』を、その元来の形である
第 11 書板までとして扱う。[2]

1.「英雄」とは何か

　『ギルガメシュ叙事詩』が「英雄神話」の一つとされる場合、その理由は
一様ではない。またギルガメシュは「英雄」であるのか否か、あるいはどん
な「英雄」であるかについても研究者の意見は一致していない。まずは何を
「英雄」とするかについて検討しておく必要がある。

1.1.「英雄」の意味

　日本語の「英雄」は漢字の「英」と「雄」の組み合わせが示すように、「文
武の才の特に優れた人物。実力が優越し、非凡な事業を成し遂げる人」(『広
辞苑』)、また「才知・武勇・胆力にすぐれ、ふつうの人にはできないような
大事業を成し遂げる人、ヒーロー」(『明鏡国語辞典』)などとされる。しか
し英語の「ヒーロー」(hero)は「英雄」と完全に同義ではない。ある英英
辞典は hero を「何か勇敢あるいは良いことを成し遂げることによって多く
の人々から賞賛される人、特に男[3]」と説明している。
　あえて違いを指摘するならば、日本語の「英雄」は、本人の資質と成し遂

135

げることの内容に、英語の hero は、その本人が成し遂げたことが他者から賞賛されることに重きが置かれているといえる。そのことは、「英雄」が登場する物語や神話を考える上でも留意する必要がある。さらに個々の研究者が何を「英雄」とするか、それによってどのような違いが帰結するかについても考察されなければならない。

1.2.『世界神話事典』にみる「英雄」

　神話学という分野にはさまざまな立場があり、また現在の神話学者の見解も流動的であるように見えるが、[4] ここでは日本の神話学が 20 世紀末に達成した一つの成果である『世界神話事典』(1994)[5] を取り上げる。この事典では地域別に神話が紹介されるだけでなく、「共通テーマにみる神話」として「世界の起源」「人類の起源」「洪水神話」「死の起源」「英雄」などのテーマを取り上げて「世界神話」が横断的に論じられたことは特筆に値する。その「英雄」については松村一男が次のように説明している。「ここでいう英雄とは、文化英雄やトリックスター（いたずら者・悪ガキ）とは異なる、高貴で悲劇的な神話存在である。英雄はもっぱら武力によって物理的力による攻撃を撃退する。これに対して文化英雄は社会にとって有益な技術をもたらしたり、発明したりし、トリックスターは混乱を引き起こすような逸脱的な知恵によって、意図せずに社会に新しいものや存在様式を導入する。もっとも、スサノオのようにこれら三様式を生涯のなかで時代ごとにすべて示す英雄もいるが、これは例外に属する。」[6]

　さらに松村は、「英雄崇拝が顕著なのは、個人としての名誉や武勇がなお意味をもっていて、戦士の活躍の目標としての英雄の栄光を賛美することが有意義であったような古代社会が中心である」とし、地域別の「英雄」の例として〈日本〉ヤマトタケル、スサノオ、義経と弁慶、〈インド〉インドラ、〈イラン〉ロスタム、〈オリエント〉ギルガメシュとエンキドゥ、サムソン、〈ギリシア〉アキレウス、ヘラクレス、ペルセウス、〈ゲルマン〉シグルズ、ジークフリート、〈ケルト〉クー＝ホリンを挙げて説明している。[7] そしてこれらの例から「英雄に多く見られる要素」として①神と人間の間に生まれた子、②捨て子、③辺境で成長する、④怪物退治、超人的活躍などの武勲をたてる、⑤暴力的、劇的な死に方をする、の 5 点が挙げられている。[8]

　しかし松村は上記の「ギルガメシュとエンキドゥ」について次のように述

べる。

> 『ギルガメシュ叙事詩』は彼（ギルガメシュ）とエンキドゥの友情や死
> と不死の問題に焦点があり、死の恐怖に怯えるなど、必ずしも典型的な
> 英雄の姿を示していない。むしろ、脇役であるエンキドゥのほうに荒々
> しさや劇的な死が見られる。[9]

このように松村の論述は「英雄」を武力に優れた者とし、さらにその存在を
「古代」に限定することによって「英雄」を規定して例を挙げる。そしてそ
れらの共通項を見出して一般化を行う。そのためにギルガメシュは典型的な
「英雄」ではなく、エンキドゥのほうが「英雄的」であることになる。従っ
てエンキドゥが死んだ後の、すわなち後半の『ギルガメシュ叙事詩』は「英
雄神話」ではないことになるが、それではいったいどのような神話とされる
のであろうか。[10]

1.3. ジョセフ・キャンベルの「英雄」論

　ジョセフ・キャンベル（1904-1987 年）はユング派に近い立場の神話学
者であるが、特に「英雄」の神話を研究したことで知られる。キャンベルは
その著書『千の顔をもつ英雄』（1949; 1968）のなかで「英雄」を次のよう
に説明する。

> 英雄とはかれ個人の生活空間と時間を超えて、普遍妥当性をもった人間
> の規範的なありようを戦いとるのに成功した男もしくは女である。[11]

ここで英雄は「戦いとる」（to battle）といわれているが、必ずしも武勇に
よってではない。そして戦いとるものは「普遍妥当性をもった人間の規範的
なありよう」とされる。また英雄の性別も限定されない。このような「英
雄」のとらえ方は上記の松村のものとは大きく異なっている。武勇による成
果は多くの場合「普遍妥当性」を持たないだけでなく、さらなる矛盾と混乱
を引き起こすことも多い。そして男でも女でも英雄になり得るという考えは
注目に値する。キャンベルはまた次のようにもいう。「英雄とは自力で達成
される服従（＝自己克服）を完成する人間である。だがなににたいする服従

か。それこそまさしく今日われわれがみずからに突きつけられている謎であり、いずこの地にあってもその謎を解決するのが英雄の第一の資質にして歴史的偉業とみなされている。」[12]

またキャンベルは、英雄は「歴史」と結びつきながらも、時空を超える普遍性をもつことも指摘する。「通俗的な意味での英雄は現代人にとってはもはや死滅してしまった。だが不滅の人間——完成した、特定されない普遍的人間——として再生する。かれの第二の聖なる任務と行為は、それゆえ（中略）姿を変えてわれわれの前に再現し、復活した生命について学びとった教義を教えるところにある。」[13]

このような「英雄」理解に立って構築されたキャンベルの「英雄」論の特徴は、〈出立・冒険／イニシエーション・帰還〉という図式をもつことにある。「英雄」はこの三要素をもつ神話的冒険を成し遂げる者なのであり、『千の顔をもつ英雄』の全編にわたってこの図式をめぐる論が展開されている。キャンベルはその図式をあてはめて「英雄」を次ように説明する。

> 英雄は日常生活から危険を冒してまでも、人為の遠くおよばぬ超自然的な領域に赴く、その赴いた領域で超人的な力に遭遇し、決定的な勝利を収める。英雄はかれにしたがう者に恩恵を授ける力をえて、この不思議な冒険から帰還する。[14]

この〈出立・冒険／イニシエーション・帰還〉の図式は、キャンベル自身が言明しているように、「通過儀礼を説明するさいにつかわれる公式（formula）〈分離—イニシエーション—帰還〉を拡大」したものであり、[15]ファン・ヘネップの『通過儀礼』から着想を得ている。

2. ファン・ヘネップの通過儀礼論

民族学者ファン・ヘネップ（ヴァン・ジュネップ、1873-1957 年）は『通過儀礼』（1909）のなかで、妊娠と出産、出生と幼年期、加入礼、婚約と結婚、葬式に際して各地で見られる儀礼を分析し、それは〈分離・過渡・統合〉という三要素の図式を共通にもつ通過儀礼であるとする。ファン・ヘネップによれば「ある個人の一生は、誕生、社会的成熟、結婚、父親になる

こと、あるいは階級の上昇、職業上の専門化および死といったような、終わりがすなわち初めとなるような一連の階梯からなっているのである。これらの区切りの一つ一つについて儀式が存在するが、その目的とするところは同じである。つまり、個人をある特定のステータスから別の、やはり特定のステータスへと通過させることに目的がある。目的が同じであるため、その達成手段は、細部に至るまで全く同じということはないにしても、少なくとも類似するようになるのである。」[16] この通過儀礼の図式について最近、丹羽泉がわかりやすい図解を提示しているのでここで使わせていただく。[17]

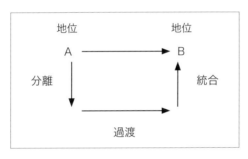

この図式で重要であると思われることは、「分離」の要素が、程度の差はあっても実際の空間移動を含んでいることである。たとえば妊娠し、出産する女性が集団から切り離されて過渡期となる時期を過ごし、出産後に新しい地位を得てもとの集団に統合される。[18] また若者は一定期間、母親と家庭から切り離されて別の場所にある小屋などに隔離されて過ごす。その間に若者は部族の掟を学び、また部族ごとに異なるやり方で身体の毀損（切開、抜歯、割礼など）が行なわれ、その後に部族の男性の一員として統合される。[19]

　このファン・ヘネップの儀礼についての包括的な理論は、後の人類学者、特に V. ターナーの儀礼理論（1969 年）[20] に大きな影響を与えたことが知られる。今日でもファン・ヘネップの理論は盛んに引用されている。しかし現代の宗教学では儀礼を季節儀礼（年中行事）と通過儀礼に分け、その通過儀礼の理論としてファン・ヘネップのものを紹介する場合が多い。[21]

　しかしファン・ヘネップの通過儀礼理論は人間の一生だけでなく、人間を取り巻く環境、たとえば季節や天体の変化、循環などにも当てはめられるべき包括的なものであった。ファン・ヘネップは「個人も社会も自然や宇宙から独立した存在ではなく、その宇宙自体が、一定のリズムに従っており、こ

のリズムは、人間の生活にも余波を及ぼすことになるのである。宇宙にも
種々の発展段階と移行の期間、前進と停滞、停止などの期間がある。した
がって、天界における推移に関する儀式つまりある月から次の月への推移
（たとえば満月の祭り）とか、季節の移り変わり（冬至・夏至・春分・秋分
などの祭り）や年のかわり目の祭、新年の祭りなども人間の通過儀礼に含め
るべきである」[22] という。

　今後、ファン・ヘネップの理論を多方面から再検討することも必要であろ
う。[23] またこの理論がターナーに影響を与える以前に、キャンベルの英雄神
話理論（1949 年）に影響を与えていたことはあまり知られていない。キャ
ンベルは、ファン・ヘネップが提示する「全体観」のなかに〈分離・過渡・
統合〉の「公式」を見ていたと思われる。[24] そしてキャンベルが「通過儀礼
の公式を拡大」して〈出立・冒険／イニシエーション・帰還〉を英雄神話的
冒険がたどる経路としたことにおいては、帰属していた共同体からの〈分
離〉という空間移動を拡大して〈（旅への）出立〉とし、〈過渡〉には命を危
険にさらすほどの試練としての冒険が、また〈統合〉には、旅から戻った後
の共同体内部でのより高次の生き方への期待が含まれる〈帰還〉が対応する
と考えたことが窺える。

3.「異界訪問」と「英雄」

　「英雄」が冒険の旅に出る者ならば、いわゆる「異郷（異界）訪問」をす
る者と重なるのではないかという疑問が湧く。国語辞典に「異界」の語はま
だないようであるが、[25]「異郷」はある。[26] しかしすでに「異界」も広く使
用されているのであり、ここでは「異郷」をも含めて、さらに日常世界と異
なる世界、別世界、死後の世界、冥界、想像上の世界などを含むものとして
「異界」を使うことにする。

3.1.「異界訪問」の神話

　前述した『世界神話事典』では、共通テーマの一つとして「異郷訪問」も
取り上げている。それによると「異郷訪問」神話の類型として冥界訪問、理
想郷訪問、異類国訪問の三つがあり、[27] それらの例として次のものがそれぞ
れ短く紹介されている。〈日本〉黄泉の国の訪問、〈シュメール〉イナンナの

冥界下り、〈ギリシア〉ペルセポネの冥界下り、オルフェウスの冥界下り、〈ローマ〉アイネアスの地獄極楽めぐり、〈ゲルマン〉冥界への使者ヘルモッド、〈グリーンランド〉呪術師の冥界訪問、〈メラネシア〉亡夫の魂を冥界に探す妻、〈ポリネシア〉妻を地下の国から連れ戻す、〈朝鮮半島〉地下の国の悪鬼退治、〈インド〉ラーマの魔王退治、〈フィンランド〉ワイナモイネンの冒険、〈日本〉浦島太郎の常世の国訪問、〈中国〉周穆王の西王母訪問、武陵桃源、〈アイルランド〉常若の国を訪ねたオシアン、〈インドネシア〉猪の国を訪ねた男、〈スコットランド〉アザラシの国を訪問した漁夫。[28]

　しかしこれらの「異郷訪問」の中にも、さまざまな違いがある。たとえば異郷を訪問した者が帰還する場合としない場合がある。そして帰還しない場合は、その者を迎えに、あるいは奪還するために異郷を訪問し、目的を（部分的にでも）達して帰還する者、あるいは目的を達成することなく帰還する者がある。

3.2. 浦島太郎の「異界訪問」

　この『世界神話事典』では、先に述べた「英雄」が別のテーマとしてまとめられているために、「異郷訪問」者の例と「英雄」の例がほとんど重なっていないとみることができる。比較のために上記の「浦島太郎の常世の国訪問」として紹介されている『丹後国風土記』（逸文）にあった「水の江の浦の嶼子」（浦島太郎）の話をあらすじによって検討する。

　ある日、嶼子が釣り上げた亀が美しい婦人（亀姫）に変わり、彼を大海のなかの常世の国に案内し、そこで二人は夫婦となる。三年間、楽しく暮らした嶼子は、一度郷里へ戻りたいと亀姫に訴えた。亀姫は嶼子に、戻ってくるまで決して開けてはいけないと手箱を渡す。郷里に戻った嶼子はそこですでに三百年ほど経過していたことを知る。亀姫が恋しくなった嶼子は約束を忘れて手箱を開けてしまう。すると一瞬にして嶼子の容姿は老人のものとなり、常世の国へ戻ることもできずに嘆きさまよったという。[29]

　この嶼子は、英知と武勇に特に優れていたわけでも、大きな冒険をしたわけでもない。また郷里に帰ってから何か偉業を成し遂げたという人物でもない。嶼子は確かに「異界訪問」をしたが、「英雄」とはいえないことになる。

3.3.「異界訪問譚」としての『千と千尋の神隠し』

　筆者は「神話」を広い意味で捉え、現代の作品であっても「神話」の範疇で扱うことができると考えている。[30] 現代日本でも広く知られる「浦島太郎」の「昔話」は「（古代）神話」の「焼き直し」であるという説明も可能であるが、「古代神話」を詳細に検討するならば、往々にしてそれらも既に何かの「焼き直し」であることが多い。

　ここで「異界訪問」神話のもう一つの比較対象として宮崎駿のアニメーション作品『千と千尋の神隠し』（2001 年公開）を取り上げたい。「神隠し」という題が付されているが、「異界訪問譚」に属するといえる。[31] ごく簡単にあらすじを述べる。

　ある時、10 歳の少女千尋は両親とともにトンネルの向こうの「異界」（ここでは「油屋」の世界）に迷いこんでしまう。両親はそこにあったご馳走を食べてしまったために豚の姿に変えられてしまう。そこで千尋はハクという少年たちに助けられながら健気に働いて両親を救い出すことができ、一緒にこちらの世界に戻ってくることができる。

　千尋が「異界」にいたのは 4 日ほどのようであるが、[32] もとの世界ではかなり長い時間が経過していたことが暗示されている。そして両親には「異界」にいたこと、豚になったことなどの記憶が全くないが、千尋には記憶があると思わせる。「異界」での体験によってこれからの千尋に大きな変化があることを見る者に予想させてこのアニメーションは終わる。これは千尋にとってのイニシエーション、あるいは自立して生きてゆく力をつけるための試練であったといえる。そしてキャンベルに従えば、千尋は冒険の旅を成し遂げて帰還した「英雄」と言える。ただし千尋はまだ 10 歳であり、たくましくなったとはいえ、その後の人生に何が待っているかはわからない。

　このように、「異界訪問」をする者と冒険の旅をする「英雄」は当然ながら重なる場合がある。また浦島太郎が訪問した異界を含めて、異界ではしばしば現実世界とは時間の進み方が違っている。

3.4. 広義の「異界訪問」と「英雄」

　ミルチア・エリアーデ（1907-1986 年）もイニシエーションについて盛んに論じたが、「異界訪問」と「英雄」との関連では次のように述べている。「すべての（地下界下降のモティーフをもつ）神話や英雄譚はイニシエー

ション的構造をもっているといい得よう。生きながら地獄に降り、怪物や悪魔などを物ともせず進んでゆくとは、イニシエーション的試練を受けることである。生きている人間の地獄降りは英雄のイニシエーションの特徴であり、その目的は肉体的不死を獲得するにあることを付け加えておきたい。」[33]

　しかし今日でもすべての旅は、日常を離れて普段とは異なる体験をして帰っているのであり、当然のことながら当人には何らかの変化がある。「かわいい子には旅をさせよ」ということわざは、「子供は甘やかして育てるより、手許からはなしてつらい経験をさせ、世の中の辛苦をなめさせたほうがよい」（『広辞苑』）という意味であるという。誰しも異なる環境での小さな冒険は無数に体験するのであり、「歴史に残る」かどうかは別として、大なり小なり通過儀礼を体験して「英雄」になる。あるいはそのような「英雄」の定義を採用することも可能である。それは「通過儀礼の公式」を「英雄」がたどる過程にあてはめたキャンベルの定義に近いものになる。[34]

　昨今では人生の通過儀礼は時代や社会の違い、それらの変遷によって多様に変化することはよく指摘される。たとえば丹羽は、現代日本社会では「社会的地位の移行は、入学式、卒業式、入社式、結婚式、退社送別会といった行事を通じて行われることになる。（中略）また高校や大学入試へ向けての長い期間に及ぶ受験勉強や就職活動の過程で繰り返し行われる面接試験などの経験、新入社員研修などの場面の中に、儀礼通過者が経る苦難や修行の過程と同質のものをみることができる」という。[35]

　「人生の節目」が何であるのかは、個人や社会によって、そしてその両者の関係によって異なる。しかし神話や物語が伝える「人生の節目」にも多様な〈分離・過渡・統合〉の図式を見出すことができる。

4. ギルガメシュのフンババ打倒の旅

　ギルガメシュは常人には不可能とされるような二つの旅をする。最初の旅は前半の中核となる杉の森の番人フンババ打倒の旅であり、ギルガメシュとエンキドゥの二人で行く。もう一つの旅はウトナピシュティムを訪ねる旅であり、エンキドゥを失ったギルガメシュが一人で行く。武勇に優れた者が「英雄」であるならば、フンババ打倒の旅はギルガメシュを「英雄」とするはずである。それは死を賭して行われたものであり、成功をおさめたギルガ

メシュは喝采をあびる。しかし同時にその「英雄的行為」には当初から疑問も表明されている。

4.1. 準備と道中

　親友エンキドゥと力を合わせて西方の杉の森へ遠征し、蛮勇を奮って森の番人（あるいは守護霊）フンババを殺害して木材をメソポタミアへ運んだことは、ギルガメシュにとってエンキドゥと死別するまでの人生において最大の「偉業」であった。杉の森遠征の背景には、メソポタミアにはない巨大な木材を得て壮大な建築事業を残すことが支配者にとっての栄誉とする伝統があった。[36)] しかしギルガメシュの場合は、フンババの打倒によって、杉の森のすべてを自らの支配下に置くことを目指したといえる。

　しかしこのような「大それた」企てに対してエンキドゥもウルクの長老たちも、最高神エンリルがフンババを非常に恐ろしい存在としたことを説いてギルガメシュに思いとどまらせようとする（II 216-299）。[37)] しかし第2書板のその後の本文欠損部分では、ギルガメシュが長老たちの説得に成功したことが述べられているようである。第3書板では、ギルガメシュは長老たちから自分の力を過信しないように注意を与えられ、ギルガメシュの母である女神ニンスンと太陽神シャマシュの援助を得て、同行するエンキドゥに助けられながら杉の森へ出かけることになる。[38)]

　そして第4書板では、二人は目的地まで常人の15倍の速度で歩いて行く。途中でギルガメシュは山に上り、供物をささげ、そこで夢による神託を求める。ギルガメシュは目覚めてエンキドゥに夢を語ると、エンキドゥはそれをフンババ打倒の成功の予兆であると解釈する。二人は行程を進んでは夢を見ることを5回ほど繰り返す。夢を見るたびに吉兆を得ながらも二人はフンババの恐ろしさに怯えながら励ましあって旅を続ける。[39)]

4.2. フンババ殺害

　杉の森に入った二人は、フンババの圧倒的な脅威の前に勇気を失いかけるが、シャマシュが加勢してフンババに激しい風を送る。追い詰められるられたフンババはギルガメシュに命乞いをするが、エンキドゥはギルガメシュにフンババを殺すようにいう。そのときエンキドゥは「エンリルがそれを聞き及ぶ前に」と付け加え、また「偉大な神々が私たちに対して怒るかもしれない」

とも言っている。⁴⁰⁾ そして殺される間際にフンババは、エンキドゥが長寿を得ることがないようにと呪う。⁴¹⁾ そのあとギルガメシュはエンキドゥと協力してフンババを殺害し、その牙を戦利品とする。そして杉を伐採していかだに組み、ニップルへ運ぶ（第5書板）。⁴²⁾

4.3. ウルクへの凱旋と「天の牛」の殺害

ウルクに帰還したギルガメシュは髪を洗って整え、服を着替えて王冠をかぶる。するとその美しさに魅了された女神イシュタルが彼に求婚する。しかしギルガメシュは、イシュタルが愛した多くの男たちにひどい仕打ちをしたことをなじって求婚を拒絶する。怒ったイシュタルは父神アヌに頼んで、ギルガメシュを殺すために巨大な「天の牛」を地上へ送ってもらうが、ギルガメシュとエンキドゥは「天の牛」をも殺害してしまう。⁴³⁾ ギルガメシュが手に入れた「天の牛」の二本の角はそれぞれ30マナ（約15kg）の重さのラピスラズリであったことも驚嘆の的となり、ウルクの人々は二人を見ようと集まる。ギルガメシュが「誰がもっともすばらしい男か」と給仕の女たちに尋ねると「ギルガメシュがもっともすばらしい」と答える。その夜、エンキドゥは夢を見る（第6書板）。⁴⁴⁾ ここで〈前半〉が終わる。ウルクに帰ったギルガメシュはその「英雄的」な行為のゆえに喝采を浴びる。

さらに「天の牛」も殺害したことによって、この世的な「英雄」としての評価が頂点に達したといえる。しかし最後に述べられているエンキドゥの夢は物語の暗転を暗示している。

5. ウトナピシュティムを訪ねる旅

5.1. エンキドゥの死とギルガメシュの悲嘆

エンキドゥが見た夢は、偉大な神々が何かについて話し合っているというものであった（VII 1）。⁴⁵⁾ しかしそれに続く26行が欠損しているために夢の内容は不明であるが、神々によってエンキドゥの夭折という「天命」が、おそらく最高神エンリルのもとで新たに決定されたと想像できる。いずれにしてもエンキドゥは死が間近であることを自覚し、自分の人生を振り返る。死を受け入れられないエンキドゥは野人として生きていたときに出会い、自分の人生を変えた人物、狩人と娼婦シャムハトを呪うが、それを聞い

たシャマシュがエンキドゥを慰めて次のようにいう。「(シャムハトのおかげで)いまやギルガメシュはあなたの友であり、(親しい)兄弟である。彼はあなたを立派な寝台に寝かせるであろう。[彼は]あなたを手厚い看護がなされる寝台に寝かせ、(彼の)左にある安らぎの椅子にあなたを座らせるであろう。地の[君主たち]はあなたの足に口づけをするであろう。彼はウルクの人々をあなたのために泣かせ、彼らをあなたのために嘆かせる」(VII 139-144)。[46)] そこでエンキドゥは自分の人生をとらえ直してシャムハトを祝福する。そしてエンキドゥは再び夢を見るが、それは冥界の様子のようである。[47)] その後エンキドゥは病みついて死んでしまう。[48)]

　エンキドゥが死ぬ場面は本文欠損のため伝えられていないが、その直前と思われる場面でエンキドゥはギルガメシュに語る。

> [あなたと共に]あらゆる困難に[耐えた私を]思い出してほしい。私の友よ、私があなたと歩み通したことを[あなたが忘れ]ないように。(VII 251-252)[49)]

ここでは、エンキドゥはその人生最大の山場であるギルガメシュとの冒険を深く心に刻んでほしいという希望を、ギルガメシュに言い残している。この「遺言」には、自らの「英雄的」な業績がその死を超えて、生き残る人の記憶に深く刻まれることが願われている(第7書板)。

　ギルガメシュは友の死をいたく嘆いて手厚い葬儀を行う。[50)] エンキドゥに対する「弔辞」のなかにも「私たちは力を合わせて[山に]登った。『天の牛』を捉えて[殺し、杉の]森に[住む]フンババを倒した。今、[あなたを]捉えたこの眠りは何なのか」(VIII 52-55)[51)] という言葉がある(第8書板)。

5.2.「英雄」と「死生の秘密」

　エンキドゥの死を契機としてギルガメシュが取り組むことになったのは、死の不条理性であったといえる。友の死はギルガメシュが手にした世間的な栄誉も自負も砕いてしまった。ギルガメシュは、太古の大洪水以前には人間であったが、永遠の命を与えられて神に列せられたウトナピシュティムに会って、彼から「死生の秘密」を知りたいと願う(IX 75-77)。[52)] それはた

だ単に友の死を嘆く、自らの死を恐れる、不死を希求するといった動機からだけではなかったはずである。ギルガメシュに「死生の秘密」を追求させたのは、なぜ人間には死という現象が起こるのか、なぜ人間は生まれてきて死ぬのか、なぜ死ぬのに生まれてくるのかといった疑問であったと思われる。

　これがギルガメシュにとって第二の異界への旅となる。今度は一人旅であり、深い悲しみを抱えての旅である。しかしそれでもある意味で「英雄的」な冒険の旅である。まず、その旅路は前人未踏である。恐ろしい形相の蠍人間が番をしている関門があり、そこは太陽神シャマシュしか通れないが、問答の末に通過を許される (IX 42-131)。[53) ギルガメシュは、旅路の最初では荒野のライオンを恐れているが (IX 9)、[54) やがて服がぼろぼろになるとライオンその他の野生動物を殺して肉を食べ、皮を纏う (X 258-261)。[55) そしてギルガメシュの意思は強固であり、どんな困難にも挑戦し、憔悴しながらも目的地を目指して行く。

　この旅路でギルガメシュは、蠍人間、女神シドゥリ（「居酒屋の女将」）、ウルシャナビ（ウトナピシュティムの渡し守）、そしてウトナピシュティムという異界で出会った者たちと同じような内容の対話を繰り返す。そしてギルガメシュは憔悴の理由を聞かれるたびに、フンババ打倒を共にしたエンキドゥを失ったことの深い悲しみを吐露している。[56) それはエンキドゥとの冒険を覚えていることはエンキドゥとの約束でもあるが、「英雄的」な冒険を共にしたからこそ、エンキドゥを失ったことがいかに悲しいものかと訴え続けるギルガメシュにとって、その冒険は「過去のもの」にはなりきっていないのであり、そのために絶望も深い。どんな「英雄」にも他のすべての人間と同様に死があることと、そして大切な人との死別の悲しみが深すぎて克服できないことは、ギルガメシュのそれまでの人生観が崩れるような体験であったはずである。

5.3. ウトナピシュティムとの出会い

　ギルガメシュがようやく会うことができたウトナピシュティムは、人間にとって死は神々が定めたものであり、避けられないものであることを説く (X 267-322)。[57) そのこと自体は「死生の真実」であり、「死生の起源」でもあるが、ギルガメシュが求めた「死生の秘密」であったのであろうか（第10書板）。

第11書板の最初の部分で、ウトナピシュティムはギルガメシュの要望に答えて太古の大洪水を経て永遠の命を得た顛末を語る。そのことについてウトナピシュティムは「秘密の事柄」、「神々の神秘」を語るといっている（XI 9-10）。[58] それらは、ウトナピシュティムが体験した神々の振る舞いや神々の決定を指しているのかもしれない。いずれにしても洪水について語り終えたウトナピシュティムが、「今」はもうギルガメシュに永遠の命を得させるべく神々の会議を召集する者がいないと言明していることは重要である（XI 207-208）。[59]

6. ギルガメシュの第三の旅—六日七晩眠ること

6.1. 記憶がないこと

　「今」、すなわち当時の「現代」ではもう永遠の命を得ることは不可能であることを説明したウトナピシュティムは続けて、「六日七晩、眠ってはならない」（XI 209）とギルガメシュにいう。[60] この禁止令の真意は実に不可解である。[61] いずれにしてもギルガメシュはすぐさま寝入ってしまい、七日目に起こされる。そこでギルガメシュはウトナピシュティムにいう。

　　私の上に眠りが注がれるや否や、あなたは私に触れて私を起こしてくれたのですね（XI 232-233）。[62]

ここで興味深いことは、ギルガメシュ自身には眠っていたという記憶も意識もないということである。疲れきっていたために熟睡したとも考えられる。しかし、本人には一瞬と感じられた長さが六日七晩であったことは、時間の速度が違う異界へ入り込んだともいえる。何よりも興味深いことは、これが一つの古代文学（あるいは神話）のなかのクライマックスの一場面であり、しかも夢解釈を重んじていた文化・社会の作品のなかの、すでに何度も夢から神託を得ようとしてきた登場人物のせりふであることである。
　ギルガメシュが意識を失っていた間に何があったのかという問いは興味をそそる。もちろん眠っていた間の記憶がないということは、驚くべきことではない。しかし異界訪問のなかでは、たとえば前述した『千と千尋の神隠し』のこちらの世界に戻ってきた千尋の両親に記憶がない。ギルガメシュが

六日七晩眠っていたことも、異界への旅であったのではないかと考えられる。あるいは本人に記憶はなくても、異界において彼、あるいは彼の「無意識」が「死生の秘密」に触れたのかもしれない。

この第三の異界への旅だけは身体の空間移動を伴っていない。それどころか本人にとっては全くの「空白」の期間である。ウトナピシュティムの妻が毎朝焼いて並べた七つのパンを見せられてギルガメシュはようやく眠っていた期間を「視覚化」する。

他方、この作品の編者（語り手）は、聴衆（もしくは読者）の注意をギルガメシュの眠りの「内容」からそらすように、ウトナピシュティムの妻が毎朝焼くパンの描写に多くの行を割いている。それによってギルガメシュの眠りが「失態」として印象づけられることになる。[63]

6.2. 眠りと死

眠りから覚まされたギルガメシュには劇的な変化が見られた。彼は死が不可避であると悟ったようである。ギルガメシュは「私はどうしたらよいのか。どこへ行ったらよいのか。盗人（死）が私の肉体をとらえている。私の寝室には死が住んでいる。私がどこを向こうと、そこには死がいる」[64]という。この言葉は死の不可避性に対する絶望の表現と受け取ることも可能であろう。しかしその後、ギルガメシュは勧められるままに水浴びをし、服を着替えて帰途につく。この水浴びと着替えは、明らかに喪あけを示している。それまでギルガメシュは、異界の存在からどれほど服喪を終えるように勧められても拒否してきたのである。ギルガメシュがフンババ打倒の旅から帰って洗髪と着替えをしたことを想起するならば、ギルガメシュの人生はここで一つの区切りを迎えたことになる。

他方、眠りは死に近いものであると考えられていたようである。ちなみに日本語でも「永眠」などという。ギルガメシュは死んだエンキドゥに「今、あなたをとらえたこの眠り（*šittu*）は何なのだ。あなたは意識がなくなり、［私の声を］聞いていない」といっている。[65] いずれにしても、ギルガメシュが眠っていた間は「死んでいた」ような時間であったともいえる。[66] あるいは、その間の記憶がない「臨死体験」のようなものであったかもしれない。「私がどこを向こうと、そこには死がいる」という上記の言葉はある種の諦観であるのか、悟りであるのか定かではないが、その後にギルガメシュ

の行動が変化したことから考えると、彼はある大きなイニシエーションを経たといえるが、それはいわば死別のイニシエーション、あるいは「喪／悲嘆の仕事」を貫徹し、終了するという通過儀礼だったのではないか。

7. ギルガメシュは「英雄」か

「英雄」を武勇に優れた者とするならば、ギルガメシュは不完全な「英雄」である。またエリアーデは、ギルガメシュは武勇に長けてはいたが、知恵が足りなかったためにイニシエーションに失敗したと考えた。[67] 問われるべきは何を「英雄」とし、何をイニシエーションの成功とするかである。

7.1. 人生の「前半と後半」

キャンベルはフロイトとユングを比較して、次のように論じる。

> ジークムント・フロイトは人間の寿命の前半、すなわち人生という名の太陽が頂点を目指して昇ってゆく幼児期や青年期の有為転変や悩みについてその著作で強調している。これと対照的に C・G・ユングは人生の後半、すなわち年齢を加えるにしたがってこれまで光り輝いていた天体が下降・消滅しはじめ、ついには墓という名の闇の胎内に葬られなければならなくなる危機的時期の局面を強調する。普通われわれの欲望と恐怖をあらわす象徴は（ユングのいう）この生活誌の午後の時間には反対物に転化する。なぜならそのときわれわれに挑戦してくるものは、もはや生ではなく死であるからにほかならない。[68]

この見解はある程度「通説」となっているが、『ギルガメシュ叙事詩』を分析し、それについての単行本を著したユング派のリヴカー・シェルフ＝クルーガー（1907-1987 年）は次のようにいう。「しばしば、ユングの心理学はとくに人生の後半のためのもので、そのとき個性化（individuation）が始まると誤解されている。「個性化は、完全性への生得的欲動」であり、誕生のときから始まる。ただし、「人生前半の個性化の目標は、後半のそれとは非常に異なっている。」そして『ギルガメシュ叙事詩』では、ギルガメシュが二つの課題と取り組んだとする。第一は「母」から解き放たれること

であり、第二は「死」があっても意味ある人生を探求することである。ギルガメシュにとってフンババ打倒の旅は自立へ試練であった。あるいは「母」的なものから離れて同性の友人と冒険をする成年へのイニシエーションであった。シェルフ＝クルーガーは、母との結びつきが極めて強い古代に生きているギルガメシュは、同性の友人を得て自立を果たし、イシュタルの求婚をも拒否できたとみる。[69]

そして第二の旅は死の問題と向き合うものであった。しかしシェルフ＝クルーガーはギルガメシュが七晩眠ってしまったことと「若返りの草」を失ったことを失敗とし、そのために「意識の成長」にも失敗したと判断している。それでも彼女は次のように述べる。最終的には「ギルガメシュは自分の仕事に誇りをもつ。しかしそれは、もはや初めの野心的な力に衝き動かされた自我のそれではない。（中略）ギルガメシュは町の四つの区分に触れるが、心理学的には、これは神の関与と全体性をほのめかしている。」[70]

ギルガメシュが何歳で旅に出たのかは不明であるが、彼の第二の旅も強靭な精神力と身体力を要するものであり、それほどの年齢ではなかったと思われる。重要なことは前半か後半かではなく、その順序であろう。シェルフ＝クルーガーはギルガメシュについて「母原型が決定的に処理されて、新たに事が始まる。エンキドゥの切迫した死から、ギルガメシュは突如、人は死ななければならぬこと、生は永遠に続かぬことを悟る」と述べ、彼女の『ギルガメシュ叙事詩』研究に対して発せられたユングの言葉を引用する。「母から解き放たれていない若者は、永遠の流転状態、永遠の生成状態のなかにいる。」そして彼女は次のように述べる。

死の問題とそれに関わる不死性の問題が、ある時点、つまり太母の胎内に両価的なまま至福のうちにまどろんでいる現在のあり方がつき崩されたとき、にしか始まらないことに深い意味がある。[71]

7.2. 死すべき「英雄」

『ギルガメシュ叙事詩』では「太古の時代」とは違って「今」ではもはや永遠の命は得られないとされている。従ってギルガメシュに努力の余地はなかった。[72] しかし死すべき天命を背負う存在であっても、日常生活を送ることができ、もはや死は問題とならないというような境地にギルガメシュが

至ったとすれば、それはキャンベルのいう意味での「英雄」としての帰還であったといえる。[73]

　ギルガメシュは大きな空間移動を伴う二つの冒険の旅をしたが、第二の旅は失敗したかに見える。しかしそこには空間移動をともなわない第三の旅が付随していて、ギルガメシュは英雄へのイニシエーションを果たした。シャーマンの異界への旅も、[74] その他の瞑想などにおいても身体の空間移動がない旅である。前述したように「異界」のなかに様々なものを含めるならば、「異界訪問」もまた多様である。たとえば夢を見る、すわなち「夢の世界」に赴くことも、[75] また読書に没頭して「本の世界」に赴くこともできる。それぞれその世界から帰還した当人にとって、その後の人生が大きく変化することもあり得る。また古今東西のシャーマンも様々な仕方で「異界」を訪問する。またシャーマンでなくても実際にあるいは夢のなかで「霊界」その他の異界を訪れたという人の話も多い。文芸作品のなかにもそのような「異界訪問」と人生の転機をテーマとするものが数多く見出せる。

　一般に通過儀礼は人間の一生を中心とし、その節目に行われるものであるため、[76] 当人の葬式は通過儀礼であるが、他者との死別はそのなかに数えられていない。しかし死別の体験は時期や回数、またその試練の大きさは不定であっても、誰もが体験する試練である。そしてその試練を乗り越えることはその当人を成長させ、また周囲の人々にも大きな感化を与える。『ギルガメシュ叙事詩』は「喪の仕事」をやり遂げた人物の物語としてもみることができる。そして「喪の仕事」の完成も、彼の目的であった「死生の秘密」を知ることに属すると考えられる。

　『ギルガメシュ叙事詩』は新しい「英雄」像を描きだしている。それは当時の編者が想定する「現代の英雄」であり、〈前口上〉のなかにあるように苦難を乗り越えて知恵を得る者[77] といえるであろう。「英雄」となるには腕力や武力だけでは不十分であり、難問に挑戦する勇気を必要とし、さらに「異界」の助力や関与が必須とされる。そして人間が生まれてきて死ぬこと、他者と死別することなどの問題と取り組まなければならないことを伝えている。勇気をもって人生の試練、特に死生の問題を乗り越えて知恵を得ることによって、死はもはや敗北でも失敗でもなく、死すべき天命があっても日常生活が送れる者がこの作品の「英雄」像と考えられる。

おわりに――ギルガメシュの死を語らないこと

　ギルガメシュが死別の悲嘆を乗り越えて、日常生活にもどったことは〈前口上〉で暗示されているが、ギルガメシュの死については一切語られていない理由は、前述したように、死が問題にならないというある種の悟りの境地を暗示しているかもしれない。[78] しかし、アッカド語の『ギルガメシュ叙事詩』の編纂に利用されたシュメール語作品の一つには『ギルガメシュの死』とよばれるものがある。その作品は次のように始まる。

　　　巨大な野牛が横たわり、もう起き上がることはない。主君ビルガメス
　　　（ギルガメシュ）が横たわり、もう起き上がることはない。彼は戦いに
　　　おいて（？）完璧であったが横たわり、もう起き上がることはない。
　　　……[79]

そしてそのあと、ギルガメシュのために丁重な葬礼が行われたことが語られている。しかしこの内容はアッカド語の『ギルガメシュ叙事詩』（標準版）では第8書板のエンキドゥの死の描写と続く葬礼の語りに移し替えられている。そして『ギルガメシュの死』では、その後ギルガメシュは死んで冥界へ下り、他の冥界の神々とともに死者の裁判官としての地位を得る。[80]
　メソポタミアの人々は、死後は「死霊」となって冥界へ下ることを信じていた。[81] しかし『ギルガメシュ叙事詩』があえてギルガメシュの死に触れないことには理由があるはずである。『ギルガメシュの死』という作品があっても、それを大きく変えて利用することによって伝えようとしたことはもう一つの〈分離・過渡・統合〉の図式かもしれない。すなわちこの世の生は過渡期であり、通過儀礼の只中にある。この世に生きるすべての人間は「英雄」への過渡期にあるということを読み取ってものではないか。前述したようにキャンベルの定義では、「英雄とは（中略）、普遍妥当性をもった人間の規範的なありようを戦いとるのに成功した」人間である（本論 137 頁）。しかし何が普遍妥当性であるか、有限性のなかに生き続ける人間には最終的な判断はできない。たとえ幾多の試練を経たとしても、そしてすべてを達観できたとしても、少なくとも現実界の生の中では究極的な到達点を確定することはできないのであり、死後についても多くは不明に留まる。

注

1) 渡辺 2005、2006b、2010 参照。

2) 『ギルガメシュ叙事詩』の来歴を簡単に述べる。紀元前 3 千年紀末から紀元前 2 千年紀初頭にかけて成立したギルガメシュに関するいくつかのシュメール語作品（『ギルガメシュとアッガ』、『ギルガメシュとフワワ』、『ギルガメシュと天牛』、『ギルガメシュと死』、『ギルガメシュとエンキドゥと冥界』。これら 5 作品の英訳は George 1999, pp.141-208 参照）を部分的に織り込みながら、紀元前 2 千年紀初頭に古バビロニア版『ギルガメシュ叙事詩』が編まれた。ただしこの版は、近年の新発見にもかかわらず（George 2009；Fleming/ Milstein 2010 など参照）、まだ欠損部分が多く全貌がつかめていない。そして紀元前 2 千年紀後半に、古バビロニア版に基づく中期バビロニア版がいくつかの都市で編まれたことが知られている（George 2003 参照）。また、縮約されたヒッタイト語訳や翻案されたフリ語訳がボアズキョイ（紀元前 1600-1200 年頃のヒッタイト王国の首都ハットゥシャ、中央アナトリア）から出土したことから、広い範囲で好まれた物語であることがわかる（中村光男 1996 参照）。そして紀元前 1300-1000 年頃におそらくスィン・レキ・ウンニンニという名の編者が、それまでの版を用いながら標準版を編んだと考えられる（渡辺 2010、93 頁参照。標準版『ギルガメシュ叙事詩』の構成を分析する試みには Jacobsen 1976; Tigay 1982 などがある）。アッシリア王アッシュルバニパル（在位前 668-627 年）がニネヴェ王宮に建設させた書庫（「図書館」ともいわれる）のために手写させた標準版は 12 の書板からなるが、第 12 書板は上記のシュメール語作品『ギルガメシュ、エンキドゥ、冥界』の一部をアッカド語にほぼ直訳したものである。話の筋がつながらないにもかかわらず、何らかの意図をもってそれを加えたのはアッシュルバニパルのもとでその手写をした者であったと推測される（渡辺 2010、95 頁、注 2；Frahm 1999 参照）。現在でも本文断片の新発見と校訂作業が続いているため、これまでの議論はどの校訂本に基づいてなされたかが問われる。そして 2003 年に A・ジョージによる浩瀚な校訂本（George 2003）が世に出されたことによって、『ギルガメシュ叙事詩』研究は新時代を迎えた。邦訳の『ギルガメシュ叙事詩』としては矢島文夫訳 1965 年（文庫版 1998 年）、月本昭男訳 1996 年〔絶版〕があるが、それぞれすでに古くなった校訂本に基づいている。

3) "hero: 1. A person, especially a man, who is admired by many people for doing something brave or good. 2. The main male character in a story, novel, film/movie etc. 3. A person, especially a man, that you admire because of a particular quality or skill that they have."『オックスフォード現代英英辞典』*Oxford Advanced Learner's Dictionary,* 7th edition, Oxford 2005.

4) 松村 2010 参照。

5) 大林太良ほか編 1994。この事典の冒頭で大林は、当時の神話学の到達点をふまえて神話を次のように定義している。「神話とは、原古つまり世界の初めの時代における一回的な出来事を語った物語で、その内容を伝承者は真実であると信じている。したがって神話は聖なる物語である。神話は存在するものを単に説明するばかりでなく、その存在理由を基礎づけるものであり、原古における神話的な出来事は、のちの人間が従い守るべき範疇を提出している。また神話には人類の思考の無意識の構造が基礎にある。神話は神話的出来事の反復としての儀礼とともに、それを伝承する民族の世界像の表現である。しかし神話と儀礼は、それぞれの言語と行動という異なった媒体によって展開し、両者の関係は決して一対一の対応という緊密なものではないのが普通である。神話には、世界・人類・文化などの起源を語る創世神話と、神々と英雄の波瀾に富む生涯を語る神々の神話ないし英雄神話に分けられる。神話は伝説や昔話とは別のジャンルであるが、モチーフや話型においては共通していることも少なくない」(大林 1994、29 頁)。このなかでは「創世神話」(起源神話) とは別に「英雄神話」があるとしている。山田仁史は伝統的な神話の定義を採用しながらも、神話の「再解釈・再生産」があることに触れている。山田 2010 参照。

6) 松村 1994、225 頁。なお、「トリックスター・文化英雄」については松村 1994、203-224 頁参照。

7) 松村 1994、225-244 頁。ちなみに、S. フロイトの影響を受けて神話を研究したオットー・ランク (1884-1939 年) は「英雄誕生伝説」の例としてサルゴン、モーゼ、カルナ、エディプス、パリス、テレポス、ペルセウス、ディオニュソス、ギルガモス、キュロス、トラカーン、ロムルス、ヘラクレス、イエス、ジークフリート、トリスタン、ローエングリーン、スケアフを挙げている。ランク 1986、27-101 頁。

8) 松村 1994、244 頁。

9) 松村 1994、233 頁。

10) 松村は「神話とは個人ではなく、集団や社会が神聖視する物語であり、作者は問題とならず、成立した年代は不明で―その結果―太古に成立したとされる」(松村 1999、14 頁) とまとめるが、キャンベル批判においてだけでなく、松村の議論に欠けているのは、神話の根幹をなす「物語」に対する取り組みである。「物語としての神話」を研究することなく、神話学説を論じることには限界がある。

11) キャンベル 1985上、33 頁。原文では "The hero, therefore, is the man or woman who has been able to battle past his personal and local historical limitation to the generally valid, normally human forms." Campbell 1993, pp.19-20. キャンベルの英雄神話理論を現代の作品に応用した試みとして佐藤 2007 がある。

12) キャンベル 1985 上、30 頁。

13) キャンベル 1984 上、33-34 頁。この引用文中の (中略) の部分には「トインビー

が公言するように、さらには人類のもろもろの神話のいっさいが指ししめしているように」とあり、そこに付された注においてキャンベルはトインビー批判を展開する。「しかしながらトインビー教授がこの第二の任務を教える唯一の宗教としてキリスト教のみに絞って言及するとき、かれは神話世界をおおまじめで誤伝していると異議申し立てを表明しておかなければならない。あらゆる神話や民間伝承がいたるところで教えているように、あらゆる宗教がこの第二の任務を教えているからである。トインビー教授は涅槃、仏陀、菩提薩埵によるオリエント思想の、常套的なあやまった解釈を踏襲して意味をとりちがえたまま採用しているため、誤解はそのままにしておいてオリエント思想の理念をキリスト教的な観方である「神の国」の改竄いちじるしい読み直しと対比させている。こうした読み直しが現代の世界状況を救済するには、ローマ・カトリック教会をもういちど強化するしかないと想定する誤謬に教授をみちびくものである。」キャンベル1984上、221頁。

14) キャンベル1984上、45頁。

15) キャンベル1984上、44頁。〈分離―イニシエーション―帰還〉の原文は *separation—initiation—return* (Campbell 1993, p.30) であるが、最後の *return* が訳本では「再生」と誤訳されている。あるいはキャンベルがここで意図したものは return ではなく、reunion「再統合」であったかもしれない。

16) ファン・ヘネップ1977、3頁参照。

17) 丹羽2010、210頁。

18) ファン・ヘネップ1977、35頁。

19) ファン・ヘネップ1977、64-66頁参照。

20) ターナー1989参照。

21) たとえば柳川1989、36-37頁参照。

22) ファン・ヘネップ1977、4頁。

23) ファン・ヘネップの『通過儀礼』の訳者の一人である綾部恒雄はその巻末の解説で次のように述べている。「『通過儀礼』の今日的意味は現在の儀礼研究の中で焦点となっているような問題の多くが、萌芽の形であれ、あるいは既にかなりの展開を見せた形であれ含まれているという点にもある。たとえば、①ファン・ヘネップの通過儀礼の思想は、今日の人類学的視点の基本である〈全体観〉(holism) の思想にすでに立脚していたこと、②今日的表現でいう〈両義性〉の概念について深い洞察が加えられていること、③通過儀礼の最大の特色として第二段階の〈境界性〉を設定することによって、たとえばヴィクター・ターナーの〈コムニタス〉理論の出発点を提供していることなどがそれである。」綾部1977、234頁。綾部はさらに次のように論じている。「ファン・ヘネップにおいて、両義性の問題は具体的には〈聖と俗〉および〈死と再生〉観念を中心に展開されているが、人生を分離と統合のダイナミックな一つのセカンスとして捉える構想自体が、両義的思考を基底にもって

いるといえるのである。(中略)ファン・ヘネップの場合の両義性は、オルテガ流の文明史的な〈中心〉と〈周縁〉の思想とはニュアンスを異にしており、ミルチア・エリアーデ的な、逆説的聖俗観念のメカニズム把握を志向したものであった。しかし同時に、エリアーデとの違いは、通過儀礼の第二段階としての過渡期のリミネール性を積極的に想定して、そこに〈中心〉と〈周縁〉の転換が常に潜在していることを指摘していることである」(綾部 1977、235 頁)。

24) キャンベル 1984 上、44 頁。さらにキャンベルはこの「公式」(formula) は「原質神話の核心を構成する単位」(the nuclear unit of the monomyth) といいうるかもしれないとしている。キャンベル自身は、monomyth の語はジェームズ・ジョイスの『フィネガンズ・ウェイク』(1939 年) からとったと注記している (Campbell 1993, p.30)。ちなみにキャンベルは『フィネガンズ・ウェイク』の研究者としても知られる。『千の顔をもつ英雄』の邦訳者の一人は、この箇所 (monomyth) の訳注において、「キャンベルが再三援用しているレオ・フロベニウス (Leo Frobenius) の「Elementargedanken = 原質思念の概念がこれにもっとも近いと思われたので mono を原質と訳した」(キャンベル 1985 上、223 頁) と述べている。

25) 細田／渡辺 2006 上、1 頁参照。

26) 「異郷」はたとえば「故国や郷里から遠く離れた土地。他郷。異域」(『広辞苑』)、「自分の郷里・母国でないよその土地。他郷。異国、異境」(『大辞泉』) などとされる。

27) 伊藤 1994、289-290 頁。

28) 伊藤 1994、269-290 頁。

29) 伊藤 1994、283-284 頁。

30) 筆者の神話のとらえ方については、渡辺 2005、2007b、2010 などを参照。

31) 西條も『千と千尋の神隠し』を「異郷訪問型」であるとし、『ギルガメシュ叙事詩』を含む多くの類例を挙げている。西條 2009、11-28 頁参照。

32) ジブリ研究会編 2008、62 頁参照。

33) エリアーデ 1977、131 頁 (Eliade 2009, p.106) 参照。さらに同書「第五章 英雄とシャーマンのイニシエーション」(エリアーデ 1977、169-214 頁；Eliade 2009, pp.133-162) 参照。

34) 松村によるキャンベル批判 (松村 1999、217-237 頁) は的を射ていない。たとえばキャンベルの「英雄神話」のパターンが「通過儀礼」の図式から着想されたことを無視している (松村 1999、220 頁)。

35) 丹羽 2010、211 頁。

36) シュメール語の作品『ギルガメシュとフワワ』とそのアッカド語版 (古バビロニア版) については Fleming/ Milstein 2010 参照。

37) George 2003, I, pp.566-571 参照。ギルガメシュの企てに対してウルクの長老たちの意見と若者たちの意見が違っていることは、シュメール語作品の『ギルガメシュ

とアッガ』にも見られる。George 1999, p.143 参照。

38) George 2003, I, pp.574-585 参照。

39) George 2003,I, pp.588-601 参照。励ましあう言葉のなかには「死を忘れ、生を［求めよ (?)］」というものもある。George 2003, I, pp.600-601 (IV 245).

40) George 2003, I, pp.610-611 (V 242-243).

41) George 2003, I, pp.612-613 (V 256).ヒッタイト語版では、エンキドゥの死を決めるのはエンリルである。中村 1966、257 頁参照。しかし標準版第 7 書板冒頭の欠損部分には、エンリルのもとでの神々の会議でエンキドゥの死が決定されたことが記されていたと推測される。上記 5.1. 参照。

42) George 2003, I, pp.612-615. 伐採した木材でニップルのエンリル神殿の門扉を作ったことが、後にエンキドゥが人生を振り返って語った内容（第 7 書板）からわかる。

43) アヌは単にイシュタルの願いをかなえただけではない。イシュタルがギルガメシュを挑発したことをたしなめている (VI 89)。また「天の牛」を地上に送ることによって、7 年間の飢饉が起こることが暗示されている (VI 103-105)。イシュタルは殺された「天の牛」のために娼婦たちを集めて嘆きの儀式を行う (VI 158-159)。George 2003, I, pp.624-629 参照。

44) George 2003, I, pp.618-631 参照。

45) George 2003, I, pp.634-635.

46) George 2003, I, pp.640-641；渡辺 2006a、25-28 頁参照。なお本論で引用される『ギルガメシュ叙事詩』の本文は、ジョージの校訂本に基づく筆者の訳である。

47) 渡辺 2006a、28-29 頁参照。

48) George 2003, I, pp.634-647.

49) 渡辺 2006a、30 頁；George 2003, I, pp.646-647 参照。

50) George 2003, I, pp.650-665.

51) George 2003, I, pp.654-655; 渡辺 2006a、31 頁参照。

52) 渡辺 2010、74 頁；George 2003, I, pp.670-671 参照。

53) George 2003, I, pp.668-671.

54) 渡辺 2010、79 頁；George 2003, I, pp.692-695 参照。

55) George 2003, I, pp.666-667.

56) 渡辺 2010、74-78 頁参照。

57) 渡辺 2010、79 頁；George 2003, I, pp.694-699 参照。

58) 渡辺 2010、80 頁；George 2003, I, pp.702-703 参照。

59) 渡辺 2005、115 頁；渡辺 2010、81 頁；George 2003, I, pp.716-717 参照。

60) 渡辺 2010、81-83 頁；George 2003, I, pp.716-717 参照。

61) この真意についての考察は渡辺 2010、82-83 頁参照。

62) George 2003, I, pp.718-719 参照。

63) 渡辺 2010、91-92 頁参照。

64) ここでは「死」が擬人化されている。最後の言葉を筆者は「死がある」と訳したが（渡辺 2010、81 頁）、「死がいる」となおす。なおジョージはこの「死」を大文字の Death として英訳している。George 2003, I, p.719 参照。

65) 渡辺 2010、72-73 頁；George 2003, I, pp.654-655 参照。なお、ウトナピシュティムがギルガメシュに語る言葉のなかに「連れ去られる者（ṣallu）と死ぬ者は互いに似ている」（X 316; 渡辺 2010、79 頁；George 2003, I, pp.696-697）とある。月本は読み替えて「眠る者（ṣallu）と死ぬ者とは等しい」と訳す（月本 1996、134 頁）。しかしウトナピシュティムのそれに先立つ言葉から引用すると、「またある時に川の水位が上がって洪水が起こり、カゲロウは川に流れる。その顔は太陽を見つめていても、突如として無に帰してしまう。連れ去られる者と死ぬ者は互いに似ている」と語っているのであり、「連れ去られる者」とは洪水の水に「連れ去られる者」である。月本のように「戦争捕虜」と解する必要はない。

66) 拙論「メソポタミア神話にみる死の受容と悲嘆—エンキドゥとギルガメシュの場合」（渡辺 2006a）のなかではギルガメシュの眠りについて詳しく論じていないが、棚次正和氏（京都府立医科大学教授）は 2006 年 8 月にコメントを筆者に寄せてくださった。棚次氏の許可を得てそのコメントから抜粋させていただく。「ここで興味深いのは、〈死〉と〈眠り〉の親縁性が明確に説かれていることです。宇宙論的な人類史の観点からして、死が現在の人間の存在様態では不可避な事実を告げるとともに、その死の不可避性が眠りの不可避性と結びついて説かれています。（中略）確かに、この神話には〈異界往還〉の性格が含まれていて、現界の限界状況（死や苦）の意味は、現界の境位ではどこまでも不明であり、異界から照射されて初めて明らかになるといった趣があります。異界の住人からの援助は、（中略）小生には現界と異界の双方に跨った存在振幅をもともと人間は有しており、死や眠りは、そのような異界往還（人間の存在振幅の収縮と拡張）の具体的な形態のように推察されます。死において初めて人間は異界（他界）に赴くのではなく、日々の眠りの中で異界往還をしているように見えます。この神話は、人間の本来性（永遠の命、不死性）と人間の実存（不可避な死）との乖離を、乖離として受容せざるを得ない運命であることを語りながら、人間の存在振幅がその双方を包み込んでいることをも同時に秘かに示しているのではないかと思うのです。」筆者は今読み返して棚次氏の卓見に敬服している。

67) 渡辺 2005、110-111 頁；渡辺 2010、70 頁参照。

68) キャンベル 1984 上、25-26 頁。

69) シェルフ＝クルーガー 1993, 144-148 頁参照。なおこの本は死後出版された。

70) シェルフ＝クルーガー 1993、252 頁参照。

71）シェルフ＝クルーガー 1993、168 頁参照。

72）渡辺 2005；渡辺 2010、81 頁参照。

73）キャンベルは『ギルガメシュ叙事詩』の古い翻訳を用いているせいか、あまり正確に理解していない。結局のところ、「若返りの草」を失う失敗談としているようである。キャンベル 1984 上、207-211 頁参照。

74）シャーマンの技法とイニシエーションについてはエリアーデ 1977、180-214 頁；エリアーデ 2004 などを参照。

75）「時間のずれ」が大きい「夢の世界」としては中国の「邯鄲の夢」の話が知られる。長い期間にわたる「立身出世」の夢を見るが、眠りから覚めてみるとほんの短い時間であったという物語。竹田晃ほか編 2006、10-25 頁（「枕中記」）参照。

76）宗教学のなかでは「人生儀礼」ではなく、生まれる前と死んだ後の儀礼も含めるために「通過儀礼」の語を用いると説明されることがある（たとえば柳川 1989、37頁）。しかしその場合は当人が受ける「試練」という側面がぼやける。

77）〈前口上〉のなかには「彼はすべてについての知恵の全体を［学んだ（？）］。彼は秘められたものを見、隠されたものを明らかにした。彼は洪水以前の経緯を詳らかにした。彼は遥か遠くの道を歩んできて疲れたが、安息を得た」（I 6-9）とある。渡辺 2010、71 頁参照。

78）渡辺 2010、93 頁参照。

79）Cavigneaux/ Al-Rawi 2000, p.25, p.55; George 1999, p.197 参照。なおジョージは「ギルガメシュ」はシュメール語では「ビルガメス」であったとする。

80）George 1999, p.197 参照。

81）渡辺 2007、2008 参照。

参考文献

綾部恒雄 1977：「解説　儀礼における全体観、転換、リミネール」ファン・ヘネップ 1977、231-235 頁。

伊藤清司 1994：「異郷訪問」大林太良ほか編 1994、269-290 頁。

エリアーデ、ミルチア 1971：『生と再生―イニシエーションの宗教的意義―』（堀一郎訳）東京大学出版会（原著：Mircea Eliade, *Birth and Rebirth*, 1958; new edition: *Rites and Symbols of Initiation: The Mysteries of Birth and Rebirth,* trans. by W. R. Task with a foreword by M. Meade, 1994; revised 2009）。

― 1991：『世界宗教史』I（荒木美智雄／中村恭子／松村一男訳）筑摩書房（原著：

Mircea Eliade, *Histoire des croyances et des idées religieuses I: De l'âge de la pierre aux mystères d'Eleusis*, 1976)。

— 2004:『シャーマニズム—古代的エクスタシー技術』上下（堀一郎訳）、筑摩書房（初版：冬樹社 1974；原著：*Le chamanism*, 1968; 1992)。

大林太良／伊藤清司／吉田敦彦／松村一男編 1994:『世界神話事典』角川書店。

キャンベル、ジョセフ 1984:『千の顔をもつ英雄』上下（平田武靖／浅輪幸夫監訳）、人文書院（原著：Joseph Campbell, *The Hero with a Thousand Faces*, 1949; 2nd edition 1968)。

西條勉 2009:『千と千尋の神話学』新典社。

私市保彦 1987:『幻想物語の文法—「ギルガメシュ」から「ゲド戦記」へ』晶文社。

佐々木光俊 2008:『メソポタミアからの知的伝承—洪水の向こう側』鼎書房。

佐藤加奈子 2007:「『仮面ライダーアギト』にみる『英雄』の変容」松村／山中編 2007、113-134 頁。

シェルフ＝クルーガー、リヴカー 1993:『ギルガメシュの探求』（氏原寛監訳）人文書院（原著：Rivkah Schärf Kluger, *The Archetypal Significance of GILGAMESH: A Modern Ancient Hero*, 1991)。

竹田晃／黒田真美子編 2006:『中国古典小説選 5【唐代 II】枕中記・李娃伝・鶯鶯伝他』明治書院。

ターナー、ヴィクター、W. 1976:『儀礼の過程』（冨倉光雄訳）思索社（原著：Victor W. Turner, *The Ritual Process: Structure and Anti-Structure*, 1969)。

月本昭男訳 1996:『ギルガメシュ叙事詩』岩波書店。

豊田武 1976:『英雄と伝説』塙書房。

中村光男 1996:「アナトリアのギルガメシュ叙事詩諸伝承」月本 1996、237-280 頁。

丹羽泉 2010:「通過儀礼」星野英紀ほか編 2010、210-211 頁。

ファン・ヘネップ、A. 1977:『通過儀礼』（綾部恒雄／綾部裕子訳）弘文堂（原著：Arnold van Gennep, *Les rites de passage: Étude systématique des ceremonies*, 1909)。

星野英紀／池上良正／氣多雅子／島薗進／鶴岡賀雄編 2010:『宗教学事典』丸善。

細田あや子／渡辺和子 2005:「はしがき」細田／渡辺編 2005 上、1-2 頁。

— 編 2005-2006:『異界の交錯』上下、リトン。

松村一男 1994:「英雄」大林太良ほか編 1994、225-244 頁。

— 1999:『神話学講義』角川書店。

— ／山中弘編 2007:『神話と現代』リトン。

— 2010:「神話学」星野英紀ほか編 2010、182-185 頁。

無藤隆 2001:「世界への旅立ちと自分を見つけること—『千と千尋の神隠し』を発達心理学から読む」『ユリイカ 詩と批評 臨時増刊号 総特集 宮崎駿「千と千尋の神隠し」の世界—ファンタジーの力』青土社、52-58 頁。

矢島文夫 1965:『ギルガメシュ叙事詩』山本書店。

— 1998:『ギルガメシュ叙事詩』（ちくま学芸文庫）筑摩書房。

— 2007：『オリエントの夢文化―夢判断と夢神話』東洋書林。

柳川啓一 1989：『宗教学とは何か』法藏館。

山田仁史 2010：「神話」星野英紀ほか編 2010、206-207 頁。

ランク、オットー 1986：『英雄誕生の神話』（野田倬訳）人文書院（原著：Otto Rank,
　　Der Mythus von der Geburt des Helden: Versuch einer psychologischen Mythendeutung,
　　zweite, wesentlich erweiterte Auflage, 1922; erste Auflage 1909)。

渡辺和子 2005：「『ギルガメシュ叙事詩』における永遠の命と知恵」東洋英和女学院大
　　学死生学研究所編『死生学年報 2005　親しい者の死』リトン、105-128 頁。

— 2006a：「メソポタミア神話にみる死の受容と悲嘆―エンキドゥとギルガメシュの
　　場合」『死生学年報 2006　死の受容と悲嘆』リトン、23-44 頁。

— 2006b：「メソポタミアの異界往還者たち」細田／渡辺編 2006 上、9-41 頁。

— 2007a：「メソポタミアの『死者供養』」『死生学年報 2007　生と死の表現』リトン
　　47-70 頁。

— 2007b：「キリスト教神話の『発展』―マリアとユダをめぐって」松村一男／山中
　　弘編『神話と現代』リトン、281-326 頁。

— 2008：「メソポタミアの『慰霊』と『治療』」『死生学年報 2008　〈スピリチュアル〉
　　をめぐって』リトン、155-185 頁。

— 2010：「『ギルガメシュ叙事詩』は『知恵文学』か―『死生の秘密』への旅路」『死
　　生学年報 2010　死生観を学ぶ』リトン、65-104 頁。

Cavigneaux, Antoine/ Al-Rawi, Farouk N. H. 2000: *Gilgameš et la Mort: Textes de Tell
　　Haddad VI,* Cuneiform Monographs 19, Groningen.

Fleming, Daniel E. / Milstein, Sara J. 2010: *The Buried Foundation of the Gilgamesh Epic:
　　The Akkadian Huwawa Narrative,* Cuneiform Monographs 39, Leiden.

Foster, Benjamin R. 2001: *The Epic of Gilgamesh, New York.*

Frahm, E. 1999: "Nabû-zuqup-kēnu, das Gilgameš-Epos und der Tod Sargons II.,"
　　Journal of Cuneiform Studies 51, pp.73-90.

George, A. R. 1999: *The Epic of Gilgamesh: A New Translation,* London.

— 2003: *The Babylonian Gilgamesh Epic,* I-II, Oxford.

— 2007: "The Gilgamesh Epic at Ugarit," *Aula Orientalis* 25, pp.237-254.

— 2009: Babylonian Literary Texts in the Schøyen Collection, Bethesda, Maryland.

Jacobsen, Thorkild 1976: "Second Millennium Metaphors. 'And Death the Journey's
　　End': The Gilgamesh Epic," Jacobsen, Thorkild, *The Treasures of Darkness: A History
　　of Mesopotamian Religion,* New Haven, pp.193-219.

Tigay, J. H. *1982: The Evolution of the Gilgamesh Epic,* Philadelphia.

Gilgamesh's Trips to Other Worlds and his Returns as a Mortal Hero

by Kazuko WATANABE

The question whether Gilgamesh in *The Epic of Gilgamesh* (the Standard Version, composed in ca. 1300-1000 BC) is a hero or not, could be differently answered. It depends also what the word "hero" (or "eiyu" in Japanese) means. For example, one dictionary defines "hero" as "a person, especially a man, who is admired by many people for doing something brave or good." The author of this article agrees, however, to the definition of "hero" by Joseph Campbell (1949) as "the man or woman who has been able to battle past his personal and local historical limitation to the generally valid, normally human forms." Campbell constructed his formula of a hero <departure—initiation—return> inspired by the schema of A. van Gennep, *Les rites de passage* (1909). According to Campbell's formula, "a hero ventures forth from the world of common day into a region of supernatural wonder: fabulous forces are there encountered and a decisive victory is won: the hero comes back from this mysterious adventure with the power to bestow boons on his fellow man."

Gilgamesh, the king of the city state Uruk, made two trips to other worlds; the first one was an adventure to kill Humbaba, the awful guardian spirit of the cedar forest in Lebanon, and also to fell the cedar. Gilgamesh succeeded in the battle together with his friend Enkidu. Gilgamesh, returned to Uruk, became the toast of the city and was proposed to by the goddess Ishtar. As Gilgamesh rejected her proposal, furious Ishtar asked her father, the god Anu, to send "the Bull of Heaven" to the earth, which was also killed by Gilgamesh and Enkidu. The latter was, however, sentenced to death for their excessive deeds.

Because of his serious grief for Enkidu, Gilgamesh made his second trip to the other world in order to meet the immortal Ūta-napišti, who told Gilgamesh that there was no divine assembly who could decide to give him immortality in difference to the ancient times, and also told him not to sleep for seven nights. Gilgamesh was woken up after his sleep for seven nights and said to Ūta-napišti: "No sooner than sleep spilled over me, than forthwith you touched me and roused me!" (English translation by A. George, 2003). He seemed to have no memory from during his sleep, but he could accept his mortality and end his mourning. From the "narration" at the beginning of this epic, we know that Gilgamesh fulfilled his task as a king after he had come back to Uruk.

The present writer supposes that his sleeping for seven nights functioned as his third trip to the other world. In this case there was no movement of his body, and his unconsciousness might have traveled to another world. The epic does not tell of Gilgamesh's death. The editor of the version could have thought that it was unnecessary to tell it in the case of the enlightened Gilgamesh, or maybe the editor wished to convey the idea that all humans are on their own way of "initiation" in this world.

江戸の墓と家と個人

谷 川 章 雄

1. 江戸の墓制・葬制の考古学

　近世都市江戸の墓制・葬制の考古学的研究は、1980年代後半以降の近世考古学の進展にともない、この約20年間に成果が蓄積されてきた分野である。

　1901年には和田千吉が江戸の甕棺をとり上げており（和田1901）、戦後になって、1954年から1965年までの工事や改葬などの時に発見された資料をまとめた河越逸行の『掘り出された江戸時代』（河越1965）が先駆的研究として知られている。また、1957～1960年には、鈴木尚、矢島恭介、山辺知行らにより東京都港区増上寺徳川将軍墓が調査され（鈴木・矢島・山辺1967）、江戸の武家社会の頂点にあった将軍家の墓制・葬制が明らかにされた。

　しかしながら、その後も基本的に近世が考古学の対象外だったこともあり、江戸の墓制・葬制に関する調査・研究はほとんど行われなかった。江戸の墓地を発掘するようになるのは、千代田区都立一橋高校遺跡の調査など1970年代に入ってからである。

　歴史学も、江戸の墓制・葬制については、従来あまり関心をはらってこなかった。それは、江戸の墓に関するまとまった記録が少ないという資料上の制約に加えて、長い間歴史学の興味が江戸の墓制・葬制のような生活史に関わる分野には、あまり向けられてこなかったことによるのであろう。

　一方、日本民俗学は墓制・葬制に関して豊富な研究の蓄積を有している。民俗学の墓制研究は、とりわけ両墓制についての関心が高かった。少なくとも両墓制において霊魂をまつる詣墓が墓標を標識とするならば、両墓制の発生の原因および成立時期に関しては、中世から近世の墓制に関する考古学的調査・研究の成果を避けて通ることはできないだろう。ただし、従来の民俗

165

学の墓制研究が両墓制に偏っていたことも事実である。

　民俗学がこれまで蓄積してきたのは、主に村落の墓制・葬制に関する研究成果であり、その点から考えれば、近世都市江戸の武士を含む人々の墓制・葬制について、村落中心の民俗学の成果をそのまま利用するのは難しい。

　以上述べてきたように、近世都市江戸の墓制・葬制については、歴史学や民俗学がほとんど関心をはらってこなかったため、いわば空白の領域となっていた。そこに考古学による江戸の墓制・葬制研究の意義のひとつが存在する。

　江戸の墓制の特徴のひとつは、遺体を納める埋葬施設の構造がバラエティーに富んでいるという点にある。1984～85年に発掘された新宿区自證院の調査報告書において、筆者は埋葬施設のバラエティーを身分・階層の表徴としてとらえる仮説を提示した（谷川1987）。これは、その後の松本健（松本1990）や田口哲也（田口2009）による被葬者の明らかな墓の埋葬施設の検討により、ほぼ支持されるようになった。また、栩木真（栩木1995）や西木浩一（西木1999）は、中小寺院である新宿区圓應寺の調査成果をもとに、檀家に属していない都市下層民の墓のあり方を明らかにした。

　これまで筆者は埋葬施設や墓標、副葬品などの分析をもとに、江戸の墓制・葬制に関する論考を発表してきた（谷川1990・1991b・1996・2004）。ここでは、近年の新しい調査・研究の動向を踏まえ、改めて江戸の墓制・葬制と家と個人との関係に着目した総括的な考察を試みることにしたい。

2. 埋葬施設と家の格式

　江戸のほぼ18世紀以降の墓の埋葬施設の分類については、基本的に構造が複雑なものから単純なものへ並べていくというシンプルな原則にもとづく、以下のような分類を提示した（谷川2004）。近年調査された被葬者が判明している事例を加えて（田口2009）、埋葬施設の構造と家の格式、被葬者の身分・階層の対応関係を再検討してみよう。

　①石槨石室墓（図1-1・2）

　石室の中にさらに石槨を積んだ非常に堅固な構造である。増上寺徳川将軍家墓所の将軍（1）および正室（2）・将軍生母である側室の墓などがこれ

江戸の墓と家と個人

にあたる。また、改葬のため木棺の構造の詳細は不明だが、台東区寛永寺凌雲院御三卿清水家墓所（10万石）の藩主・正室・将軍生母も石槨石室墓であった。

②石室墓（3・4）

石室をもつもの。港区済海寺越後長岡藩主牧野家墓所（7.4万石）（3）など大名家墓所の藩主・正室・藩主生母である側室・子女の墓が多い。増上寺将軍家墓所の側室（4）や子女の墓、寛永寺凌雲院御三卿清水家墓所の子女の墓もある。

③木炭・漆喰（石灰）床・槨木槨木棺墓（5）

この類型は事例が多くないが、おそらく二重木棺の外側に木槨があり、各々の間に漆喰（石灰）や木炭を充填したものと考えられる。自證院旗本山名家（6,700石）の義問室の墓も間に木炭を充填した木槨木棺墓と考えられる。また、大田区池上本門寺奥絵師狩野家墓所（200石20人扶持）の2代狩野養朴常信の墓は、間に漆喰を充填した木槨木棺墓であった。これらも一応この分類に含めておきたい。

④木炭・漆喰（石灰）床・槨木槨甕棺墓（6）

甕棺で外側に木槨をもち、漆喰（石灰）や木炭を充填したものである。台東区寛永寺護国院旗本大久保家（5,000石）、旗本秋元家（4,000石）の墓と出羽山形藩のちに上野館林藩の江戸家老、その後用人の矢貝家（700石のち400石）の墓の事例があり、高禄の旗本や藩士の墓にあたる。

⑤方形木槨甕棺墓（7）

③や④と同様の方形の木槨の中に、甕棺を納めたものである。高家畠山家（4,000石）の畠山基徳再室の墓や上記の旗本大久保家の墓、港区安蓮社の三井家（1,200石）の墓、上記の出羽山形・上野館林藩の江戸家老、用人矢貝家の墓、播磨龍野藩藩士の近藤甫泉（120石）などの墓がある。これも比較的高禄の旗本や藩士の墓である。また、台東区池之端七軒町遺跡（慶安寺）の町奉行与力を勤めていた都筑家の当主の墓も方形木槨甕棺墓であった。

⑥円形木槨甕棺墓（8）

円形木槨すなわち桶の中に、甕棺を納めたものである。これは新宿区發昌寺や港区天徳寺浄品院に類例があり、事例数は必ずしも多くないが類型のひとつに含めた。

⑦甕棺墓（9）

　甕棺をそのまま埋めたものである。甕棺墓には70俵3人扶持から400俵の旗本の墓および上野館林藩士岡尾家（150石）の墓があり、低禄の旗本および藩士の墓にあたる。また、先の奥絵師狩野家墓所の9代狩野晴川院養信の墓、台東区谷中三崎町遺跡（正運寺）の駒込「先隊」に属していた幕臣井戸家の墓、新宿区牛込城（善国寺）の讃岐高松藩士、藩儒の青葉養浩の墓、市谷の町名主嶋田左内家墓所にも甕棺が用いられていた。

⑧方形木棺墓（10）

　正方形の木棺をそのまま埋めたものである。先の奥絵師狩野家墓所の3代狩野如川周信の墓は蓋石をもつ方形木棺であり、自證院の尾張藩士中西家（1,000石）の中西甚太郎長興の墓も墓誌が刻まれた蓋石1枚をもつ方形木棺であった。

⑨円形木棺（早桶）墓（11）

　円形木棺（早桶）をそのまま埋めたものである。池之端七軒町遺跡（慶安寺）の下野喜連川藩士富田家の墓は円形木棺（早桶）であった。

⑩火消壺転用棺（12）

　火消壺を棺に転用したものである。これは乳幼児の墓に用いられたものと考えられる。

⑪直葬墓

　棺を持たないもの。

⑫その他の土葬墓

⑬火葬蔵骨器（13）

　火葬骨を蔵骨器に納めたもの。

⑭その他の火葬墓

　このように、近年の被葬者が明らかな調査事例の増加によって、旗本以外の幕臣や町名主も甕棺に葬られていたことがわかってきた。また、武家の墓で方形木棺が用いられた確実な事例が確認され、後述するように（「3.4.中小寺院墓地の副葬品」参照）、木製模造刀大小や袴の腰板を副葬した一部の方形木棺墓を武家の墓とする考えを裏付ける結果となった。惟村忠志は蓋石をともなう方形木棺墓の存在を指摘し、その被葬者に武家もしくはそれに準ずる者が含まれていたと述べている（惟村2007）。

　一方、上述のように、多くの武家の墓に甕棺が用いられていた。芳賀登

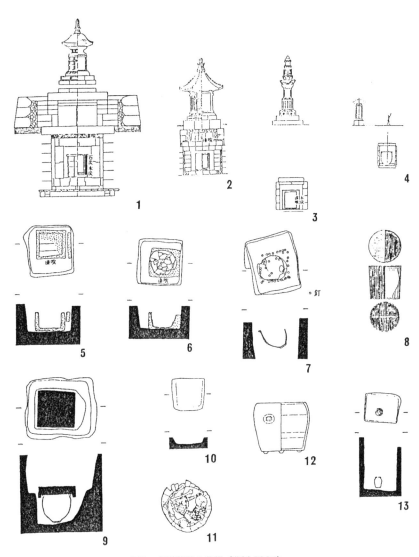

図1　埋葬施設の分類（谷川 2004）

の『葬儀の歴史』（芳賀 1987）には、安政の大獄で吉田松陰が刑死したとき、門人たちが遺体を引き取るために「大甕」を購入したことや、明治元年(1868) に土佐藩士がフランス人を殺害した堺事件に連座して切腹した藩士の遺体が「大甕」に納められ埋葬されたという事例が紹介されている。

　問題は、武家の墓において、甕棺、方形木棺、円形木棺（早桶）の選択の基準がどのようなものであったかという点にあるが、その背景には、江戸の墓制にあらわれた時期差、階層差、家の伝統やとりまく社会のちがいなどの要因が複雑にからみあっていたことを想像させる。

　また、すでに松本健が指摘しているように（松本 1990）、将軍墓や大名墓では、当主、正室、側室、子女のような家の中における被葬者の格の違いが墓の構造に反映していた。同様のあり方は、高山優が述べているように（高山 1992）、旗本などの幕臣、藩士の墓においても想定することができる。この点も考慮していかなければならない。

　以上述べてきたように、江戸の墓の埋葬施設の構造は家の格式、被葬者の身分・階層とほぼ対応関係にあった。

　将軍家・御三卿家の墓は①石槨石室墓であり、これを簡略化した②石室墓は主に大名墓であった。旗本などの幕臣の墓には、③木炭・漆喰（石灰）床・槨木槨木棺墓、④木炭・漆喰（石灰）床・槨木槨甕棺墓、⑤方形木槨甕棺墓、⑦甕棺墓、⑧方形木棺墓という序列が認められる。藩士の墓も同様である。町人の墓でも町名主の墓は⑦甕棺墓であった。すなわち、ここでは将軍と大名、旗本などの幕臣、藩士、町人という４種類の墓制の秩序が分節化し、並存していたように見えるのである。

3．副葬品と個人

3.1．江戸の墓の副葬品をめぐって

　江戸の墓に見られる副葬品について、筆者はかつて發昌寺や圓應寺の墓地の発掘事例をもとに、六道銭や数珠のように身分・階層をこえて存在するものと、旗本などの墓である甕棺の副葬品の種類・量が豊富であることから、身分・階層に拘束されるものがあることを指摘した（谷川 1991a・1993）

　また、歴史学の塚本学氏は、江戸時代の個人の持ち物のひとつとして墓の副葬品に注目している（塚本 1993）。こうした塚本氏の見解を受けて、筆

者は個人の持ち物を墓に入れるという習俗が、身分・階層間を徐々に下降した可能性が考えられ、副葬品の変遷の見通しを述べた（谷川2004）。

このように、江戸の副葬品については今のところ総括的な研究がなく、全体的な見通しを立てることが課題となっている。したがって、ここでは将軍家墓所、大名家墓所や中小寺院墓地の様々な副葬品に関して、被葬者の身分・階層に着目しながら分類し、その変遷をたどることにしたい。

3.2. 将軍墓の副葬品

増上寺徳川将軍家墓所の発掘調査では、将軍墓の副葬品の様相が明らかになっている（鈴木・矢島・山辺1967）。

出土した将軍墓の副葬品は、①武器・武具類、②持ち物類、③宗教・習俗関係の3つに分類することができる。以下こうした分類に基づいて、将軍墓の副葬品の様相を述べることにする。

①武器・武具類

寛永9年（1632）に没した2代秀忠の墓には、刀（黒漆鞘大小）、黒漆蒔絵口薬入れ（梨子地と三葉葵紋所つき）、鉄砲が副葬されていた。18世紀になると、正徳2年（1712）没の6代家宣の事例がある。家宣の墓には、衛府太刀（金沃懸地松唐草葵文散らし毛抜形太刀）、金梨子地葵文散らし飾太刀があった。衛府太刀は武官用、飾太刀は文官用であり、前者は征夷大将軍、後者は内大臣の象徴であるという（鈴木1985）。7代家継〔正徳3年（1713）没〕の墓からも衛府太刀（毛抜形太刀）と飾太刀が出土している。

享保18年（1733）に没した9代家重の墓になると、武器・武具類は飾太刀（金梨子地葵文散らし金装）のみになる。12代家慶〔嘉永6年（1853）没〕の墓にも、黒漆麈地（薄麈地）桐唐草に葵紋蒔絵の飾太刀が副葬されていた。14代家茂〔慶應2年（1866）没〕の墓でも、家慶のものによく似た黒漆薄麈地桐唐草に葵文蒔絵の飾太刀が出土している。

②持ち物類

持ち物類には、茶道具、香道具、文房具、化粧道具、玩具などがあり、被葬者の個性を反映したものであろう。

2代秀忠〔寛永9年（1632）没〕の墓では、オランダデルフト焼筒型容器、楽焼香炉（2代楽作）、笏・扇（金箔押無地）が出土した。笏や扇は着装品としてとらえた方が良いかもしれない。

6代家宣〔正徳2年（1712）没〕の墓には、香木・香箸・銀葉などの香道具、燧具？、日時計、小筆・矢立・墨壷・鉛筆などの文房具、耳かき・毛抜・鏡挟み・鏡などの化粧道具、笏という豊富な副葬品があった。これに対して、9代家重〔享保18年（1733）没〕の墓の副葬品は笏・扇子という簡素なものであった。12代家慶〔嘉永6年（1853）没〕の墓からは、独楽や笏・檜扇・扇が出土している。また、14代家茂〔慶應2年（1866）没〕の墓には、人形、団扇、笏・檜扇・扇、寒暖計、懐中時計、盃？、香合？、杖？などが副葬されていた。

③宗教・習俗関係

2代秀忠〔寛永9年（1632）没〕の墓の鋏は、魔除けの呪力をもつものであった可能性がある。9代家重〔享保18年（1733）没〕や12代家慶〔嘉永6年（1853）没〕の墓には、それぞれ漆塗手箱の中に鋏、箱の中に鋏（大小）が副葬されていた。この漆塗手箱や箱には毛髪も入れてあった。毛髪は7代家継〔正徳3年（1713）没〕、14代家茂〔慶應2年（1866）没〕の墓からも出土している。これは奥方かそれ準ずる人たちのものと推測されている。また、7代家継や9代家重の墓には、箱に入れた多量の爪が副葬されていた。これも習俗のひとつであろう。

この他、12代家慶の墓の数珠、知恩院門跡尊超親王書（平絹）、銅製阿弥陀像、金襴の守り袋や、14代家茂の墓の数珠、如意、巻物が宗教関係の副葬品であろう。

以上述べてきたように、将軍墓の副葬品は、武器・武具類について見ると、17世紀前半の2代秀忠の墓の実戦的なものから、18世紀以降すなわち6代家宣以降の儀式的なものへの変化がうかがえる。その他の副葬品の様相は被葬者の個性を反映しながらも、17世紀前半から幕末まで大きな変化があったとは言い難いようである。

3.3. 大名墓の副葬品

発掘された江戸の17世紀代の大名墓の事例は、現段階では存在しない。したがって、ここでは、宮城県仙台市の経ヶ峰に営まれた仙台藩主伊達家墓所の事例を見てみよう（伊東1979・1985）。

武器・武具類は、17世紀代の寛永13年（1636）に没した初代政宗の墓には、具足一式・采配・糸巻太刀・脇差、2代忠宗〔万治元年（1658）没〕

の墓には具足一式・糸巻太刀・脇差・打刀が副葬されていたが、18世紀になると、正徳元年（1711）没の3代綱宗の墓からは打刀・脇差のみが出土し、武器・武具類が少なくなる。

　持ち物類は、初代政宗〔寛永13年（1636）没〕の墓に豊富に見られ、筆・墨・文鎮・硯・水滴・筆入れ・鉛筆などの文房具、鏡・櫛・毛抜などの化粧道具、煙管・掃除用具、ブローチ、日時計、印籠、鞭、香合・菜板などの香道具があった。これに対して、2代忠宗〔万治元年（1658）没〕の墓の持ち物としての副葬品は、扇と毛抜という簡素なものである。

　しかし、3代綱宗〔正徳元年（1711）没〕の墓になると、懐中硯箱・刀子・鉄錐・折込ナイフ・鼈甲製定規・竹製規などの文房具、柄鏡・鏡架・懐中鏡・鋏・毛抜・耳かき・ようじ・櫛・牙製ヘラ・紅皿などの化粧道具、煙管、眼鏡および鞘、扇子、香木・合子・衛士籠などの香道具という豊富な副葬品が再び見られるようになる。こうした持ち物としての副葬品のあり方は、被葬者の個性の反映であろう。

　宗教・習俗関係の副葬品では、初代政宗〔寛永13年（1636）没〕の墓の一分金3枚、3代綱宗〔正徳元年（1711）没〕の墓の巾着に入った寛永通宝6枚、宝永小判10枚は、六道銭の習俗の範疇のなかでとらえることができるだろう。一分金や小判は大名家の格式を示すものと考えられる。また、3代綱宗〔正徳元年（1711）没〕の墓から出土した毛髪、数珠も宗教・習俗関係の副葬品であり、将軍墓との共通性がうかがえる。

　18世紀以降の江戸の大名墓の発掘事例には、済海寺長岡藩主牧野家墓所がある。享保20年（1735）に没した4代忠壽の墓（第4号墓）では武器・武具類の副葬がなく、持ち物類として矢立、刀子、柄鏡・毛抜・鋏、煙管、印籠、染付蓋物が出土した。また、8代忠寛〔明和3年（1766）没〕の墓（第11号墓）の副葬品にも武器・武具類は見られず、耳かき、印籠・根付、人形という持ち物類があった。宗教・習俗関係の副葬品は、4代忠壽の墓（第4号墓）の数珠、8代忠寛の墓（第11号墓）の厨子に入った仏像がある。

　このように、大名墓の副葬品は、基本的に将軍墓とよく似た傾向がうかがわれた。すなわち、武器・武具類について見ると、17世紀中葉までは実戦的なものが多く認められるが、18世紀以降は種類・数量が少なくなり、持たないものも見られるようになる。その他の副葬品の様相は被葬者の個性を

反映しながらも、17世紀前半から幕末まで大きな変化はなく、文房具・化粧道具・香道具などの個人の持ち物が副葬されていたのである。

３．４．　中小寺院墓地の副葬品

　發昌寺は、江戸時代には鮫河橋南町と呼ばれた地域の一角に位置する墓地の遺跡である。寛文７年（1667）に旗本三枝勘解由の息女登子を開基とし、呑龍和尚によって起立した境内750坪（年貢地）の曹洞宗の中小寺院であった。

　ここでは發昌寺の第２次調査で検出された墓のうち、遺存状態の良好なものと攪乱を受けながらも比較的良好なものを選び、その副葬品のセットと埋葬施設の関係について検討する（表１）（谷川1991a）。これは第２次調査で検出された墓113基のうちの22基（19.5％）にあたるが、全体的な傾向はある程度これで把握できると思われる。

　まず初めに気がつくことは、数珠と寛永通宝が埋葬施設の構造とほとんど無関係に多く副葬されていることである。寛永通宝は必ずしも６枚ではないが、いわゆる六道銭と考えられる。これは、数珠と寛永通宝（六道銭）を遺体とともに墓に納めることが身分・階層をこえた習俗であったことを示している。

　同様に、埋葬施設の構造と無関係に副葬されているものに櫛がある。發昌寺第２次調査では、甕棺５例、円形木棺（早桶）３例、構造不明１例で出土しており、しかも男性３例、女性２例、男女合葬１例、性別不明３例、さらに老年１例、熟年１例、壮年２例、成人３例、年齢不明２例と老若男女を問わないようである。櫛を副葬している墓があまり多くないので断言できないが、これも身分・階層をこえた習俗の可能性がある。

　港区増上寺子院群では、17世紀代から老若男女を問わず櫛を副葬しており、發昌寺でも第二期（17世紀後葉〜18世紀初頭）から第五期（19世紀前葉〜末）まで連続して見られることから言えば、それと系譜がつながる習俗なのかもしれない。なお、櫛を副葬するのは単にそれが化粧道具・装身具であるからではなく、魔除けの呪力をもっていたことも考慮しなければならないだろう。

　表１では、煙管を副葬する例も埋葬施設に関わりなく、男女の別が見られない。これは被葬者の生前の嗜好の反映であろう。

表1　發昌寺の副葬品のセット（谷川1991a、一部改変）

埋葬施設	No.	年齢	性別	時期	袴の腰板	入れ歯	櫛	扇子	団扇?	柄鏡	模造刀	煙管	磁器碗	漆器椀	土器皿	箱枕?	針	土鈴	数珠	直方体木製品	如意	三方	寛永通寶	その他
甕棺	68	熟年?	男性	三期							○		○				○		○		○	○	○	環状木製品
甕棺	74	壮年	男性	三期	○						○								○	○				棒状木製品・こより?・遺髪
甕棺	17	壮年	男性	五期	○		○	○					○						○					針金・和紙・藁紐他
甕棺	18	老年	女性	五期			○	○											○				○	
甕棺	24	壮年	女性	五期															○					針金・半球状ガラス製品・栓・棒状木製品
方形木棺	70	老年	男性	四期	○	○					○								○					
円形木棺	72	—	—	一期																				
円形木棺	2	壮年	男性	三期									○						○					
円形木棺	9	熟年	男性	三期																				
円形木棺	53	壮年	男・女性	三期															○				○	胡桃
円形木棺	78	壮年	男性	三期															○				○	
円形木棺	84	壮年	男性	三期															○					
円形木棺	94	幼児（四歳）・成人	不明・男性	三期										○										
円形木棺	98	壮年	女性	三期															○				○	
円形木棺	102	青年?	不明	三期																				
円形木棺	79	少年	不明	四期					○	○							○							筒状木製品・摘み状木製品・円盤状木製品
円形木棺	14	成年	女性?	五期					○				○						○				○	板状木製品・棒状木製品・釦状銅製品
円形木棺	21	熟年	男性	五期																				
円形木棺	62	壮年	男性	五期											○								○	
円形木棺	63	壮年	男性	五期																				
直葬	111	壮年	男性	二期																				
直葬	27	壮年	男性	三期															○				○	

次に、埋葬施設の構造と副葬品の関係を考えてみることにしたい。表1で目につくのは甕棺の副葬品の種類・量の豊富さである。先述の数珠や寛永通宝（六道銭）のほかに様々な種類のものが見られる。すなわち、埋葬施設に反映した身分・階層差は副葬品の多寡ともつながっている。

　身分・階層と副葬品の関係を具体的に示すものには、木製模造刀大小がある。表1では甕棺、方形木棺、円形木棺（早桶）で各々1例ずつ出土しているが、武家との関連をうかがわせる。同様に、袴の腰板も甕棺2例、方形木棺1例から出土しており、うち2例で木製模造刀大小と共伴しているところから、武家とつながる副葬品の可能性がある。

　なお、柄鏡はわずかに2例の出土であるが、いずれも甕棺からであり、しかも両方とも被葬者が男性であることは注目される。

　以上のように、發昌寺の副葬品について埋葬施設の構造との関連を中心に考えてきたが、副葬品には埋葬施設に反映している身分・階層差をこえて存在する数珠や寛永通宝（六道銭）と、格式の高い甕棺の副葬品の種類・量が豊富で、木製模造刀大小や袴の腰板などのように、逆に身分・階層に拘束されるものがあったと思われる。

　圓應寺は、正徳2年（1712）に起立した黄檗宗の寺で、開基は巨商広瀬氏、境内893坪6合3夕の中小寺院であった。圓應寺では、墓域によって墓のあり方が大きく異なっていた（栩木1995、西木1999）。墓域A区では墓道に沿って墓が比較的整然と配置されていたが、墓域B区では墓が過度に密集した状態であった。B区には格式の高い甕棺の墓が見られず、乳幼児を埋葬した火消壺転用棺が多い。被葬者の性比をA区と比較すると、男性の占める割合が圧倒的に高いのもB区の特徴であった。

　このようなA区の墓の被葬者は圓應寺の檀家層と考えられているが、B区の墓は檀家ではない都市下層民すなわち地借・店借や中間・部屋者などの武家奉公人たちが想定されている。彼らは人別に加わらず、死んだ後に「頼入」「口入」によって寺の墓地に「投込」「取捨」同然に葬られたという。

　ここでは圓應寺の墓のなかで埋葬の遺存状態が良好なものと攪乱を受けながらも比較的良好なものをとり上げて一覧表を作成した（谷川1993）（表2）。しかし、ここにあげることができた墓は12基で全体の13.5%にすぎないため、おおまかな傾向を指摘するにとどめておく。

　表2を見て気がつくことは、墓域B区のものには副葬品が認められないこ

176

表2　圓應寺の副葬品のセット（谷川1993、一部改変）

埋葬施設	No.	年齢	性別	墓域	櫛	簪	磁器碗	磁器小水注	陶器水滴	煙管	木製人形	羽子板	三味線	土鈴	刀子	針	数珠	銭貨	その他
木榔＋甕棺	71	壮年後半	男性	A													○		環状木製品・メロン仲間
木榔＋甕棺	78	壮年	女性	A	○										○		○	○	
甕棺	2	幼児（3歳）	？	A	○	○				○	○	○	○	○			○		瓢箪形木製品・板状木製品・サイコロ状木製品・針金
甕棺	24	20歳前後	女性	A					○										モモ
方形木棺	3	壮年	男性	A											○				板状鉄製品
円形木棺	7	青年	男性	A				○									○		板状木製品・留金具
円形木棺	11	壮年後半～熟年	男性	A													○	○	オニグルミ
円形木棺	35	壮年後半	男性	B															
円形木棺	44	壮年半ば	男性	B															
円形木棺	47	壮年・壮年半ば	男性2	B															
円形木棺	49	壮年	男性？	B															
火消壺転用棺	61	—	—	B															

とである。これは、墓域B区が非檀家の墓である根拠のひとつとなっている。また、圓應寺の副葬品の様相は、發昌寺とほぼ一致している。数珠と銭貨は埋葬施設の構造とは無関係に副葬されていると見て良さそうである。銭貨は必ずしも6枚ではないが、發昌寺と同様に六道銭と考えられる。

　全体では櫛は埋葬施設の構造や被葬者の老若男女に関わりなく副葬されていた。煙管の副葬は全体で3例と少ないが、幼児の墓から出土した例が1例あるのは興味深い。

　埋葬施設の構造と副葬品との関係を全体で見ると、総じて多様な副葬品をもつものは甕棺に多かった。このなかで性別・年齢不明の1例を除いた3例が幼児の墓であった。これは、埋葬施設に反映した身分・階層差が副葬品の多寡と関わっているとともに、子供に対するまなざしをうかがわせる。

4．江戸の墓制の変遷

　江戸の墓の埋葬施設の構造と家の格式、被葬者の身分・階層の関係や副葬品の中の個人の持ち物は、どのように成立、拡大したのであろうか。ここでは、まず江戸の墓制の変遷をたどってみることにしたい（谷川2004）。

将軍墓は3つの段階に区分できる。最初の段階は寛永9年（1632）に没した2代将軍秀忠の墓に始まるが、これは石室の中に輿にのせた風呂桶形の座棺（早桶）を納めていた。この時期の将軍墓は石槨をもたず、同時期の大名墓との共通性が認められる。

　陸奥仙台藩主伊達家墓所の初代藩主政宗〔寛永13年（1636）没〕および2代藩主忠宗〔万治元年（1658）没〕の墓は、石室の中に駕籠にのせた風呂桶形の座棺を納めた構造であった。また、寛永9年（1632）に没した備前岡山藩主池田忠雄の墓も石室の中に駕籠を納めていた。少なくとも寛永年間（1624〜1643）には将軍墓に指向した大名墓が造られていたと考えられる。

　将軍墓の2番目の段階になると、延宝8年（1680）に没した4代将軍家綱のときに区画を設け、門扉・柵垣を作り、基壇の上に銅製の宝塔を造立した。また、石槨石室墓の中に木棺を納めた銅棺を置く形式が確立したと推定される。その後、将軍墓は7代将軍家継〔正徳6年（1716）没〕の墓以降石造の宝塔を用いるようになり、これを最後に御霊屋（廟）の造営をやめる。これ以降が3番目の段階である。

　大名墓の場合も、越後長岡藩主牧野家墓所では4代藩主〔享保20年（1735）没〕のときに、埋葬施設の構造が定式化したようである。陸奥仙台藩主伊達家墓所でも、3代藩主綱宗〔正徳元年（1711）没〕を最後に廟をつくることをやめ、石製の墓標を造立するようになった。このように、将軍墓と大名墓は、寛永年間（1624〜1643）以降、17世紀後葉と18世紀前葉という二つの画期をはさんで、ほぼ同じような歩調をとりながら変遷していったのである。

　また、埋葬施設の変遷を見ると、石組墓や長方形木棺が姿を消し、甕棺が出現する17世紀後葉に画期があった。方形木棺は現段階では18世紀前半までは遡る。また、17世紀代には火葬の割合が比較的高い墓地と低い墓地があり、ほぼ18世紀以降になると火葬の占める割合が全体に低くなる。

　このように、江戸の墓制の変遷上の画期は17世紀後葉と18世紀前葉に認められるのである。

5．江戸の墓と家と個人

　埋葬施設の構造と家の格式、被葬者の身分・階層の関係は、17世紀後葉と18世紀前葉という2つの画期を通じて成立したのであろう。すなわち、将軍と大名の墓制の秩序が寛永年間（1624～1643）に先行して確立し、その後、17世紀後葉に旗本などの幕臣の墓制の秩序が成立したように、墓制の秩序が身分・階層間を下降していったと考えられるのである。

　一方、江戸の墓の副葬品の変遷は次のようであった。17世紀代の将軍墓や大名墓には、豊富な武器・武具類が見られるものが多い。ところが18世紀以降になると、武器・武具類が少ないか、持たないものが主体となる。その他の副葬品は被葬者の個性を反映し、17世紀前半から幕末まで文房具・化粧道具・香道具などの個人の持ち物が副葬されていた。

　16世紀末に創建され明暦の大火（1657）後に移転した、日蓮宗朗惺寺の墓地にあたる中央区八丁堀三丁目遺跡第2次調査では、副葬品をもつ墓は半数以上を占めていた。六道銭を副葬する墓は40％以上、数珠は20％、両者が出土した墓は14％であった。

　副葬品と被葬者の関係を見ると、乳幼児を葬った円形木棺（早桶）墓から木製模造刀、壮年女性の土葬直葬墓から小刀、成人の早桶墓から懸仏、乳幼児の円形木棺（早桶）墓から印籠が出土し、櫛は前述の發昌寺や圓應寺と同じように、性別・年齢と無関係に副葬されていた（蔵持・鈴木2003）。

　このように、17世紀前半の江戸の一般の墓では、個人の持ち物などの身分・階層、性別・年齢差を反映する副葬品は必ずしも広がっていなかったように思われる。ほぼ18世紀以降になると、先に發昌寺と圓應寺で見たように、江戸の墓の副葬品には、身分・階層を越えて存在するものがある一方で、逆に身分・階層に拘束されるものが認められるようになる。

　塚本学氏は「江戸時代人の持ち物」（塚本1993）という講演のなかで、江戸時代を通じて次第に個人の持ち物が増えていき、とくにそうした意識が広がっていくのは江戸での影響が大きく、そのひとつとして墓の副葬品の中の個人の持ち物について注目している。

　墓の副葬品の中の個人の持ち物がいつ頃からどういった形で現れるのかは、考古学の側から検証するべき問題であろう。先にあげた發昌寺と圓應寺の墓の副葬品の中では（表1・2）、煙管の多くは個人の持ち物の可能性が

高く、数珠や櫛は宗教的な意味も考えられるが、個人の持ち物でもあったように思われる。また、袴（の腰板）や入れ歯、扇子、柄鏡、磁器碗や漆器椀、簪、陶器の水滴、玩具なども、基本的には個人の持ち物を想定できる。

　17世紀前半から、将軍墓・大名墓の副葬品の中に文房具・化粧道具・香道具のような個人の持ち物が多く見られたが、こうした遺体とともに個人の持ち物を墓に入れるという習俗が、ほぼ18世紀以降に身分・階層間を徐々に下降した可能性が考えられる。

　以上述べてきたように、江戸の墓と家と個人の結びつきが、17世紀後葉と18世紀前葉という2つの画期を通じて成立、拡大していったことは明らかであろう。その背景には、江戸時代の人々の家意識および個人意識の高揚という心性史上の大きな潮流があったと思われるのである。

参考文献

伊東信雄（編）1979：『瑞鳳殿伊達政宗の墓とその遺品』瑞鳳殿再建期成会。

伊東信雄（編）1985：『感仙殿伊達忠宗善応殿伊達綱宗の墓とその遺品』財団法人瑞鳳殿。

河越逸行 1965：『掘り出された江戸時代』丸善。

蔵持大輔・鈴木伸哉 2003：「埋葬施設の検討」『八丁堀三丁目遺跡II』八丁堀三丁目遺跡（第2次）調査会、237-241頁。

惟村忠志 2007：「考察―法正寺遺跡の調査成果」『法正寺遺跡』大成エンジニアリング株式会社、47-51頁。

鈴木　尚・矢島恭介・山辺知行（編）1967：『増上寺徳川将軍墓とその遺品・遺体』東京大学出版会。

鈴木　尚 1985：『骨は語る徳川将軍・大名家の人々』東京大学出版会。

高山　優 1992：「被葬者について」『天徳寺寺域第3遺跡発掘調査報告書』天徳寺寺域第3遺跡調査会、343-347頁。

田口哲也 2009：「関東の近世墓」『考古学雑誌』93　日本考古学会、1-48頁。

谷川章雄 1987：「自證院遺跡における墓標と埋葬施設」『自證院遺跡』東京都新宿区教

育委員会、188-194頁。

谷川章雄 1990:「江戸の墓地と都市空間」『文化財の保護』22　東京都教育委員会、140-152頁。

谷川章雄 1991a:「發昌寺跡における埋葬施設と副葬品」『發昌寺跡』新宿区發昌寺跡遺跡調査会、143-147頁。

谷川章雄 1991b:「江戸の墓地の発掘―身分・階層の表徴としての墓―」『甦る江戸』新人物往来社、78-111頁。

谷川章雄 1993:「圓應寺跡における埋葬施設と副葬品」『圓應寺跡』新宿区厚生部遺跡調査会、106-110頁。

谷川章雄 1996:「江戸および周辺村落における墓制の変遷」『帝京大学山梨文化財研究所シンポジウム報告集「中世」から「近世」へ』名著出版、135-158頁。

谷川章雄 2004:「江戸の墓の埋葬施設と副葬品」『墓と埋葬と江戸時代』吉川弘文館、224-250頁。

塚本　学 1993:「江戸時代人の持ち物について」『特別展「江戸のくらし」＜近世考古学の世界＞記念講演会・座談会報告書』新宿区教育委員会、1-25頁。

栩木　真 1995:「寺院と墓地―江戸の中小寺院」『季刊考古学』53　雄山閣、47-50頁。

西木浩一 1999:『江戸の葬送墓制』都史紀要 37　東京都。

芳賀　登 1987:『葬儀の歴史』雄山閣。

松本　健 1990:「江戸の墓制―埋葬施設にみられる武家社会―」『文化財の保護』22　東京都教育委員会、153-168頁。

和田千吉 1901:「死體埋葬に甕を用ゐし事實の研究」『考古界』1-3　日本考古学会、17-22頁。

Graves in the Early Modern Period of the City of Edo, the Family, and the Individual

by Akio TANIGAWA

As for the archaeological study of burial customs and graves in the early modern period of the city of Edo, much data has been accumulated in the past twenty years or so, since the latter half of the 1980s. Consequently, archaeological information from the early modern period of Japan has greatly increased. For example, one of the features of graves from the Edo Period which has recently come to light is the rich variety of burial styles, each style depending on the deceased's rank in society. These include:

1. *Shogun* and *Gosankyo* (the three branch families of the Tokugawa House): stone structure protecting the coffin, stone chamber
2. *Daimyo*: stone chamber
3. *Hatamoto* (a direct retainer of the *Shogun*) and vassal of the *Shogun*: wooden coffin in wooden chamber with a floor of charcoal or lime plaster, ceramic jar in wooden chamber with a floor of charcoal or lime plaster, ceramic jar in wooden chamber, ceramic jar, square wooden coffin
4. *Machinanushi* (the head of a town): ceramic jar

It was at the end of the seventeenth century and the beginning of the eighteenth century, that the forms of graves were fixed into patterns that reflected the social status and class of their occupants. Many valuable weapons are seen among the burial items of shogun and daimyo graves during the seventeenth century. However, after the eighteenth century, the burial items of most shogun and daimyo graves contain few such weapons. Other burial items of shogun and daimyo graves reflect the individuality of those buried therein. From the first half of the seventeenth century to the last days of the Tokugawa government, an individual's property including stationery, grooming items, and items used for the incense ceremony were buried in shogun and daimyo graves. This indicates that a relationship between graves of the Edo Period, the family, and the individual was established at the end of the seventeenth century and the beginning of the eighteenth century in Japan.

伴侶を亡くした男性の二事例
——緩和医療現場での学び——

奥 野 滋 子

はじめに

　配偶者と死別した遺族、特に男性遺族は、他者に助けを求めることができない場合、他者は感情を理解することが難しく、強い悲嘆から自殺に至ることさえある[1]。以前は自宅で家族・親族によって看取られていた死は、ひとにとって非常に身近なものであった。しかし現在は少しずつ在宅死が増えてきているとはいっても、ほとんどの場合、死の現場は病院の中にあり、治療ではなく、死ぬという目的のために病院が利用されている。

　配偶者の死後の遺族の生き方は様々であって、悲嘆の反応、悲嘆からの回復に向かう過程、乗り越え方、要する時間など実に多様である。最近、遺族ケアの必要性が叫ばれるようになり、医学分野、心理学分野、とくに看護分野で悲嘆のケアについて数多くの研究がなされ、たくさんの本が出されている。悲嘆のケアは重要であるが、遺族の悲嘆に対するマニュアル的な対応は不可能であると考える。それぞれの遺族はすべて異なる事情を抱えているだけでなく、生き方も考え方も多様である。また同時に複数の遺族が関係してくるために、容易に役立つマニュアルなどは作成できないからである。

　本論では、緩和医療現場における二つの事例を紹介しながら、遺族とその様々な問題について考えてみることにする。最初に、妻の死後に後追い自殺まで考えた夫が、亡き妻との対話によって、生きていく力を取り戻していった事例、次に、仕事一途の男性が死にゆく妻と向き合うことができず、自らの死も受け入れることを拒否し続けた事例を提示する。ある種対極に位置するともいえる二つの事例を比較しながら、配偶者の看取りの経験と、その後の配偶者との関わりによってもたらされた仕事観、家族観、死生観などの価値観の変化が、その後の生き方にどのような影響をもたらすのか、死について折にふれて考えたり、話し合ったりする日常生活のあり方や、遺族が死別

体験後の人生を生き抜くためにはどのようなことが支えとなりうるのかなどについて検討する。そして患者も家族も医療者も日頃から死について考えておくことの重要性を再考する。

1. 配偶者を亡くした男性遺族の事例

1.1. 妻の死後も深い関係性を保てた男性

　60歳代男性、武道家。妻は50歳代。二人とも普段から健康には気をつけており、体力には自信があった。夫婦二人暮らしで、どこに行くにも一緒であった。近所に買い物に行くときも二人連れだって出かけたという。趣味は二人とも旅行であり、時間を見つけては日本全国あちらこちらを旅していたようである。

　ある日、Aさんは妻が咳をしているのが気になった。ずいぶん前から咳が続いているようで一向に改善しない。しかし妻から「病院に言った方がいいかしらね」と聞かれた時、「大丈夫じゃない。風邪でも引いたんじゃないの。大したことないよ」と言って受診することを勧めなかった。それから2カ月が経過し、妻に次第に息切れの症状があらわれるようになってきたため、さすがに心配になり病院を訪れた。病名は肺がん。すぐに入院して治療が始まった。手術・化学療法・放射線療法とできる治療はすべて受けた。しかし、一時的に回復に向かったものの、がんはふたたび勢いを増し、安静にしていても呼吸が苦しく、胸部に痛みを感じるようになった。胸水が溜まり、肺の写真はすりガラスのように白くなり、がん性胸膜炎と診断された。すでに積極的にがんを治す手立てはなく、呼吸苦などの苦痛症状を緩和するために緩和ケアを受けることになった。自分の病気のことはきちんと知っておきたいという本人の希望もあり、夫婦ともに病名だけでなく、病状についても説明を受け理解していた。このとき妻は自分の病気がすでに終末期の状態にあることを知っていた。

　つらい症状を軽減させるために入院して緩和ケアを受けることになったが、妻はそこが終の棲家になると覚悟していたようである。妻の入院療養中、Aさんは毎日面会に病室を訪れた。日中は病室ですごし、夜は自宅に戻るという生活が続いた。がんが進行してくると、苦痛症状が緩和されていたとしても、食欲低下や不眠、全身の倦怠感、不安、寂しさ、集中力の低下な

ど様々な体の変化が生じてくる。妻の闘病中から夫婦で最期のことについて
も話し合っていたそうで、妻の衰えてゆく姿を目の当たりにしても、「大丈夫
だよ」、「今日は頑張ったね」、「何か食べる？」と何時も変わらぬ穏やかな調
子で声をかけ、妻を励まし続けた。Ａさんは誰にもつらい気持ちを漏らすこ
となく、いつも落ち着いて淡々と話されるので、筆者らは「本当に妻の病状
が厳しいこと、近く別れが来るであろうことをＡさんは理解されているのだ
ろうか」と心配したくらいである。

　ある日の朝、病室からＡさんがいつになく厳しい口調で「いいか、食べる
んだ。気合いだ。食べなきゃダメだ」と妻を大声で叱咤激励している声が聞
こえてきた。急いで部屋に行ってみると、妻が「怒らないで。もう食べられ
ないの。頑張ってももう無理なの」と泣いている。Ａさんに声をかけると
「食べられなくなったら終わりだと言うでしょ。少しでも食べてほしいんで
す。病気が進んでいることもわかっているけれど、弱っていく妻の姿とみる
のがつらくて。自分まで苦しくなってしまうんです。私の体重も以前に比べ
10kg 近く減ってしまいました。やっぱり何としても少しでも長く生きてほ
しいのが本音です。今日は自分の気持ちが先立ってついつい強く言ってしま
いました」と話される。

　一方、妻から病棟スタッフに最期の過ごし方について次のような希望が話
されていた。

　　　ふつう、意識がなくなった時や死が近づいた時には、最期の挨拶に親戚
　　とかいろいろな人がお別れに来るでしょう。でも私のわがままかもしれ
　　ないけれど、親戚の中にも会いたくない人もいるの。できることなら最
　　期の時は夫と二人で静かに過ごしたいわね。

　そしてある日、担当医である筆者が部屋を訪れた時、妻からＡさんへの
メッセージを託された。

　　　私が死んでしばらく時間が経ってから、夫に伝えてほしいことがありま
　　す。今、夫に直接私から伝えれば、気持ちがつらくなって途中で話がで
　　きないかもしれない。死の直後に伝えれば、寂しくなって彼が後追い自
　　殺に走るかもしれない。だから少し後になって夫が落ち着いたころ、1

カ月が過ぎたころに伝えてもらえませんか。

　筆者はそのメッセージを受け取り、亡くなって1カ月経過したら、それを
Aさんに伝えることをその場で約束した。
　衰弱が進み、眠っている時間が少しずつ長くなっていったが、妻は「大丈
夫だから」と夫の体を気遣い自宅でゆっくり休めるようにとAさんを引き止
めることをしなかった。その妻が、ある日「そばにいてほしい」と訴えた。
Aさんはその夜から妻のベッドの傍らのソファベッドで付き添うことにし
た。妻は目を開けては再び深い眠りに落ち、会話はほとんどできなかった。
名前を呼んでも目覚めることはなく、徐々に血圧が低下し、呼吸が浅くなっ
て、その時が差し迫っているということが誰の目からも明らかとなった。
次々に見舞客が訪れ、その都度Aさんが対応していた。夕方、最期の面会者
を夫が玄関まで見送りに行き、再び病室に戻った時、妻の呼吸は一層弱く
なっており、もうまもなくその時が来ることが予想された。最期の時は二人
きりで過ごしたいという彼女の希望通り、Aさんに妻を抱きかかえてもらっ
た[2]。「なあ、まだこんなに暖かいのにもう行ってしまうのかい？　よく頑
張ったもんなあ。もう休んでいいよ。私は大丈夫だよ。ありがとう」と妻に
語りかけ、そして夫の腕の中で妻は静かに息を引き取った。
　妻の死後、10日ほど経ってAさんが病棟を訪れた時、「一人だけ取り残さ
れた」「会えないのがつらい」「夫婦で一緒にいる人たちを見るとつい羨まし
くなってしまい、見たくない」「何もする気がしない」「力が抜けきってし
まった感じ」を訴えた。妻の影を探しに妻と一緒に行った場所に行くのがつ
らい、いっそ死んで妻のところに行こうかと自殺も考え、風呂場で首をつろ
うと思ったがポールが落ちて死ねなかったと話された。死別体験によるうつ
が疑われたため精神科を受診することを勧めたところ、薬によって不眠・漠
然とした不安定な感じは改善し少し元気になったように見えた。しかし喪
失感、こころの虚しさが楽になることはなかった。自殺しようと考えた時、
テーブルの上の写真の妻に、「死んだらだめ。私の分も生きるのよ」と言われ
ているような気がしたという。
　この時、筆者は妻から託されたメッセージを伝えることにした。約束では
1カ月以上たってから伝えるはずであったが、その時のAさんには最も大き
な支えになるであろうと考えた。

私は息子と一緒にいるので寂しくはない。いつもそばであなたのことを見守っている。幼くして亡くなった息子、少しばかり寿命が短かった私の分まで、あなたには生きてほしい。決して途中で自らの命を絶つことのないように。もし生まれ変わりがあるのなら、私はまたあなたと出会い、結婚したい。この先もずっと良き伴侶でいたい。

息子さんを亡くされたことを、筆者が入院後に妻から聞いて知っていたと伝えたところ、「へえ、妻がそんなことを言っていたんですか」と驚き、大切な子どもの死を受け容れることが妻にとって如何につらかったかを言葉少なに話してくれた。筆者は死にたいといったＡさんの気持ちを否定しなかった。しかしＡさんは妻からのメッセージを受け取り妻の気持ちを理解し、今後自ら死を選ばないということを約束してくれたのである。妻から「夫がちゃんと生きていけるように守ってね」というメッセージを同時に受け取っていた筆者は、Ａさんとメールアドレスを交換し、いつでも連絡を取り合えるようにした。その時々のつらい気持ちをＡさんはメールで語ってくれ、筆者からも時々世間話や自分の身の回りに起きたことなどを報告した。

　患者さんが亡くなった後、再び病棟を訪れる遺族は少なくない。彼らは「お世話になったお礼に挨拶に来た」というが、担当医や看護師と思い出話をし、涙し、つらい気持ちを吐露することで、喪失の悲嘆を乗り越えようともがいている。中には悲嘆が強く、日常生活もままならない人もあり、時にうつ病を発症し自殺の危険が考えられる場合がある。定期的に病棟に会いに来てくれるようにお願いしてその後の生活状況や健康状態についても話を聞くようにしている。特に遺族外来という外来診療の枠に取り込むことはせず、あくまでも亡くなった家族と過ごした病棟で当時の話をしながら一緒の時を過ごしている。必要に応じて、精神科受診やヘルパーなどの社会的支援制度の導入を勧めることもある。数回会いに来られ、多少なりとも気持ちが落ち着いてくると、自然に来棟の間隔が空いてくるので、その後は電話やメールでのやりとりを続けている。また遺族によっては、深い悲しみからかえって病院への足が遠のく場合もあり、この場合も同様に電話やメールを通じて自助努力を促すように関わっている。担当看護師からは遺族に宛てて四十九日ごろに故人を偲ぶ手紙を送っており、返信をいただいた中で、非常に

悲嘆が強く健康を害していると推測される遺族には連絡を入れて、会いに来てくれるようにお願いしている。

　1カ月に一度、Ａさんは病棟に来てくれ、妻の写真を見せながらその間に身の回りに起こった出来事を話してくれた。妻の写真はいつも持ち歩いているという。次にＡさんが話してくれた出来事をいくつか紹介したいと思う。

①鍵を亡くしたときのこと

　Ａさんは健康のため、ジョギングをするのが習慣だった。妻の入院中は止めていたが、一人暮らしになって再開した。その日は出かける時から妻が一緒にいるような気がしていた。いつものコースを一回りして自宅に戻ったが、ポケットにあるはずの鍵がなかった。途中でジャケットを脱いだ時に落としてしまったのであろうと、近くを探したが見つからなかった。途方に暮れ、何気なく腰に手を当てた時、トレーニングパンツに鍵が引っかかっているのに気がついた。その時、自分が困っていたので妻がそっと鍵を戻してくれたのであろうと感じた。

　　私がボーっとしていたから、『大丈夫？しっかりしてね。鍵はここよ』って助けてくれたんでしょうね。何かこうね、いつもそばにいて助けてくれている気がするんですよ。

②残された一膳の箸のこと

　金沢旅行の時に二人で購入した夫婦箸があった。妻が亡くなった時に彼女のものは棺に入れてあげたので、自分の箸一膳だけが残された。もうお揃いでなくなった使い古しの箸を新しくしようと思い、自分用にと一膳購入した。食後に洗いカゴに入れておいた食器を片づけようとしたところ、食器はそのままになっていたのに、箸だけが排水溝のふたに突き刺さっていた。

　　これを見たときにね、『どうして私の分のお箸も買ってきてくれなかったの。自分のだけ買ってきて……。』って妻に怒られた気がしましてね。あぁ、あの箸をもう一度手に入れなきゃと思ったわけですよ。でも金沢のなんていう店で買ったかなんて覚えていないし、あのときと同じものはもう手に入らないとあきらめていたわけです。それで、何気なく食器

棚の引き出しを開けたら、なんと、その箸を買った金沢の店の包み紙を見つけたんですよ。急いでその店に電話しましてね、箸のことを伝えたら、これまた不思議でね、一対だけ店にあるというんですね。すぐに送ってもらいました。思い出のおそろいのお箸が欲しかったんでしょうね。だから私がすぐに取り寄せられるようにと、彼女が連絡先がわかるようにしておいてくれた。何でもお見通しですよ。そばにいるって感じられるんです。

　しばらくして、のどに食べ物がつかえる感じがして病院で検査を受けた夫は、食道がんと診断され手術を勧められた。その際、自分の病気のことはすべて知りたいと希望した。

妻に先立たれ一人になってしまった今、この世に未練も執着もないんですよ。死ぬことも怖いとは思わない。このまま何も治療をせずに病気が進んで自然に最期が来てもいいようにも思えるんだけど、自殺しようかななんて思った時も妻に助けられ、その後もずっと妻は私の生活を見守ってくれているでしょう。やっぱり手術も受けてできるだけの治療は頑張って受けてみようと思っています。

手術のために入院してきたＡさんの部屋には妻の写真が飾られていた。

食道がんの手術は難しいんでしょう。時間もかかるし、手術後の回復も大変だと聞いています。まぁ、うまくいかなかったら妻が呼んでくれていると思いますよ。経過が順調で回復できれば、妻が頑張れって言っているんでしょうね。こうして毎日そばにいてくれてますよ。自分が死んだって彼女のところに行くだけだから怖くはないね。

　治療が効を奏し、Ａさんは今も一人暮らしを続けている。病院の遺族会へも積極的に参加している。妻の写真を日常の生活空間のいたるところに飾り、妻に声をかけているのだという。そしてどこに行くにも妻の写真を忘れない。メールでの筆者とのやりとりは今も続いている。
　最近では夫婦の趣味だった旅行に行けるまでになり、第二の人生を謳歌し

ている。

1.2.　妻の死後に死への恐怖が増した男性

　60歳、男性。有名国立大学を卒業後、コンピューターエンジニアとなり、企業の第一線で働いていた。定年退職直前に肺がんになり、しばらく休職してその日を迎えたが、仕事を全うしたというよりは喪失感だけが強く、「他の人は今も仕事をしているのに、自分はもう何をしていいのかわからない。自分の輝ける人生はとうに終わってしまった」と人生の敗北を語ることがあった。妻は一年前に大腸がんで他界し、一人暮らしをしており、家の敷地内に息子夫婦が住んでいるが普段あまり行き来はなかった。

　仕事人間だったＢさんは、妻が大腸がんと診断された時も仕事が忙しく、休暇を取ることもできず、外来受診の時も付き添うことはなかった。病状に関しても妻からの話を聞くだけで、自分が医師から説明を受けることはなかった。しかしこのことに関しては、Ｂさんは後に妻の病状を聞くことが恐ろしかったと話している。いつも仕事からの帰りが遅い夫は、妻の入院中もほとんど見舞いに来ることはなく、週末には面会に訪れるものの長く病室に居ようとはしなかった。妻は衰えゆく体から自ら死期が近づいていることを知っていたようで、自分の死や死んだあとのことを夫に伝えようとするのだが、その話題になるといつもＢさんは不機嫌になり、別の話題にすり替えてしまうのだった。死について話し合うことはＢさんにとっては縁起でもないことであり、「死なんて言葉を口にすると、それだけで本当に死んでしまう気がして怖かった」と話していた。妻は、Ｂさんとはこれから先のこと、自分の死後のことを話し合うことは難しいと感じていたようであった。Ｂさんには身内の死別の体験がなかった。つねに仕事優先の生活であり、普段から夫婦の会話は少なかったそうである。まして夫婦間で死について話をしたことなどなかったという。妻が亡くなった時、前日から徐々に血圧が低下しお別れが近いことは伝えられていたが、その日の朝も仕事のために会社に出勤しなければならないと言って出かけて行った。病院からの連絡を受けて急遽病室に戻った時にはすでに妻は亡くなっていた。Ｂさんはベッドの傍らに立ち、毅然とした態度で筆者らに「ありがとうございました。この後はどんな段取りになりますか。」と聞いた。「死亡の確認をした後、体をきれいに拭き、お化粧を施します。ご主人には葬儀社への連絡をお願いしたい」と答え

ると、どこに頼むか考えていなかったと言う。「抱きかかえてあげますか？」と声をかけたが、「いいえ、結構です」と言われたので、そのまま死亡確認を行うことにした。涙も見せず、終始無表情であったのが少し気になったので、帰り際に「何か気持ちがつらくなるようなことがあれば、いつでも連絡してください」と声をかけたが、「大丈夫です。お世話になりました」といってお帰りになった。

　Bさんは、妻の入院療養中に咳を自覚していたが、空気が乾燥しているためと考え放置していた。しかし、妻の死後も咳は続き、倦怠感も自覚するようになって病院を受診した。診断名は肺がん。すでに胸水が貯まり、手術は不可能と言われた。化学療法が始まったが、治療に対する効果は芳しくなく、肺のリンパ管にがん細胞が入り込みがん性リンパ管症を引き起こして著しい呼吸苦を生じていた。病名・病状は告知されていたが、予後の告知は本人が希望していなかった。息ができない感覚は死をイメージさせると言われる。それほど苦しく不安になるのである。「苦しくてもう死にそうだ。助けてくれ」と言われ、酸素を吸入すると「死ぬかと思った。少し楽になってきた。」と話す。「冷たくて暗い感じ。よく暗いトンネルとかいうでしょう。死んでしまって今の俺のすべてが消えてしまうって怖いですよ。死にたくない。あの世なんて何だか宗教的ですよね。科学で証明されているわけでもないし。死後の世界なんて信じられないな。妻が死んだ時のあの冷たさは今思い出してもゾッとします。俺はまだまだ大丈夫ですよね？」と話す。いつかは死ぬことがわかっているが、自分にその時が近づいているということは考えたくないようであった。

　モルヒネには鎮痛効果とともに呼吸苦を軽減させてくれる作用があり、呼吸苦の緩和にはモルヒネが第一選択薬として用いられる。しかし彼は「モルヒネを飲むと死んでしまう。怖い」と言って拒否し、何度も繰り返して安全性を説明してようやく使用の許可が出た。もう目が覚めないのではないかと思うと夜が怖く眠れないので、朝になって空が白々と明るくなるころにやっと眠りにつく。不安が強く一人ではいられないのでそばにいてほしいと看護師を離さない。本人は家族の付き添いを希望していたが息子が付き添うことはなかった。気分の落ち込み、集中力の低下、全身倦怠感増強、食欲不振など抑うつ的な症状も出現し、時々「生きている実感」が持てないと話していた。「もうすぐ死んじゃうんだ」「いやだ、死にたくない」と興奮したかと思

えばずっと布団をかぶって寝ていることもあった。モルヒネを始めとする薬剤調整により、身体的な苦痛症状はおおむねコントロールがついたが、本人の表現する〈自分をあの世に連れて行こうとする影〉〈死んだ妻〉に怯え、手で振り払おうとする行動がしばしば見受けられた。これはせん妄と言う意識障害による症状と考えられたが、以前からの死に対する非常に強い不安が関係するように思われた。最後は出血により急速に意識が低下し、数時間後家人が到着する前に医療者によって看取られた。しかしそこには死の恐怖で歪んだ顔はなく、穏やかな表情のBさんに戻っていた。

1.3. 二つの事例の相違点

　紹介した二事例の主だった相違点について以下の表に整理してみたいと思う。ここで断っておきたいのは、この比較は、二事例のうちどちらかがより好ましい死であるといったことを意味するものでない。生まれてから死に至るまでの一続きの人生の中で、たった二つの事例であっても、これだけ生き方や価値観が異なるということ、それはまた個人の問題ではなく、社会や環境によって少なからず影響を受けるものであることを示したいと思う。

		Aさんの事例	Bさんの事例
1	過去の死別体験	あり（子ども）	なし
2	普段からの夫婦の関係性	密接	仕事優先の生活
3	死についての話題	普段の会話で話されていた	なし
4	後追い自殺願望	あり	なし
5	妻の看取り方	抱いて看取った	妻の死後に到着
6	亡くなった時の妻の状態	暖かい、もう行ってしまうのか	冷たくて不気味な感じ
7	定年退職について	退職後妻との旅行を楽しみにしていた	敗北感
8	あの世の存在・死後の生命	あると考えている	科学的証明がない・無いと考えている
9	死後の妻の存在	つねにそばにいる	消えてなくなった
10	妻の死後の自分の生き方	自然に任せて寿命を全うしたい	自分に死が訪れることが信じられない

11	妻の支えについて	死後も支えられていると感じている	支えられているとは感じられない
12	生きがい	息子と妻の分まで生きるのが自分の役割	生きている実感が持てない
13	遺族会への参加	あり	なし
14	他者への悲嘆の表出	あり（メールでやりとり、兄弟との食事会）	つらい気持ちを誰に打ち明けていたかは不明

2．隠される現代の死について

　医学がどれだけ科学としての発展を遂げても、人はいつか必ず死ぬ。医療は人の命を直接的に扱い、現代では人間の生死に人為的な操作を加えることは、技術的には容易となってきた。しかし単に命をつなぐことよりも、生きる意味を求め、人間の善や幸福を追求し、患者の意志や自己決定など自律性の権利を尊重しようとする動きが近年盛んになってきている。今、日本では死はどのように理解されるのであろうか。臨床的には死の兆候が確認された時点で死が確定する。また全脳死をもって死とするという「死の再定義」がなされたことにより、臓器移植や治療中止が是認されるに至った。『医学大辞典』に「死」という言葉の解説は見当たらない。「死の判定」には「死とは循環機能、呼吸機能、脳中枢機能の三大徴候が永久的・不可逆的に停止した状態をいう」とあり、また「死（somatic death）に対して、全身を構成するすべての細胞の死をもって死の本態とする考え方がある[3]」と記されている。『看護学大辞典』によると、「死」については、「人の死には定義が必要である。その理由は、①人の『死』は国の法令・告示・通達のみによって決まるものではなく、医学・医療界における共通認識（合意）と社会の受容（合意）の上に成り立つものであり、②社会的な存在である人の死は、種々の責任関係を規定することにある[4]」とし、脳死や安楽死に関する簡単な説明が付してある。『宗教学辞典』の「生と死」を引くと、「現代は死を忘れている時代であるといわれる。たしかに近代合理主義は、人間を様々な死を遠ざけることに成功した。現代人はもはや死を通して生を考えたり、生の一部分として死を見たりする習慣を失った。現代は生だけが満ちあふれている時代であるといえよう。(中略) 個々人としての人間の行動を根本的に規定している動機は、いうまでもなく個体維持の本能であるが、これは死の危機に迫

られるとき、生への執着としてあらわれる。そして生の存続を願う」、「死に
よって自己というものが消滅するということに、人々は耐えがたい苦悩を覚
えた」とした上で「現代人は、自分の死に対しては無防備に等しく、それに
直面させられたときなすすべをしらない[5]」と解説している。

　精神科医であり、死と死に至る過程についての権威であるエリザベス・
キューブラー＝ロスは、「わたしたちは人生をはかないものだと考えること
を好まない。人生はいつまでも続き、すべてが永続するとおもいこみたが
る。そのため来るべき究極の喪失である死を直視することも嫌う。末期患者
の家族の多くが死から目をそらし、自他を欺いている姿には痛ましいものが
ある。かれらは目前に迫った喪失について語りたがらず、ましてや死の床に
ある愛する家族に対しては、決してその話題に触れようとはしない。病院の
スタッフも患者との会話で死や喪失に関する話題を避けたがる[6]」とし、死
や喪失について語らないことが死にゆく人たちへの思いやりだという考えを
近視眼的で愚かなことだと指摘する。また彼女は「死を理解しようとする人
の前に立ちはだかる一番大きな障壁は、おそらく、意識が失われたら自分の
いのちの最期は想像することもできなくなるということであろう。だから、
唐突におとずれる恐ろしい生の中断、悲劇的な殺戮、憎むべき病気の犠牲と
してしか死を考えられなくなるのだ。いわば、耐え難い苦痛としての死であ
る。ところが、医師にとっての死は意味が異なる。医師にとって死は失敗で
あり、敗北だった。わたしは病院の誰もがいかに慎重に死の話題を避けよう
としているかに気づかないわけにはいかなかった[7]」と述べているが、医療
者による死の隠蔽化は過去のことではなく今現在も続いている。身近で自然
なものであった死が、医学・科学の進歩によって延命の機会を与えられ、遠
い存在となって、忌むもの、隠されるべきものとして変化してしまったこと
で、現代人に余計に死への恐怖をあおることになったことは否定できない。

3.　死ぬまでの互いの役割

　夫婦のどちらかが深刻な病気になったときに、周囲の話題がすべて病気に
集中してしまい、介護者の気持ちが置き去りにされてしまうことが良くあ
る。死にゆく人より、その周囲にいて寄り添う人にとっては、死に恐怖は大
問題である。どのようにして接するのが良いのか、何を話せばよいのか、自

分の言動や行動によって相手に不安を与えないように、体調を悪化させ自分の目の前で死が訪れることがないように最大の注意を払っている。張り詰めた緊張の中にいると、逃げ出したくなり、部屋の中にいることすらできなくなるかもしれないが、それは自己防衛であって他者に責められることでもない。自分の気持ちに素直になり、相手だけでなく自分自身にも慈悲の心をかけるように、そして人は死の恐れを乗り越え、慣らし克服することができるのだとキューブラー＝ロスはいう[8]。

　死の前にやっておくべきことを考える時、自分のためにやっておくべきことと、相手のためにやっておくべきことがあると考えるのがふつうである。しかしどの立場を取っても、その根幹をなすものを一言でいえば、それは人間関係の構築に他ならないのではないか。人が死にゆくまでの間に果たす役割とは、まさに他者との関係性を構築することであろう。ひとりひとりが、死に行く人に安心感を与える存在となれるように、死について隠さず話し合えるように、他者とつながり、他者を愛し、互いの存在意義・死後にまで及ぶ関係性の存続を確認できるような共同体をつくることは、死が訪れたときに自分を死の恐怖から救ってくれるかもしれない。

4. 死にゆく側の役割

　脇本は、「よく死ねる」ための準備として、仕事に没頭して激しく「よく生きる」という職責の実践もあるとしながらも、「病床から離れられず、寝たきりでただ死を待つのみというふうな人にとっては、仕事に生きがいを見出すことなど望むべくもない。そのような事態においてもなお、死を意味づけるとともに、死を待つのみの自己の生に生きがいを見出すためには、医学的治療に頼るだけでは不十分である[9]」とする。木村は、死をめぐって「死を選ぶ権利にしても、リビングウィルをつくることにしても、そもそも自分の手に自分のいのちを取り戻し、自分がきめるというところに原点がある……本来の目的は死を選択するというよりも、自分が納得できる生き方で、人生の最後の時を有意義に、充実させて最後まで豊かな人生を堂々と生きるということにある……とくに今の医療の現場で必要なことは患者自身が自分のいのちの最終判断を前もって行っておく、つまり事前指示（アドバンス・ディレクティブ）の必要性と有用性を認めること……そして末期医療や先端医療に

関して専門家だけで方針決定をしないという基盤をつくること」と述べている[10]。事前指示とは、判断能力が正常な人が、将来的に判断能力を失った場合に備えてあらかじめ治療に関する指示をまとめておくことで、代理人を誰にしたいか、どの治療なら受け入れ、どの治療なら拒否するか、ということなどをあらかじめ定めたものである。事前指示を用意しておけば、自分が自己決定能力を失った場合でも自分の希望や価値観が必ず治療に反映することが約束されると同時に、本人の代わりに意思決定をしなければならなくなるかもしれない家族の負担を減らすという利点もあり、自然死か臓器提供かなど、死に方に関わる決定を求められた時に家族にとっては参考になるであろう。そもそも事前指示を表明するためには、自分の死生観が必要になる。しかし死生観は、他者の死の過程に接した経験、その過程での死にゆくものとの関わり、看取りの体験などによって変化してゆく。現代における普遍的な死生の危機の中で生きる生活者であるわれわれは、たとえ事前指示があったとしても予定通りにいかないことも当然ありえるが、自分にとっての「よき死」のあり方を普段から考え、誰かと話し合っておくことが次へのステップにもなりうるし、次の段階のアイデアを導くこともある。つまり、医療者も患者も家族も、その人が望む死の迎え方ができるように精一杯取り組むのだが、その目的は互いの死生観を深化させていくことにもなり、そしてそれにともなって事前指示も変化し、「よき死」と思えるものもまた、変化、発展するのである。

　死はその個人だけのものではない。その人にとっての「よき死」がなんであるかはわからないが、残されるものにとって、別離の悲しみと強い喪失感の中でもその人の死を認容できるように、その人が最後まで望み通りに生きるため、そして人生を肯定する自己の物語を残せるようにするためには、事前指示は一つの手助けにはなるのではないかと考える。実行可能な事前指示を作るためには、患者・家族の合意形成が必要であり、そのためには話し合いの基盤があることが大切である。その基盤整備もまた医療者の任務なのであろう。

5.　死を看取る側の役割

　死を看取る人の役割には二つあるように思われる。一つは死にゆく人のた

196

めのもの、つまり死にゆく人を安心させ、彼らが自分の人生を肯定する作業を手伝う役割であり、もう一つは看取る人がその後の成長に喪失体験を取り込むという役割である。

　死を看取る人とは、医療者のことだけではない。家族、親族、友人など死にゆくその人に関わるすべての人である。死亡診断書作成という役割を医師が担っている以上、医師が関わらない死はあり得ないし、実際に医療者はたくさんの死の現場に立ち会うであろう。しかし、医療者が死に立ち会うことと、患者に穏やかな死の受容をもたらすことは別問題である。人は自分の死はたった一回限りの経験であって、死が目前に迫ってきて初めて死に向き合う方法がわかるのだとしたら、あらかじめ死にゆく人からさまざまな教えを乞うことには大きな意味があると考える。

6.　死んだのちの役割——生者とのつながりにおいて

　筆者は、人は死んですべての役割から解放されるということではなく、死後にもこの世に対する役割を果たしうると考えている。それは、残されたものへ「生きる力」を与えるという役割である。国立がんセンター名誉総長垣添忠生は、最愛の妻の死後、うつとなった自らの喪失体験を本に綴っている[11]。つらい気分を麻痺させるために酒をあおり、ただ涙にくれ、「自死できないから生きているだけ」の毎日であったと回顧している。繰り返す「心理的痛みだけではなく、叫び声をあげたくなるような肉体的痛み」、「半身を失ったような感覚」は時間とともに和らいではいったが、この間常に心の中で「妻は墓の中ではなく自分のそばにいる」と感じ、いつものように写真の妻と対話していたとのことである。彼もまた、写真を持ち歩くことで寂しさが薄れ、いつも一緒に居るような一体感が得られたと述べている。また、悪天候の山道で妻の化身が小鳥やナキウサギとなって現れ、山道に迷った自分を激励し見守ってくれている感覚を確かに感じたというが、こうした死者との一体感について、「どんなに非科学的な話であっても、当時者には特別な意味をもっている」という。

　生者が死者とともに一体感や死への共同意識を持つということは、人が死に向き合うために意味を持つのではなかろうか。「あの世でまた会おう」「死んでもそばにいて見守っている」という心情は、ある意味で生者と死者の共

同性といえる。時空を超えた他者との関係性を保つことは、ともに死に向かうのではなく、死者との関係性を保ちながら生きていくことを後押しし、そこで死者と生者は共存関係を続けていくのであろう。

おわりに

　死は、単にその人個人の死ではない。そして自ら希望する死に方で最期を迎えられるとは限らない。死のあり様は、その人の人生経験、他者との出会い、縁、関係性、深い人間性、愛、スピリチュアリティや宗教的存在としての自己認識、人生に対する肯定などが、生の時間の流れとともに積み重なって、その結果得られるものである。他者の死を手がかりにして自分の死を見つめることは、今を精いっぱい生きることの重要性にも気付かせてくれる。死が訪れた時に、自分の人生を「満足であった」と肯定できることは、他者にとっても救いとなる。

　最近、喪失のケア（グリーフケア）に関する書籍を書店でよく見かけるようになった。愛する人を亡くした悲しみは計り知れないものがあり、深く心を病む遺族も少なくないが、その悲しさを忘れさせることが喪失のケアではないと考える。悲しさ、寂しささえも自分の一部として取り込んで生きていくこともまた、生きる人の役割なのかもしれない。深い悲しみは、その人が自分にとってかけがえのない大切な存在であったことを気付かせてくれるかもしれない。悲しみを抱いて生きていくことは、亡くなった人との交流を続けていくということでもある。また、愛するものとの時空を超えた関係性の継続を信じることで、人は激しい悲嘆を乗り越えることができるのかもしれない。亡くなった人に対する語りによって、亡くなった人との関係性もまた変化する。死を物語ることの大切さを理解するならば、死を隠蔽するのではなく、日常の中で、家族間で死について話し合い、考える時間が必要なのではないか。

　それはまた、死を看取る機能を有している医療現場においても同様であろう。患者はもっと医療者に質問をし、自らの希望を訴え、時には人生や死について議論し合っても良いのではないか。一方医療者は、患者の声を素直に受け止め、治療という狭い視点から離れて、人間とは何か、どう生きるべきか、死とは何かといった問題についても考えてみる必要がある。何より大切

なのは、患者よりも医療者が、人間に関わるすべてのことがらについて日頃から謙虚に、そして一生懸命に勉強することであると考える。またそれによって医療現場での学びもさらに充実することが期待できる。

本論は、財団法人国際宗教研究所・東洋英和女学院大学死生学研究所共催の「生と死」研究会第9回例会・シンポジウム「生と死とその後」（2010年10月30日開催）での発題に基づいている。

注

1) 河合千恵子 2003、18-19 頁。
2) 抱きかかえての看取りについては奥野 2010、171-172 頁参照。
3) 『南山堂　医学大辞典』第 18 版 1998、835 頁。
4) 『看護学大辞典』第 5 版 2002、841 頁。
5) 谷口茂 1973、486-491 頁。
6) エリザベス・キューブラー＝ロス 2001、112 頁。
7) エリザベス・キューブラー＝ロス／デーヴィッド・ケスラー 2003、240 頁。
8) エリザベス・キューブラー＝ロス 2001、201-228 頁。
9) 脇本平也 1997、110 頁。
10) 木村利人 2000、198-201 頁。
11) 垣添忠生 2009、122-164 頁。

参考文献

奥野滋子 2010：「エッセイ　緩和医療医として患者から学ぶ死生観」東洋英和女学院
　　大学死生学研究所編『死生学年報 2010　死生観を学ぶ』リトン、165-192 頁。
垣添忠生 2009：『妻を看取る日　国立がんセンター名誉総長の喪失と再生の記録』新
　　潮社。
河合千恵子 2003：「配偶者を亡くすということ」、野嶋佐由美／渡辺裕子編『家族看護
　　終末期患者の家族への看護』Vol.01、No.02、日本看護協会出版社、18-23 頁。
木村利人 2000：『自分のいのちは自分で決める　生老病死のバイオエシックス＝生命
　　倫理』集英社。
エリザベス・キューブラー＝ロス 2001：『ライフ・レッスン』（上野圭一訳）角川書店
　　（原著：Elisabeth Kübler-Ross and David Kessler, *Life Lessons,* 2000）。
エリザベス・キューブラー＝ロス／デーヴィッド・ケスラー 2003：『人生は廻る輪の
　　ように』（上野圭一訳）角川書店（原著：Elisabeth Kübler-Ross, *The Wheel of Life,*
　　1997）。
谷口茂 1973：「生と死」小口偉一／堀一郎監修『宗教学辞典』東京大学出版会、486-
　　491 頁。
脇本平也 1997：『叢書　現代の宗教 3　死の比較宗教学』岩波書店。
『看護学大辞典』第 5 版 2002、メヂカルフレンド社。
『南山堂　医学大辞典』第 18 版 1998、南山堂。

Two Cases of Widowers Observed during Palliative Practice

by Shigeko OKUNO

The death of a spouse can bring about many changes in a bereaved husband's life. In this article, two cases of widowers and their lives after their spouses' deaths will be introduced. These two examples were observed by the author in her practice of palliative care.

In the first case, the husband actively discussed death and the various problems surrounding it with his dying wife and her doctor, who is also the author of this article. After her death, he appeared to have overcome his depression and was convinced of being able to maintain a connection with his wife, who continued encouraging and supporting him in his daily life. He is still in contact with the author, through informal meetings she offers in her free time at the hospital to bereaved persons. He has been leading a constructive life even after he was told he also is now suffering from cancer.

The second husband who was in great fear of death, showed a different kind of relationship to his dying wife. He was busy, could not often visit his wife in the hospital, and did not talk with her about her problems. After her death, he also suffered from cancer. However, he did not overcome his fear and depression, and soon died accompanied only by his medical staff.

It is, of course, not the author's intention to judge which way or what a good way to die is. However, modern medicine tends to focus on only continuing the life of the person as the main object their effort, and conceals death. It is the author's opinion that it is not possible to fully treat dying patients only by using physical intervention and not addressing the other human factors which are distressing patients. These can include all kinds of problems such as deciding who can visit, choosing graves, writing one's will and so on. Nowadays, a mutual understanding about how to spend one's last days between a patient, his family and his medical staff is extremely important. All parties should be open-minded and willing to discuss all kinds of problems. For dying persons, this is, of course, usually their first direct experience of death. The author argues that one basis of a mutual understanding and discussion about death between medical staff, patients, and their families can be through arranging "advance directives." In conclusion, it is the author's view that it is health professionals' responsibility to study both life and death, and take the initiative to study these topics even more humbly and eagerly than patients.

"不死"のインド宗教史
——密教の成就者たちの"不死"の死生観——

杉 木 恒 彦

1　はじめに

　およそ5〜6世紀頃、インドでは大乗仏教の一潮流として密教が誕生した[1]。5〜6世紀頃は、主に経済史の観点からインドにおける中世期の始まりと一般に見なされている。密教をその史的展開という観点から便宜上、前期密教（7世紀以前）、中期密教（日本の真言宗の常用経典にもなっている『大日経』や『真実摂経』［いわゆる『金剛頂経』］が編纂された7〜8世紀頃）、後期密教（8〜9世紀以降）と分けることは可能である。前期・中期密教経典は、それまでの大乗仏教経典同様、自らを「スートラ」と自称する傾向があったが、後期密教経典は一般に自らを「タントラ」と呼ぶ。一般に"仏教タントラ"と言うと、後期密教を指す。それ以前にも例は見られるが、特に後期密教は、多数の"成就者"（siddha シッダ：「修行完成者」という意味）を生み出した。あえてキリスト教の概念を用いるならば、成就者は密教"聖人"ということになろう。"聖人"と"預言者"が異なるように、成就者は極めて優れてはいるが仏とは区別される。また、伝統部派仏教の概念を用いれば、成就者と仏の相違は、"阿羅漢"と"仏"の相違のようなものである。成就者は極めて優れてはいるが、また仏という境位には到達していない。なお、成就者は仏教の後期密教にのみ登場する修行者像ではなく、インド中世期（5〜6世紀頃以降）のシヴァ教をはじめとする前近代ヒンドゥー教の諸伝統にも登場する、宗教伝統間横断的な修行者像の1つである。仏教の後期密教の成就者は、仏教伝統におけるその現れである。

　後期密教——そしてシヴァ教をはじめとする前近代ヒンドゥーの密教的伝統でもそうであるが——では、"成就"（siddhi：その原義は「完成」）という言葉が「修行完成」という意味で用いられる場合、この「修行完成」には大きく2種類の意味がある。すなわち、(1)世間的"成就"、つまり各種超

能力を含む現世的諸能力の獲得と、(2) 出世間的 "成就"、つまり真理への
到達である。前者は輪廻内での各種成功を実現する知識・能力の獲得であ
るのに対し、後者は輪廻を超えて解脱を実現する知識・能力の獲得である
[2]。解脱を目指すという立場からすれば、(1) は (2) を得る途中で得られ
る副産物にすぎず、そこに執着すべきではなく、(1) より (2) の方が優れ
ている。だが、解脱の獲得のみが修行の目標となるほど、人の心は単純では
ない。解脱の獲得を当面の目的とせず、もっぱら (1) のみを求める修行者
もいる。そんな彼らにとって (1) の到達はまさに「修行完成」に他ならな
い。こうして、(1) のみを到達した者も、(1) と (2) 双方を達成した者も、
ともに "成就者" と呼ばれている。
　後期密教の 84 人の成就者たち（図版 1）の伝記集として、『八十四成就

図版 1：成就者たち（中央は持金剛：15 世紀チベット）（Linrothe
2006：219 より転載）

者伝』という書物が遺されている。およそ 12 世紀頃、インド密教僧アバヤ
ダッタシュリーの口述に基づき、チベット人の弟子ムントゥプシェーラプが
チベット語に翻訳した版（つまりチベット語訳版）のみが、現在私たちが参
照できる唯一の版である。同書に登場する成就者は、およそ 9 ～ 12 世紀頃
の主に東インド地域を舞台にしている。

　本稿は、この『八十四成就者伝』を主題材とし、そこに描かれる 9 ～ 12
世紀頃の後期密教の成就者たちの死生観を描き出すことを目的とする。これ
を本稿の目的とする理由は、以下の 2 つである。まず 1 つ目の理由は、後
期密教の成就者（シッダ）たちの死生観は従来あまり論じられてこなかった
ため、インド宗教史の穴をささやかながら 1 つ埋めることができるという
ことである。2 つ目の理由は、これを通して、広くインド宗教一般における
死生観のうち従来十分に検討されてこなかった感のある死生観——それをこ
こでは“不死”（amara、amṛta、等）の死生観と呼んでおこう——を、ある
程度ではあるが浮き彫りにすることができるということである。“不死”と
いう語は、インド諸宗教文献に頻繁に登場する。用例は極めて多く、それら
を網羅的かつ理路整然と整理することは困難な作業であり、最終的な整理・
分析は筆者にとっても将来的な課題となるが、これを今、部分的にでも論じ
ることにより、インド宗教の死生の見方を広げる 1 つの契機にしたいと考
えている。なお、“不死”を「解脱」と同義で用いるインド宗教文献も少な
くない。本稿では、扱う“不死”を、「解脱」と異なる用例に限定する。“不
死”と「解脱」の相違をここで簡潔に述べるならば、前者は人が自分の個性
を保ったままその生を継続させて死を何らかの意味で乗り越えることであ
り、後者は生と死の双方を停止させ、（各伝統が掲げる）究極的な真理の中
に人の個性が没入・消失していくことを意味する。

2　ヴェーダ文献における“不死”の死生観

　インド諸宗教（ここではサンスクリット語を聖典とする諸宗教）の死生観
として比較的よく知られているものは、[1] 祖先祭祀、[2] 輪廻と解脱で
あろう。
　インドの祖先祭祀、すなわち祖霊祭（śrāddha）は、身内の死者である祖
霊（祖先）を供養する儀礼である。この儀礼はヴェーダ文献等、インドの正

統派諸聖典に広く説かれるものである。この儀礼の執行は、古くヴェーダの時代から現在に至るまで、バラモン僧侶の重要な仕事の1つであり続けた。また、親族を社会の基本単位とし、家系の存続をダルマ（徳行）として重視するインド宗教において、祖先への供養儀礼は親族の統合原理の1つであり、祖先の生前の身分や学識等の優れていたことと自分たちの家系の優れていることを結びつける重要な行為であり、そして何より、亡くなった親族が安全な死後の旅立ち──つまり、不浄霊（preta）の状態から清らかな祖先（pitr）の状態へと無事移行すること──を完遂できるよう補助するための、遺族が行う重要なダルマであり続けた。

　輪廻（死と転生の繰り返し）と解脱（輪廻からの脱出）という死生観は、祖先祭祀の死生観より遅れて、ヴェーダの最後部を構成するウパニシャッド文献の五火説、そしてそれが若干複雑化した五火二道説（『チャーンドーギヤ・ウパニシャッド』『ブリハッドアーラヤニカ・ウパニシャッド』：紀元前6〜5世紀頃編纂）を皮切りに、業思想と結びついて、仏教を含めた特にバラモンなどのインド宗教界の知識人層や出家修行者間に広く受容され、展開していった。

　五火二道説は輪廻思想の原初形態の1つと見なされているが、その輪廻思想は祖先祭祀の死生観を内に包摂したものであった。五火二道説は五火説に二道説を加えて複雑化したものである。五火説とは、人が転生するプロセスを5つの段階に分け──つまり、人は死後に①月に行き、②雨となって地上に降り、③大地にしみこんでそこに生える植物の中に入り、④それを男性が食べることによってその男性の精液の中に入り、⑤女性との性交によって女性の子宮の中に入り、再生する──、それら5つの段階を比喩的に「火」と表現したもの（五火）である。そしてこのプロセスは、二道説（「2種類の道」という意味）のうち、「祖先への道」（人は死後に祖先界へ行って祖先になった後、月に行き、最終的に地上に転生するというプロセス）を述べたものであるとされた[3]。祖先になることは輪廻のプロセスの一過程であり、祖先祭祀の死生観と輪廻思想はインドにおいては互いに根底から対立するものであったわけではなく、最初期の頃から共存し得るものであった。

　このように、祖先祭祀の死生観と輪廻の死生観は、サンスクリット語聖典伝統の内に生きる人々の間に同時に受け入れられてきたのだが、それぞれの立場に即して別々に受け入れられることもあった。その典型例として、在家

者は祖先祭祀を行い、出家者は祖先祭祀を行わずに輪廻からの解脱のみを追
究するといった、宗教伝統の相違を問わず解脱志向の出家者教団の間に広く
見られる教えをあげることができる。なお、日本を含めた東アジアの人々に
とって祖先祭祀の死生観と輪廻の死生観が互いに相容れない異質のものであ
るようにしばしば映るのは、中国に伝わった仏教——それは上述の解脱志向
の出家者教団の１つである——が出家者の死生観としてもっぱら輪廻思想
のみを中国にもたらし、中国の在家者に対してはインドの祖先祭祀と異なる
構造をもつ中国の祖先祭祀の実践を容認したことが大きな理由の１つになっ
ていると考えられる。

　だがインド諸宗教の死生観として重要なものはこれら祖先祭祀の死生観と
輪廻・解脱の死生観の２つのみではない。本稿で注目したいものは、“不死”
（amara、amṛta、等）という死生観である。

　“不死”の死生観の最古の事例は最古のバラモン教聖典『リグ・ヴェー
ダ』讃歌（およそ紀元前1000年以前）の中に登場する。“不死”の死生観
は、輪廻と解脱の死生観より古くからあると言ってよい。ところで“不死”
と言っても、その意味は多様である。原語amaraやamṛta等は、直訳すれ
ば「死がない」という意味であるが、ここで「死」をどの視点からとらえる
かによって、「死がない」の意味も変わってくる。

　よく知られているように前述『リグ・ヴェーダ』讃歌には不死をもたらす
神酒ソーマの記述が多く登場するが、神々はこの神酒ソーマ（あるいは不死
の甘露アムリタ）——何らかの植物の汁を原料に作られるが、その植物が何
かは定かではなく、幻覚をもたらす等何らかの麻薬成分のある飲料とも考え
られている——を飲むことにより“不死”を得ていると考えられていた。ギ
リシア神話の神々が不死の飲食物であるアンブロシアとネクタルを摂取して
不死を得ていたという発想に類似する。輪廻思想（ここでは神といえども、
他の生類同様、死と転生を繰り返すとされる）が登場する以前の発想である
ことを考慮すれば、ヴェーダの神々が得ている“不死”は、「地上世界がど
のように移り変わろうが未来永劫天界において神々はいつまでも死ぬことの
ない」という意味であったのかもしれない。だが当時は、たとえば後代の
『プラーナ』文献群とは異なり、全宇宙規模の壮大な時間の流れを扱った精
緻な時間論がまだ存在していたわけではなかったことを考慮すれば、「未来
永劫」という哲学的な考えに明確に及んでいるわけではなく、漠然と「死ぬ

ことのない」という素朴な発想であった可能性も高い[4]。その意味が実際にはどのようなものであれ、ここで述べられている"不死"は、人の"不死"ではなく神々の"不死"である。

　では人の"不死"はどうなのか。地上世界に生きる人の"不死"への欲求への最古の言及は、同じ『リグ・ヴェーダ』讃歌に見られる。そこでは「私を死から解放して下さい。決して不死からではありません。」という文言が見られる[5]。記述が簡潔であるため、ここでの"不死"の意味も不明確である。バラモン聖仙（預言者のこと）の中には神酒ソーマを服用し、それによる恍惚体験の中で神々の啓示を得る等の何らかの霊的体験をしたり、"不死"を得ることができると考えたりする者たちもいた。だが同時に、バラモンたちは古くから地上世界に生きる人はいずれ死ぬということを熟知していたのであり、地上の人が得る"不死"を「100年の寿命を全うすること」とする解釈が後に彼らの間で一般的となっていった[6]。100年の寿命を地上にて全うすることが人の理想であり、これを以って人の"不死"とするのである。ここでは"不死"は「100歳の長寿」という意味で用いられている。地上における人の生物学的寿命を考慮したうえで神酒ソーマの服用の乱用の危険性と神酒ソーマの効用の信憑性を維持するためか、"不死"をもたらす神酒ソーマの供養のメカニズムは、以下のようにも説かれた。地上の人、すなわち祭主にとって、神酒ソーマがもたらす"不死"という効果は、神酒ソーマを自ら服用するだけで得られるものではない。人は他者（とりわけ神々）に神酒ソーマを捧げることによってこそ、"不死"を得る。つまり、地上の人は天界の神々へ神酒ソーマを捧げることにより、天界の神々は「死ぬことのない」という"不死"を得て、地上の人は「100歳の長寿」という"不死"を得る[7]。

　また、『リグ・ヴェーダ』讃歌には以下のような"不死"の定義も見られる——「アグニ（火神）よ！子孫たちにより、私たちは不死を得る」[8]。これは結婚して子孫を産むことにより家系（父方）を存続させることを以って、その者の"不死"とするものである。人は死ぬが、その家系は子孫を産むことによって存続する。子孫（とりわけ男子）は父が新たに生まれた姿である（：男子が生まれた時にはその父は一般に存命であるが、それでも男子はその父が新たに生まれた姿とされる）という教説もヴェーダ文献群に見られる。おそらく、父親の精液が新生児を形成することから生まれた発想で

208

あろう。父の生命は子孫の姿をとって継続しているのであり、ここでは"不死"は「父方家系の存続」という意味で用いられている。別の言い方をすれば、父個人の生命は、父方家系という集合的連続体の生命として理解されている[9]。

　網羅しているとは言えないが、以上のように、ヴェーダ文献において、"不死"という言葉が「（たとえ漠然としたものであれ）死ぬことがない」という意味で、あるいは「100歳の寿命の全う」という意味で、あるいは「父方家系の存続」という意味で用いられている例を見出すことができる。地上の人が得る"不死"として、これらのうち最も一般的な解釈は「100歳の寿命の全う」である。また、次説でいくつか例を見るように、後代には"不死"を「（エンドレスとは断定しないが）途方もなく長い寿命」という意味で用いるケースも多く出てくる。これは、"不死"の最も古い用例である、地上の人よりも上位の存在である神々の「死なない」の意味をより明確にしたものとも言えるが、それに尽きるものではない。この「途方もなく長い寿命」はただ神々だけが得るものではなく、修行により神々をも超えた人々が得る能力でもあり、インド諸宗教における複雑な修道観の展開と並行して生まれた死生観である。

　また、次節で見るように、これらの"不死"の死生観は、祖先祭祀の死生観ならびに輪廻・解脱の死生観と矛盾するものではない。「途方もなく長い寿命」も、「100歳の寿命の全う」も、「父方家系の存続」も、祖先祭祀の死生観や輪廻・解脱の死生観の一部と解釈することは可能であり、実際に、祖先祭祀の死生観や輪廻・解脱の死生観を掲げる者たちは"不死"の死生観をそれら祖先祭祀や輪廻・解脱の枠組みの中に包摂しようとしてきた。

3　大乗仏教経典、プラーナ聖典群に見られる 「途方もなく長い寿命」

　「途方もなく長い寿命」を得るという死生観は、大乗仏教経典やヒンドゥーのプラーナ聖典群に多く観察される。

　大乗仏教経典である『法華経』では、悟りを開いた真の仏陀の寿命は無限劫（つまり、途方もなく長い）と説かれている。日本仏教でもよく知られている"久遠の仏陀"の教説である。

良家の男子たちよ、神と人とアスラ（阿修羅）を含むこの世間は、『釈迦族から生まれ出た後、ガヤーという名の大きな町にある最高の菩提の座に赴いた世尊なる釈迦牟尼如来は、その際はじめて、この上ない正しい完全なる悟りを得た』と思っている。このように理解してはならない。そうではなく、まことに、良家の男子たちよ、<u>私がこの上ない正しい完全な悟りを得てから、無限の時が経過しているのだ</u>[10]。

　<u>私の寿命は長く、無限劫である</u>。昔、修行を行って獲得した[11]。

　本当の自分ははるか以前の昔にすでに悟りを開いており、無限の寿命を得ているのであり、ずっと霊鷲山（現インドのラージギル）で説法を行っている。今の時代の人々に身を以って正しい道を示すために、方便としてあえて〈釈迦族の王子として生まれ、ガヤー（ブッダガヤーのこと：現インドのボードガヤー）ではじめて悟りを開いた〉かのように見せているにすぎない。上掲引用文は、このような教説の中で世尊釈迦牟尼が明かしたものである。
　はるかかなたの昔に悟りを開き、途方もなく長い寿命を得た仏、いわば“不死”の仏は、『阿弥陀経』といった浄土教経典にも説かれる。阿弥陀仏（図版2）である。そのサンスクリット名 Amitābha の意味は「無量光」（無数の光）であるため、阿弥陀仏は無量光仏とも訳される。同時に、阿弥陀仏は Amitāyus 仏、つまり「無量寿仏」（無限の寿命をもつ仏）とも呼ばれる。以下は『阿弥陀経』からの引用である。（引用文中、「如来」の語は「仏」と同義である。）

　なぜ、かの如来は無量寿という名で呼ばれるのか。まことに、シャーリプトラよ、<u>かの如来と、かの人々（＝無量寿仏の仏国土スカーヴァティーにいる人々）は、無限の寿命をもつ</u>。それゆえ、かの如来は無量寿という名で呼ばれる。そして、シャーリプトラよ、<u>かの如来がこの上ない正しい完全な悟りを得てから、10 劫が経過しているのだ</u>[12]。

　さらにまた、シャーリプトラよ、<u>無量寿如来の仏国土に生まれた者たちは、清らかな菩薩たちであり、（悟りへの道において）後退することの</u>

図版２：阿弥陀仏（絵葉書：カトマンドゥ）

<u>ない者たちであり、あと一生のみ束縛される者たちであるが、シャーリ</u>プトラよ、それら菩薩たちの数を述べることは容易ではない。あるいは彼らは無量、無数であると数える以外にない[13]。

　上記引用文は、阿弥陀仏だけでなく、阿弥陀仏の仏国土スカーヴァティー（：極楽浄土のこと）に生まれた者たちもまた、無限の寿命をもつと述べている。教説を少し補足して説明すれば、経典に説く修行（：かの世尊無量寿如来の名前を聞き、そして聞いた後に、一夜、二夜、三夜、四夜、五夜、六夜、あるいは七夜、集中して心に思うこと等）を現世で行えば、死後にスカーヴァティー世界に、無限の寿命をもつ者として転生するという旨である。こうしてスカーヴァティー世界に転生した彼らは不退転の位（悟りへの道においてもはや後退することのない境位）の菩薩であり、かつ一生補処と

いう、菩薩としては最高の境位（つまりこのスカーヴァティー世界にこの一生のみ束縛され、そこでの無限の寿命の一生が終わる時には仏になるという境位）の菩薩であると述べられている。彼らは他の者たちと異なり、寿命が尽きて自分で望みもしないのに再びいずれかの世界に転生してしまうということがない。（だが彼らは、他の世界で悩める人々を救済するために、自らの意思であえて他の世界へと転生することは可能であるとされている。）スカーヴァティー世界とはいわば輪廻世界の中の最高の世界であり、仏という境位に最も近い世界である。「途方もない長寿」とは、輪廻世界内で仏位に最も近い世界の住人たちが得る能力である。

　類似の考えは、ヒンドゥーのプラーナ聖典群にも見出される。『プラーナ』の名称をもつ聖典群はおよそ５世紀頃から編纂されたと考えられている。文字通りの意味は「古（伝承）」であるが、「民衆叙事詩」と意訳されることもあり、現在に至るまで、ヒンドゥー教の最も基本的で最も重要な聖典群として広く受容されてきたものである。プラーナ聖典群の宇宙論（宇宙の構成に関する論）はヒンドゥー・コスモロジーの基本であり、また細部に相違はあるが、ほぼ共通した構成をもつ宇宙の姿が多くのプラーナ聖典群に説かれている。

　今は主に『ヴィシュヌ・プラーナ』に基づいてこの宇宙論を見ていきたい（図版３）。卵の形の巨大な空間があり、その中に合計７つの大世界がある。この卵の形の巨大な空間は「ブラフマーの卵」と呼ばれ、宇宙１つを

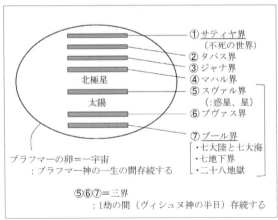

図版３：『ヴィシュヌ・プラーナ』の宇宙観（筆者作成）

表わす。(それゆえ、ブラフマーの卵を「宇宙卵」と意訳することもある。)その中の7つの大世界は、1つの宇宙を構成する7つの大世界であり、阿弥陀仏ならぬブラフマー神の世界であるサティヤ界を頂上とし、続いてタパス界、ジャナ界などの順に続き、最下の世界は私たちの世界であるブール界である。このブール界の地下部にナーガ(龍神)などが住む7つの地下界や罪人が死後に赴く28の地獄がある。この宇宙、つまり輪廻の最上部に位置する世界であり、ブラフマー神の世界であるサティヤ界について、『ヴィシュヌ・プラーナ』は以下のように説明する。

> タパス界から6倍離れて、サティヤ界が位置している。二度と死ぬことのない者たちがいるそこは、ブラフマー神の世界であると言い伝えられている[14]。

　修行を行ってサティヤ界に転生することのできた者たちは、「二度と死ぬことのない」“不死”を得る。サティヤ界を含む宇宙、すなわちブラフマーの卵は、ブラフマー神の一生が終わるとともに消滅する。(なお、プラーナ聖典群の時間論では、その後時を経て、ブラフマー神とともにブラフマーの卵は再生する。)ブラフマーの卵が消滅する時、その中にあるサティヤ界もともに消滅する。その際、サティヤ界の住人たちは、この『ヴィシュヌ・プラーナ』の最高神であるヴィシュヌ神の中へと帰滅する、すなわち解脱するとされる。サティヤ界が輪廻内では最も解脱に近い世界であり、そこの住人は途方もない長寿を得ており、もはや(自分で望みもしないのに)転生することがなく、後は解脱の時が来るのを待つのみという『ヴィシュヌ・プラーナ』の教えは、『阿弥陀経』のスカーヴァティー世界の教えと表現は所々異なるが、類似の発想に立っていると考えることは可能である。
　以上、大乗仏教経典とプラーナ聖典を用いて、仏教とヒンドゥー教における「途方もなく長い寿命」の境位の例をいくつか見てきた。これらの文献において、“不死”の死生観は輪廻・解脱の死生観の中に包摂されている。「途方もなく長い寿命」としての“不死”は、『法華経』では、私たちが生きるこの娑婆世界の久遠の仏陀の能力とされている。『阿弥陀経』とプラーナ聖典群では、輪廻内で最も解脱に近い世界に転生した者たちの能力とされている。後に検討するように、このような“不死”の死生観は、後期密教の成就

者たちの死生観の形成に一定の影響を与えている。

4 ヴィディヤーダラ（持明仙）とシッダ（成就者）

仙人といえば中国の神仙思想・道教がイメージされるが、インドにも類似の仙人たちはいる。それがヴィディヤーダラ（Vidyadhara）である。インド宗教において、ヴィディヤーダラたちは、一定の存在感をもっている。

ヴィディヤーダラの"ヴィディヤー"（vidyā）は「知識」（漢訳では「明」）という意味である。呪文の知識を指したり、あるいは知力のこめられた一文字あるいは短めの呪文そのものを指したりすることもある。また、知力と呪力をもった女神を指す場合もある。"ダラ"（dhara）は「持つ」という意味である。"ヴィディヤーダラ"の原義は「知識ある者」という意味であり、"ヴィディヤー"をどう解釈するかにより、その原義から異なった対象を指す言葉となる。ここでは扱う"ヴィディヤーダラ"は「呪文の知識を（したがって呪力も）もつ者」である。漢訳では「持明仙」と訳されることが多いが、仙人の「仙」の字を加えているのは、漢訳者たちが中国の仙人とインドのヴィディヤーダラたちの間に通じるものがあると考えたからかもしれない。

インド版仙人としてのヴィディヤーダラは、ソーマデーヴァ作『カター・サリト・サーガラ』（現存のものは 11 世紀頃編纂）等のサンスクリット語文学にしばしば登場する。それら文学作品では、ヴィディヤーダラたちは、徳と呪力をもち、天空を自由に駆け巡り、若く美しい容貌を保つことも可能であり、地上のどこか彼方あるいは地下のどこかにある享楽に満ちた桃源郷に住み、時々人々が居住する地域に出没したりする。具体的に何年と説明されることはないが、通常人と比較すれば寿命もかなり長い。ヴィディヤーダラたちは文学の題材として好まれてきたが、楽しそうな生を送るヴィディヤーダラたちは、当時の多くの在俗のサンスクリット語知識人たちの興味と関心を掻き立てる存在だったのであろう。初期・中期密教経典において、密教の修行を行う者をヴィディヤーダラという言葉で指すこともある。この用例は、後期密教経典にも見られる。密教においてマントラは重要な修行アイテムであり、密教の修行者はマントラの知識すなわち呪文の知識をもつからヴィディヤーダラなのである。そのような密教修行者たちの中には、上述サ

ンスクリット語文学に登場するヴィディヤーダラがもつものと同じような特殊能力や徳を得ようとして修行する者たちもいた[15]。

　6世紀頃にアマラシンハ（Amarasiṃha）により編纂された、サンスクリット語専門用語集である『アマラ・コーシャ』（Amarakośa）では、ヴィディヤーダラは、アプラサス（Apsaras）やヤクシャ（Yakṣa：夜叉）といった下級の神的存在と同類の存在として扱われている。また、それらと同類の存在として、シッダ（siddha）たちが挙げられている[16]。インド後期密教の「成就者」の原語は前述のように「シッダ」（siddha）であり、同じ言葉である。インド版仙人とも言えるヴィディヤーダラとそれと同類であるシッダ、初期・中期密教経典における密教修行者としてのヴィディヤーダラ、そして後期密教の成就者（シッダ）の間の関係性については今後さらに詳細な検討が必要となるが、後期密教の成就者という修行完成者像の形成に、在俗知識人たちの興味・関心と絡み合いながら、これらヴィディヤーダラやシッダのイメージが一定の影響を与えていると推測することは可能である。

5　『八十四成就者伝』の成就者たちの姿 [14]

　『八十四成就者伝』に登場する84人の成就者たちのうち、80人（約95％）が男性であり、4人（約5％）が女性である（図版4と5）。男性が大部分を占めているのは、聖典宗教は基本的に男性のためのものであるとい

図版4：成就者マニバドラー（富裕な家庭の主婦）（Linrothe 2006：279より転載）

図版5：成就者ラクシュミーンカラー（王妃）（Linrothe 2006：279より転載）

う古代バラモン教以来のジェンダー観がこの時代の仏教界にも浸透してきたことを反映しているのだろう[18]。

　一方、84人の成就者たちの出自を見ると、成就者たちの伝統の別の特性が見えてくる。便宜上、バラモン教の集団概念である再生族（：バラモン、クシャトリヤ、ヴァイシャ）、ならびに富裕層、そして当時の社会通念上上層階層と判断できる者たちの社会階層（たとえば東インドの書記官家系：書記官家系はシュードラだが東インドではバラモンに次ぐ高身分とされていた）を“上層”、そうでない者たちの階層を“下層”と単純に２つに分けて述べると、成就者たちのうち、社会の上層の出自の者たちは合計40人（50％）、下層の出自の者たちは合計40人（50％）、出自が明記されない者は合計４人である。このうち、女性はいずれも社会の上層に属する者たちであり、下層出自の女性成就者はいない。つまり、社会の下層を出自とする男性が成就者の約半数を占めている。古代から中世への流れの中で、バラモン教の伝統は徐々に民衆の間にも広がっていき、シヴァ教やヴィシュヌ教などを主要な伝統とする前近代ヒンドゥー諸教の成長を促した。聖典宗教の教えや実践が徐々にではあるが社会の上層階層以外の階層にも広がっていったことは、この時期の大きな特徴の１つである。『八十四成就者伝』において女性成就者が少ない理由はすでに述べたが、下層出自の成就者たちが多いことは、このような歴史の流れとも並行するものである[19]。

　『八十四成就者伝』では、成就者たちのほぼ全員が、仏教に伝統的な比丘僧院（：比丘とは仏教の出家の律を保つ男性出家者のことであり、原則として、比丘も、女性出家者である比丘尼も、僧院で共同生活を行いながら仏教の学習・修行に励む）の外、つまり町や村やあるいは人里離れた場所などで活動した修行者たちとして描かれている。現に、彼ら成就者たちが説いたとされるアパブランシャ語（サンスクリット語が崩れた地域語）による韻文文献も多数遺されており、成就者たちの伝統が比丘僧院の外の地域社会と積極的なつながりをもっていたことを推定させる。さらに『八十四成就者伝』では、大部分の成就者たちが、受戒して比丘となったうえで成就を得たという修行過程を踏んでいない。彼らの大部分は正規の比丘となって比丘僧院に入るのではなく、自分が生まれ育った土地や家庭を離れて各地の町や村をさすらう遍歴修行の生活を通して成就を得た者たち（筆者はかつて別稿にて彼らを「脱俗の行者」と呼んだ）であったり、あるいは特定の俗社会の内にとど

まり在俗者のまま修行をして成就を得た者たち（筆者はかつて別稿にて彼らを「在俗の行者」と呼んだ）であったりする。比丘僧院外の成就者たちの伝統は、比丘僧院外を主な活動の場にしていたこともあり、仏教以外の他宗教との影響関係も大きかった。だが、かつて筆者が論じたように、比丘僧院内の比丘たちと比丘僧院外の成就者の伝統に属する修行者たちの間には一定の協力関係が存在しており、彼ら成就者たちの伝統は、上述の歴史の流れの中で、比丘僧院外に居住する様々な階層の人々への救済活動の一翼を担うものであったと思われる。

　また、成就者となった者たちの中には、ギャンブルにはまって一文無しになった者や、大食漢で自分の食欲を抑えられない者や、身内が亡くなりいつまでもめそめそしている者や、自分の性欲を抑えきれない者や、音楽が好きで仕事をする気になれない者や、病気でもないのにぐうたらでいつも寝てばかりいたので家族に捨てられた者といった、伝統的な比丘たちの観点からすればあまり模範的でない者たちもいる。また、大空を見上げて「空を飛べたら気持ちいいだろうな」とつねに思い耽っていてついに空中を飛ぶ能力を得た成就者や、老いて生きる希望を失っていたが修行の結果若くて美しい姿を得たという成就者や、あるいは主婦（これが当時の女性の最も一般的な生き方である）のまま成就を得た者など、在俗信徒の願望や立場と親近する成就者たちもいる。また、虎に乗り蛇を握る成就者や、狂人のごとくふるまう成就者や、忌み嫌われた動物である犬を連れる成就者といった、伝統的な比丘たちからも一般の在俗信徒の多くからも離れた雰囲気をもつ成就者たちもいる。

　以上のことから総合的に判断すると、おそらく成就者たちは、比丘僧院外に居住する在俗の様々な階層の者たちから、仏や阿羅漢や高名な菩薩たちといった"立派な"聖者たちよりも比較的自分たちに近い聖者たちとして、あるいは"立派な"聖者たちに相応しくない破壊的な力をもつ恐ろしい聖者たちとして、一定程度の親しみや畏怖を得ていたのであろう。特定の修行者たちは自ら成就者になろうと修行をする一方、そうでない一般在俗信徒たちは成就者たちを、招福と破壊の二面的な非日常的力をもつ、状況に応じて頼りになる存在として尊崇していたと考えられる（図版6）。

　『八十四成就者伝』に様々な死生観が混在しているのは、以上述べた事情と関連しているのだろう。成就者の伝記を通して描かれる死生観の中には、

図版6：成就者ナーローパ（カトマンドゥのデオパタンの崖にある
ナーローパ祠堂：筆者撮影）

大乗仏教に伝統的ないわば"正統派"死生観はもちろん、一般在俗信徒たち
の願望や興味と強く結びついていると思われる死生観もある。次節でこれら
のうち主要なものを検討してみよう。

6 "不死"の死生観と成就者たちの死生観

　『八十四成就者伝』の最も核となる死生観は、大乗仏教に伝統的ないわば
"正統派"死生観であると言ってよい。つまり、世は無常であり、生ははか
なく、人は輪廻して死と再生の苦しみを受け続けるので、生と死を超えた解
脱が最終的な救済である、という死生観である。また、人々を救うためにあ
えて解脱せずに輪廻の中に身をとどめ、人々の救済活動を続けるという死生
観である。そもそも『八十四成就者伝』は様々な層の人々の教導を目的と
して編纂されたと考えられるので、上述の"正統派"死生観が核となるのは
当然とも言える。同書に描かれるその他の死生観も、基本的にはこの"正統
派"死生観の一部を構成するもの、つまり最終的にはこの"正統派"死生観
に包摂されるものと見ることは可能である。だが、可能ではあるし、おそら
くそれが編者の意図でもあったのだろうが、この"正統派"の視点からの解
釈のみで同書の死生観の理解を済ましてしまうことはできない。

　何人かの例外を除き大部分の成就者たちの伝記の最後は、成就者たちが
"天空を行く者"（mkha' spyod du gshegs pa）になったという言葉で締め
くくられている。同書の冒頭には、同書のチベット語訳者であるムントゥプ
シェーラプによる「三世の仏たちと、"天空を行く者"となった間接の師の
方々（つまり成就者たち）と、最高の成就を得られた直接の師であるアバ
ヤ［ダッタ］シュリーに……」という帰敬文が記されている。上述のように
『八十四成就者伝』本体に記される限りでは全ての成就者が"天空を行く者"
となったわけではないのだが、この帰敬文は、成就者たちは仏とは異なる、
"天空を行く者"となった者たちであるという、成就者たちの当時の一般的
な定義ともとれる。
　それぞれの成就者たちの伝記には、「上空に浮かび上がり」「その身のまま
で」「（法を授けた）他の人々とともに」といった表現が、「"天空を行く者"
となった」際の状態の説明として与えられている。「その身のままで"天空
を行く者"となった」（lus de nyid kyis mkha' spyod du gshegs so）とい
うパターンが多い[20]。これは、死んで肉体を離れた識（：大乗仏教ではおお
むね、人間の識別作用である識が魂の役割を果たす）が、地上に肉体を残
してどこかに行ったということではない。成就者カルナリパやタンデーパ
やルチカの伝記に詳述されているように、肉体もろとも空中に浮かび上が
り、どこかに行ってしまった、ということである。つまり、肉体ごと、空
中高く上昇し、そのまま姿を消したということである。一方、カーンハパ
（Kāṇhapa）という成就者は、「肉体を離れて」"天空を行く者"になったと
記されている。『八十四成就者伝』ではカーンハパは修行が不完全で、その
未熟さから少女の呪詛にかかり死んでしまったということになっているの
で、修行が未熟な場合は地上に肉体を残して"天空を行く者"になり、修行
が完成している場合は肉体もろとも「その身のままで"天空を行く者"」と
なるのだと考えられる。
　伝統的な大乗仏教の輪廻転生の教えには肉体を遺さず肉体もろとも地上を
去るという死の説明はなく、現世での死と次の世への転生を輪廻と考えるな
らば、「その身のままで"天空を行く者"」となることを輪廻転生と解釈す
ることは難しい。もちろんこれは解脱ではない。なぜなら成就者はまだ仏と
いう境位には到達していないのだから。むしろ、中国の道教における仙人に
なる瞬間の説明と類似したものである。インド宗教史の文脈において説明す

るならば、これは半神的存在でありインド版仙人とも言えるヴィディヤーダラ（呪明仙）がその身のまま天空へと飛び立ってこの地を去り、桃源郷へと旅立つシーンと類似するものであり、在俗信徒たちのヴィディヤーダラへの憧れとも言えるものが、"天空を行く者" になるという成就者たちの最後のシーンとして現れていると考えられる。

　では、成就者たちは結局、桃源郷で欲望に満ちた生活を送るヴィディヤーダラたちと同程度の存在なのかというと、そうではなさそうである。大乗仏教では伝統的に「天空」（虚空）を、"空" という存在のあり方（それは大乗仏教の真理観である……）を説明する比喩表現として好んで用いる傾向があった。天空は無規定である。それはいかなる区別も存在しない空間なので、空という真理の比喩として好まれるのである。「"天空を行く者" になる」という表現は真理の中を自由に行くことの比喩表現でもあり、成就者が（仏ほど完全ではないにしろ）真理の智慧を得ていることをこの表現によって言い表したと解釈することも可能である。また、密教経典はしばしば持金剛（Vajradhara）（図版1）を密教の最高尊として説き、修行者が得る境地を持金剛位（vajradharapada）とも述べることから、"天空を行く者" とは持金剛位の獲得であるいう解釈も不可能ではない。"天空を行く者" という表現は、在俗信徒たちのヴィディヤーダラへの憧れと仏教的智の習得の主張が、成就者という修行完成者像において絡み合ったものであるように思われる。

　では "天空を行く者" になるとは、より具体的には、どうなることなのか。桃源郷のように素晴らしく、しかも修行の進んだ者のみが行くことのできるどこか高次の世界へと行くことなのか。『八十四成就者伝』自体の記述からそれを知ることは困難である。具体的な説明は何も与えられていないからである。"天空を行く者" たちは天空へと上昇して姿が見えなくなるということから想像を広げれば、『倶舎論』に説かれる伝統的な仏教宇宙観における、解脱ではないが欲望も姿形も存在しない高次元の領域である無色界へと完全に入ることを意味するのかもしれない。そこは純粋に精神的な領域であるので、肉体の老いや死は無関係である。

　『八十四成就者伝』そのものから理解することが困難であるならば、同書に近い伝統に属する、インド編纂の文献の中からヒントを得る試みも必要である。そのような文献として『チャクラサンヴァラ・タントラ』を挙げることができるが、この経典には類似した表現として "天空を行く女の住居"

（khecarīpada）という死後世界が言及されており、それは輪廻の内にあるがそこでは“老いと死がない”と述べられている。だがそもそも、“天空を行く女の住居”を『八十四成就者伝』の“天空を行く者”が到達する場所と同一視できるかという問題がある。『チャクラサンヴァラ・タントラ』の記述と『八十四成就者伝』の記述には一致しない点もある。後者の成就者たちの多くは、前述のように死んで転生したというより、その身のままで“天空を行く者”になったのである[21]。

　以上のようにいくつかの解釈の可能性を指摘することはできても、『八十四成就者伝』自身が“天空を行く者”となることを具体的にどのようになることと考えていたのかを確定することは難しい。だが上記の解釈の可能性から、ここには“不死”あるいは「途方もなく長い寿命」という死生観が入っていると推定することは可能である。そしてこの推定は、『八十四成就者伝』において多くの成就者たちが、成就を得てから100年、あるいは300年、400年、500年、700年地上にとどまった後に“天空を行く者”となったとされていることからも、支持できる。“天空を行く者”となる前に成就者たちは数百年生き続けたのであるから、“天空を行く者”となった後はさらに寿命が長いと考えるのが自然であるからである。また、前述のように成就者の中には“天空を行く者”にならなかった者たちも若干いる。そのうち、ゴーラクシャ（Gorakṣa）は、成就を得た後、死ぬことなく現在もこの世界で救済活動中とされている。また、ヴァーリパ（Vyālipa）は明確に“不死”の能力を成就した者であると記されており、彼は“天空を行く者”とはならずに、この世界の中の「キランバラ王の土地の、まわりが泥で囲まれた、高さ1ヨージャナ、幅10クローシャの岩の上の木陰」（現在のインドのどの場所なのかは不明）に身をとどめ、生き続けているとされている。シャバリパ（Śabaripa）とナーガボーディ（Nāgabodhi）は、未来仏である弥勒が出現するまでの間（2万年としている）、この世界にとどまり続けるとされている。これらのことからも、“不死”あるいは「途方もなく長い寿命」という観念が、『八十四成就者伝』の成就者たちの死生観を構成する重要要素になっていると言うことに妥当性はあろう。

　成就者たちは、“不死”あるいは「途方もなく長い長寿」をこの世界あるいはどこか別のより高次の世界にて得ているという解釈が妥当だとしても、前述のように彼らはまだ仏という境位に到達した者たちではない。解脱を至

高とする立場からすれば、解脱は"不死"以上のものである。大乗仏教経典やプラーナ文献群に述べられていたように、"不死"あるいは「途方もなく長い長寿」という能力は、輪廻内において修行者が得ることのできる最高クラスの能力の1つである。このような考え方が、まだ仏には到達していない成就者がもつ能力としてあてがわれたと考えることもできよう。また、別の見方をすれば、"立派な"仏や阿羅漢や高位の菩薩たちと比較すれば一般の在俗信徒たちに近い存在とも言える成就者たちは、在俗信徒たちの願いであった長寿という能力を体現した存在であると考えることもできよう。

7　結語

　『八十四成就者伝』が描く成就者たちの姿に、ヴェーダ期以降インド諸宗教の中に受け継がれ発展していった"不死"の死生観を見出すことができる。"不死"の意味は多様であり、またその死生観は祖先祭祀や輪廻・解脱の死生観の内に包摂される傾向があったにしても、わたしたち研究者がそれを祖先祭祀や輪廻・解脱の死生観の中に埋没させて見えなくしてしまうとしたら、インド諸宗教の想像力あふれる死生観の多様性の一面を見えなくしてしまうことになろう。その実際の実現が不可能であることを自覚しつつも、人は自分自身あるいは（特に自分自身にとって重要な）他者に対して、"不死"であることを、つまりできる限り長くその個性を保ったまま存在し続けることを、願うことがある。その願いは執着、煩悩に他ならず、解脱を至高とする立場からすれば捨てるべきものである。だがその夢ある願いは、インド諸宗教において、様々に形を変えながらも、生き続けたのである。不十分な分析ながらも、インド宗教史における"不死"の死生観への今後の一層の探究の喚起をして、本稿を終えることにしたい。

一次資料

アマラ・コーシャ. Amarasiṃha 作 Amarakośa. Göttingen Register of Electronic Texts in Indian Language 電子版テキスト（http://www.sub.uni-goettingen.de/ebene_1/fiindolo/gret_utf.htm#Manjns）.

阿弥陀経（小スカーヴァティー経）. (The Smaller) Sukhāvatīvyūhasūtra. Göttingen Register of Electronic Texts in Indian Language 電子版テキスト（http://www.sub.uni-goettingen.de/ebene_1/fiindolo/gret_utf.htm#Manjns）.

ヴィシュヌ・プラーナ. Viṣṇupurāṇa. Göttingen Register of Electronic Texts in Indian Language 電子版テキスト（http://www.sub.uni-goettingen.de/ebene_1/fiindolo/gret_utf.htm#Manjns）.

チャクラサンヴァラ・タントラ. Cakrasaṃvaratantra. ならびにバヴァバッタ（Bhava-bhaṭṭa）による注釈Cakrasaṃvaravivṛti. Pandey版梵語・チベット語テキスト（Pandey 2002）. 梵語写本：Oriental Institute Baroda Accession no. 13290.

八十四成就者伝. Abhayadattaśrī 作 Caturaśītisiddhapravṛtti. 西蔵大蔵経北京版大谷目録 5091.

法華経. Saddharmapuṇḍarīkasūtra. Vaidya 版梵語テキスト（Vaidya 1960）.

リグ・ヴェーダ. Ṛgveda. Göttingen Register of Electronic Texts in Indian Language 電子版テキスト（http://www.sub.uni-goettingen.de/ebene_1/fiindolo/gret_utf.htm#Manjns）.

参考文献

Einoo, Shingo. 2005. Mṛtyuṃjaya or Ritual Device to Conquer Death. In: *Indische Kulture im Kontext: Rituale, Texte und Ideen aus Indien und der Welt,* Harrassowitz Verlag, pp. 109–119.

Davidson, Ronald M. 2002. *Indian Esoteric Buddhism: A Social History of the Tantric Movement,* Columbia University Press.

Linrothe, Rob (ed.). 2006. *Holy Madness: Portraits of Tantric Siddhas,* Rubin Museum of Art.

Olivelle, Patrick. 1992. *Samnyasa Upanisads: Hindu Scriptures on Asceticism and Renunciation,* Oxford University Press.

Pandey, Janardan Shastri. 2002. *Cakrasamvaratantram with Vivrti Commentary of*

Bhavabhatta, Central Institute of Higher Tibetan Studies.

Vaidya, Parasurama Laksmana. 1960. *Saddharmapundarikasutram,* Darbhanga.

White, David Gordon. 1996. *The Alchemical Body: Siddha Tradition in Medieval India,* The University of Chicago Press.

杉木恒彦 2000.『八十四人の密教行者』(宮坂宥明・ペマリンジン画), 春秋社 .

—— 2001.『八十四成就者伝』に描かれるインド密教信仰共同体 .『人間研究』6, 武蔵野女子大学学会, pp. 103-136.

—— 2007.『サンヴァラ系密教の諸相——行者・聖地・身体・時間・死生——』, 東信堂 .

辻直四郎 1970.『リグ・ヴェーダ讃歌』, 岩波書店 .

山野智恵 2002. 持明仙と阿修羅窟 .『智山学報』51, 智山勧学会 , pp. 117-129.

—— 2005. ヴィドヤーダラの宗教 .『智山学報』54, 智山勧学会 , pp. 187-206.

注

1) インド密教の学僧たちは、密教を大乗仏教の一潮流と位置付けてきた。そのうえで、密教でない大乗仏教を "波羅蜜多の道"、密教としての大乗仏教を "真言の道"、等と呼んで区別し、修行により到達する目的については両者とも同じではあるが後者の方が修行方法（方便）が充実している等の理由で優れていると主張していた。

2) 世間的成就 (laukikasiddhi) を享楽 (bhoga)、出世間的成就 (lokottarasiddhi) を解脱 (mukti 等) と呼ぶ場合も多い。また、成就 (siddhi) をもっぱら前者を指すものとし、後者を解脱と呼んで区別することもある。

3) 二道説のもう１つは「神への道」である。それは、真理を知る者は死後、祖先界へは行かずに月に行った後、五火のプロセスを逸脱して、最終的にブラフマンへと合一するというものである。

4) 古ヴェーダ文献における "不死" の解釈について、Olivelle 1992：23-24 (fn 6) も見よ。

5)『リグ・ヴェーダ』, 7.59.12。

6) "不死" を「100 歳の寿命を全うすること」と解釈し、それ理想とする発想についてはすでに多くの研究者が言及しているが、延命儀礼との関連からの同テーマの比較的最近の研究としては、Einoo 2005 がある。

7) White 1996: 11.

8)『リグ・ヴェーダ』, 5.4.10。

9) 家系を以って人の不死性とするヴェーダの教えについては、Olivelle 1992 も見よ。

10)『法華経』, 15。

11)『法華経』, 15.18。

12)『阿弥陀経』, 8。

13)『阿弥陀経』, 10。

14)『ヴィシュヌ・プラーナ』, II.7.15。

15) ヴィディヤーダラと密教の関係を論じたものとしては、Davidson 2002: 194-201、山野 2002 ならびに 2005 がある。

16)『アマラ・コーシャ』, 1.1.21-22。

17) 本稿の本節の分析の詳細については、拙稿 2000［解説の章］、同 2001、同 2007：23-76 を見よ。また、密教の成就者たちの性格と役割については、Davidson 2002 ならびに Linrothe 2006 も見よ。

18) 古代の時代、仏教——そして後にジャイナ教も——といった反バラモン教の宗教伝統においては女性の出家修行者の存在を容認しており、多くの尼が実際に存在していた。一般に女性出家修行者は男性出家修行者より資質が劣るとされ、男性修行者より多くの律（義務）の保持が義務付けられ、それら律（義務）も男性視点から整備されたものではあった。だが、このような形であれ、仏教が聖典宗教への女性の積極的参加の道を大々的に開いたことは、インド宗教史における革新的な出来事であったと言える。だが、時代が下り、古代バラモン教が展開した前近代ヒンドゥー諸教が隆盛する中世期に入ると、仏教を含めたそれら反バラモン教勢力の宗教伝統においても、女性の聖典宗教への積極的参加は減少していった。『八十四成就者伝』において女性の成就者が少ないのは、このような歴史の流れと並行している。

19) 成就者の出自の約半数が下層階層出身であることは、仏陀の前世物語であるジャータカにおいて、仏陀が人間としての前世を送った際には彼はほぼ必ず社会の上層の男性として生まれていること、また大乗仏教経典に登場する主要キャラクターはほぼ全員が社会の上層の人間であることと比較すると、大きく異なった傾向であると言える。このことは、それらジャータカや大乗仏教経典の編纂の時代には、社会の下層階層への聖典宗教の広がりがまだ『八十四成就者伝』の時代ほどには進展していなかったことと関連しているのかもしれない。

20)「その身のままで」と明記する伝記は以下の44人である。すなわち、カンカリパ、ミーナパ、ヴィーナパ、カドガパ、タガナパ、アジョーキ、ドーンビーパ（洗濯人としての)）、カンバラ、クックリパ、ババヒ、コータリ、カンパリパ、ドーカリ、メーディナ、ジョーギパ、ナグナ、ビクシャナ、クマリパ、ウディリパ、コーキリパ、タンティパ、バドラパ、カンカナ、バンデー、アチンタ、ナリナ、インドラブーティ、ガンターパ、ゴーラ、ダーリカパ、ラクシュミーンカラー、チャマリパ、ナーローパ、シャリパ、ティローパ、ブクス、メーコーパ、ラーフラ、サンカジャ、パチャリパ、チャンパカ、カンタリパ、アナンガである。

21)『チャクラサンヴァラ・タントラ』は、他に修行者が赴く世界としてスカーヴァティー

を挙げている。経典の記述は曖昧なため、"天空を行く女の住居"とスカーヴァティーの関係がどうなっているのかは分からないが、バヴァバッタ（Bhavabhaṭṭa）による注釈書(Cakrasaṃvaravivṛti)によれば、"天空を行く女の住居"とスカーヴァティーは同一のようである。前述のように、スカーヴァティーは浄土教経典に説かれる阿弥陀仏の極楽浄土と同名であり、"老いと死がない"というその属性も極楽浄土のそれと類似している（:なお、バヴァバッタは"老いと死がない"を、「老い」や「死」という分別を絶した智慧ある状態を指すと注釈しており、文字通り物理的な不老不死とはしていない）。だが『チャクラサンヴァラ・タントラ』のスカーヴァティーが浄土教経典のスカーヴァティーと同一の世界を指しているという保証はない。だが少なくとも、浄土教経典のスカーヴァティーを意識したものである可能性は高い。なぜなら、スカーヴァティーという名称が同じであることに加え、浄土教経典では死者の臨終の際に阿弥陀仏が死者を迎えに来るとされているのが、『チャクラサンヴァラ・タントラ』では同経典の最高神ヘールカが死者を迎えに来るとしているからである。だが修行者の死者の臨終の際にヘールカが迎えに来るというシーンは、『八十四成就者伝』には描かれていない。また、バヴァバッタは"天空を行く女の住居"すなわちスカーヴァティーを、念誦・観想などの修行が未完成の者たちが死後に赴く場所としており、一応各自の修行を完成させている成就者のあり方と一致しているようには思えない。（以上、『チャクラサンヴァラ・タントラ』：チベット語校訂テキスト 39.4（梵語写本欠）、梵語校訂テキスト 51.9-11（梵語写本：38a1-a2）。バヴァバッタによる注釈（Cakrasaṃvaravivṛti）：梵語校訂テキスト p.591, l.19-22 ならびに p.543, l.3-6。）

The History of Idea of Immortality in Indian Religions:
A Perspective on Death and Life
from the Tantric Buddhist Siddhas' Idea of Immortality

by Tsunehiko SUGIKI

Indian religions have developed various views of death, of which the two best known are ancestor veneration and the idea of the reincarnation and liberation. The former idea is connected with the practice of ancestor-worship rituals and was developed by Brahmin priests in the age of the older *Veda* scriptures. The latter idea was put forward in the *Upaniṣad* scriptures, and it was widely accepted both by renounciant ascetics and by Brahmin priests. However, the author of this paper argues there is another view of death and life that often appears in Sanskrit texts compiled in India: the idea of the immortality. Indeed, the idea of immortality as a view of death and life is frequently taught in those texts not as an independent view of death and life but rather as an element of the ancestor veneration or as an element of the reincarnation and liberation. Nevertheless, this does not mean that the idea of immortality is not worth examining, for the study of it yields evidence that Indian intelligentsia have had a longing for some sorts of deathless different from the ancestorhood and liberation.

The term "immortality" has several meanings: simply a deathless state, to live until 100 years old on earth, endless continuation of one's family line, limitless longevity, and so on. (There are also cases in which "immortality" is used as a synonym for liberation, but these cases are not discussed in this paper.) Of these to live until 100 years old on earth is the most general meaning of the term "immortality." But limitless longevity has also been an important meaning of this term for particular practitioners. For example, in some Buddhist Mahāyāna scriptures and Hindu *Purāṇa* scriptures limitless longevity is taught to be a religious merit that can be attained by highly-

227

trained practitioners who can attain liberation in their next lives or when the whole universe is destroyed according to its karmic cycle.

Sanskrit literary works such as the *Kathāsaritsāgara* and so on describe Vidyādharas ("knowledge-bearers") as Chinese Xianren-like persons, or lower deities, who fly in the sky, attained the agelessness and/or the incalculable longevity, and enjoy their long life in a dream world. Other lower deities named Siddhas are explained as being of the same class of deities as Vidyādharas according to the *Amarakośa*, a Sanskrit lexicon written around the 6th century.

The *Caturaśītisiddhapravṛtti* is a hagiography of the eighty-four Tantric Buddhist Siddhas ("perfected ones") from around the 9th to 12th century. Siddhas are religious figures who appear in different traditions in India, and the Siddhas appearing in the work above mentioned are the Tantric Buddhist versions of them. Tantric Buddhist Siddhas are distinguished from Buddhas, Buddhist figures who have attained enlightenment, and these Siddhas are viewed as lower than Buddhas. Many of the stories in this text tell that these Siddhas lived for more than a hundred or even several hundred years and that they finally flew up in the air and disappeared, becoming sky-goers with their physical bodies preserved. (The word "sky" is traditionally used as a metaphor for unlimited truth, i.e., Emptiness, in Mahāyana Buddhism. Hence, the phrase "sky-goer" suggests that they became ones who move freely in the realm of truth.) The lives of the Siddhas thus described can be interpreted as a combination of the following three elements: the view of truth in Mahāyana Buddhism (i.e., Emptiness), limitless longevity which is one perspective of life and death and the religious figures of such lower deities as Vidyādharas or Siddhas enjoying their longevity.

死後の生
——死生学における〈宗教の領分〉——

【中央】鶴 岡 賀 雄

はじめに

　現代の医療倫理、とくに終末期医療や臨死状況についての議論を宗教学者の目でみると、人の身体的死を以て一切の問題が終結し、思考が打ち切られるような印象をもつ。遺された人々については、いわゆるグリーフケアの問題として広義の心理学の領域で処理され、亡くなった当人は考察の対象から消えてしまうかのようである。そこには死者を文字通り「無き者」としてしか扱えない近代的学問知への不充足感が漂う。「まだ生きている人」だけではなく、「既に死んだ人」をも組み込む死生学はありえないだろうか[1]。本稿では、死を巡る問題系のなかでも、従来の死生学が扱うことの少なかった「人間の死後存続・死後の生（life after death）」の問題に関して、「宗教」が提供しうる可能性について示唆してみたい。より広くは、多くの宗教がなんらかの意味で「死後の生」を説いていることの意義に思いを馳せたい。

1．死者の存続と宗教的世界観[2]

　人は（身体の）死後どうなるのか——。この素朴かつ根源的な問いに、ほとんどの宗教は何らかの答えを提供してきた。近現代のいわゆる科学的世界観が、「この世を超えた・あの世」については、言及も考察もほとんど放棄したことを特徴とするのに対して、総じて宗教は、「この世を超えた・あの世」を語ってきた。そうした「あの世」語りが、近年のいわゆる公共性の領域から排除されて、世界観としては自然科学の提示するそれが唯一の公認となったことが、世界観の場面での近代化の特徴であるといえようか。そうした「宗教以後」としての近代の世界観は、したがって、伝統宗教の提出してきた答えを、否定するではないにせよ、ほぼ無視することで成り立ってい

る。

　では、とくに宗教的世界観を奉じない近代人は、「死後」をどのように考えているだろうか。「無に帰する」という言い方があるが、それがどのような意味なのか、必ずしも明白ではないと思われる。実際、人はその身体の死を経ても、この世から完全に消滅するわけではない。消滅するのはさし当たりその人の身体でしかない。しかし「人」とは、当然その人の物質的身体と同義ではないから、物質的身体の消滅以後も、その「人」はなんらかの意味で存続する。だが、どのような意味でか。

　現代人の世界認識の基盤となっているいわゆる科学的世界観──おおまかに言えば、それは実在を「物質」に限定する──からすれば、身体という物質的拠り所を失った死者がなお「存続」する場所は想定し得ないように思われる。辛うじて、なお生きている人の脳が構成的に産出する「記憶の中」ということになろうか。たしかに現在多く通用している言い方では、死者は「残された人々の心の中」「記憶・想い出の中」に存続する。しかしこのように言うとき、人の「心」「記憶・想い出」ということで何ほどのことが了解されているのだろうか。例えばアウグスティヌスやベルクソンにとって記　憶〔メモリア●メモワール〕とは、決して個人の「頭の中」の事柄ではない、「私を超え」「外的宇宙を超えて」拡がる広大なリアリティだった。

　しかしそれだけではない。死者は、ほとんど誰にも想い出されなくとも、いわゆる社会的存在を保持する。生きた人の記録は、さまざまなかたちで「この世」に記入され──過去帳や戸籍簿が見やすい範型となろう──、記録され、現在の社会の構成要素として存続する。(なればこそ、「忘却の穴」の恐ろしさ、非人間性が際だつのだ。)じつに彼・彼女ら死者たちこそが、いわゆる歴史を形成しているのであって、現在はその歴史の上に成り立っている。現在生きている人々は、すでに死んだ人々の「おかげで」このようになっている現在の状況のなかに生きている。私たちの現在は死者の累積の上に成り立っているとも言いうるだろう[3]。だから、死者たちを「無き者」たちと見なして文字どおり無みすることは、生者たちである私たちの現在の基盤を崩壊させることである。(目立った例として、靖国神社に「祀られている」死者たちのことを思ってみればよいだろう。何らかの意味で存在し、むしろ厳存している「彼等(の霊)」をどう遇するかは、現在の私たちの国家制度の根幹にさえ関わっている。)

230

　いわゆる宗教の場面で言えば、釈迦やイエス、空海や日蓮といった「死者（？）」たちは、現在生きる無数の人々にとって、「死者」とは決して言えないリアリティを保持して現存している。彼等の不滅——すなわち現在の私たちへの出現可能性——は、たんに教義上のことではない。

　だから事実として、私たちは死者を「無き者」としては扱っていない。死者達は、その身体がもう存在しない現在という時の、不可欠で有意な構成者であり続けている。これは「へりくつ」ではおそらくない[4]。私たちの「人間としての」生のリアリティである。つまり、人間とは本質的に、他者との関係性の中でこそ「人」であるのであり、その関係性は、関わる他者が死者となっても継続するのである。

　ではあるが、物質的支えとして現存する身体を欠く死者たちを、なんらかの「実在」として思考することは容易ではない。人が死者、とりわけ濃密に関わりあっている（いた）死者との死後の共同性をどのような「存在論的」水準に位置づけうるのか、そしてその際に、「宗教」の名の下に行われてきている思考や想念は、その自明性が失われて久しい現代においてなお、（どのような）可能性を持ちうるのか——。上述のように、私たちが生きる時代である近代以降の基礎的世界了解としては、いわゆる科学的世界観を「原理主義」的に拒否することはありえない。とすれば、その上でなおかつ「死者の存続」の可能性を思考するためには、当の科学的世界観自体の根源にまで遡及した哲学的検討が不可欠になるだろう。近代以降の多くの哲学者がげんにそうした試みをしてきているが、ここでは、そうした近現代の哲学者の中でも、死者の死後存続の問題を主題的に考察した一人といえるガブリエル・マルセル（1889-1973）——近年は読まれることの稀になった人だが——の思考態度を瞥見してみたい。そして予め言っておけば、彼（ら）の哲学的思索によっても、死者の存続を肯定的に主張するためには、いわゆる宗教に由来する思考の原理がなんらか要請されざるを得ないのではないか、というのが本稿の小さな示唆となる。

2．死者の存続（1）：愛する「あなた」の死後存続

　ガブリエル・マルセルはたしかに、「死者との共同性」ということを最も深くかつ繊細に思索した一人と思われる。彼の哲学のキーワードの一つは

「希望」であろうが、それは死者との再会の希望を根本に据えて考えられている。すなわち、人間にとって本質的な対他者関係の最も根源的な水準を、「愛する人の死後存続の可能性」という問題に即して考えようとするのである。言い換えれば、マルセルは人間「霊魂」の死後存続の問題を、何らかの「事物」が存続する仕方に準じて考えることをあくまで回避しようとする。この困難な課題の厳密な追究が、「存在」と「所有」、「神秘」と「問題」の区別といったマルセル哲学の要諦をなしていると見てよい。小稿はマルセル研究の論文ではないので、彼の哲学的思索を丁寧に追跡することはできないが、以下、「死者の現存」についての彼の思索の経路をおおきく跡付けてみたい。[5]

　初期の代表作『形而上学日記』の、1920年ころの記述には、死者の存続を巡って、いささか奇妙な思索が記されている。マルセルは当時ヨーロッパ各地で流行していた交霊会にしばしば参加し、自らが霊媒の役目を務めたこともあった。それは、第一次世界大戦というヨーロッパでは未曾有の大量死が引き起こされた状況下で、戦死者の遺族の願望に応えるという背景があったとされる。『日記』でのマルセルの思索の焦点は、交霊会において何らか出現するものが、——何か疑似物質的な存在体であったり、幻覚であったり、交霊会に参加している人々の想念の一種の凝縮体であったり、ではなく——まさに求められている死者自身（の霊魂）であることの同定がいかなる意味でなされうるのか、というところにある。そしてマルセルの思索は、この同定をなし得る者は、その死者と「汝」として関わっていた人が、「あなたなのですね！（C'est toi!）」と直知する、その人だけしかなしえない関わりにおいてでしかない、という方向に収斂していくようである。第三者たちがなんらか客観的に、いわば第三人称の水準で、「これは何某の霊である（C'est lui.）」と同定することは原理的にありえないのである。しかしこのことは、自らの霊媒体験から死者の死後存続の有無を判定することの限界をも示している。人の死後存続は、初期の『形而上学日記』の段階では、哲学的には肯定も否定もなされ得ないままに留まっている。

　死後存続の問題についてマルセルがより積極的な主張を示すに到るのは、彼のカトリック改宗（1929年）以後の、第二次大戦前後のことである。例えばマルセル哲学を代表する文章の一つと言えよう「希望の現象と形而上学にかんする草案」（1942）では、彼は「希望」という問題系のなかでそれ

を示唆している。[6)]

　ヴィシー政権下でなされた講演に基づくこのテクストは、直接的に死者の死後存続を論題にしているわけではないが（むしろ、ドイツ占領下で「絶望」的な状況に見えた当時のフランスの運命が念頭にある）、「希望」というものの本質に迫るために、「その息子の死が、その遺体を発見し、それを埋葬した証人たちによって、このうえなく絶対的なかたちで確認されているにもかかわらず、なおかつ執拗にその息子との再会を希望している」母親の例が取り上げられている[7)]。マルセルは、このような「絶望的」な状況下でもなお、この母親が「ジャンはきっと帰ってこられるわ（Il est possible que Jean revienne）」と「希望」する権利を断固として認めるのである。もちろん、彼女の希望が何らか「客観的判断」に基づいたものであるなら、それは認められない。しかし、それ自体としては有効ではありえない「彼女の判断の根底にあるのは、事実なるものを拒否する、ないしは乗り超えようとする愛による思惟の行為（l'acte d'une pensée aimante）である。そして希望する権利、すなわちあらゆる絶望に抗して愛する権利に異議を唱えることは、なにかばかげた（absurde）ことであり、破廉恥な（scandaleux）こととさえ言えるようだ。より正確には、ばかげているのは、そうした希望を承認したり否定したりする権利が我々にあるといった考えそのものである。」こうマルセルは言うのである。

　奇矯な主張のようにも見えるが、しかし人をうなずかせるところもあるだろう。マルセルが試みているのは、「絶望的事態の中でなお希望する」、ということの意義を深く認め、そうした希望にこそ希望ということが意味を持つ本来の水準、希望の純粋態とも言うべきものを見定めようとすることである。そのために彼は、希望（espérance）と欲望・願望（désir）（願望する主体自身を中心とする）を区別する。そしてそうした希望は、信仰とともにキリスト教のいわゆる三対神徳をなす愛（charité）との不可分なものとされていく。

　「希望が真の愛に近づくにつれ、それが望み肯定する事柄の意味するところは方向を内側に転じて（le sens de ces affirmations s'infléchit）、それが現存なるもの（la présence）の水準にあることのしるしにほかならない絶対無条件性（l'inconditionalité）という性格を帯びるようになる。そしてこの現存なるものは、希望する者の「私たち」としてのあり方として受肉するの

だ。この「私たち」のためにこそ、「私はあなたに希望を託す（j'espère en Toi）」と言える。つまりかの現存は、「私とあなたが共にある・一緒にいる（communion）」という水準において、受肉するのだ。私〔マルセル〕はこの水準が不壊（indestructibilité）であると主張したい。」[8]

こうした水準における希望の肯定作用にこそ、希望というものの叡智的（形而上学的）核心（noyau intelligible）がある、とマルセルは見る。つまり希望とは、諸事実に基づいて希望内容の実現可能性を否定しようとする態度自体を否定する動きそのもののことである。「所有」と「存在」、「問題」と「神秘」の峻別を基本態度とするマルセルは、「他者との関わり」の純粋態としての、愛する者との「不壊」の共存可能性によって基礎付けられた「人の死後の生」を、所有〜問題の水準である客観性・客体性において主張することはない。

そして彼は、この意味での希望にとって大切なこととして、この希望の象徴ないし支えがあると指摘する。それは、「また何かが新たに始まるということの経験（expériences de renouveau）」である。そうした経験が、そうした経験の内に生きるようにとの呼びかけとなり、さらにはそうした経験がもたらす幸いを共感しようとする人々の内に無限のエコーを目覚めさせていくのだとする。

このような経験に支えられた希望は、かくて、ある「回帰（retour）（ノストス（nostos）〔望郷の念〕）」と、ある「まったく新たな何か（カイノン・ティ kainon ti）」という、一見逆方向の志向性の、通常の時間の秩序を越えた結びつきを内包している。希望とは、「かつてあったように、但し、かつてあったのとは別様に、もっと善く」あることへの憧れ（aspiration）なのである。マルセルは、占領下の絶望的状況の中で、このような希望を説いたのだった。

このような希望が有意義である限り、愛する死者との再会の希望は肯定さるべきである、つまり死者は死後も存続する。その存続は、前節で言及した、現在の生者たちの社会の構築要件としての存続でも、生き残った者の追憶の中での過去への単なる回帰でもない。それはたしかに、死者との新たな再会を希望しうるまでに確かな死者の存続である。ただしマルセルにとっては、客観的条件、自然的秩序を超えたこの「現存」の水準は、客観的事実がげんにあることとしての現存の水準とは異なった、「神の現存」への信仰、

むしろ実感に支えられている。上の引用では、「私はあなたに希望を託す」の「あなた（Toi）」の大文字がそれを示唆している。つまり、希望可能性の根拠としての「(神の)現存」の——物質的・自然的水準を「超えた」という意味で形而上学的な——水準を確保してこそ、死者との再会可能性についての結論が定まるようなのである。前述のようにマルセルは、キリスト教への入信以前、つまりこの水準確保の以前には、死者の存続をめぐるさまざまな理論的可能性の中で決定不能の思索を繰り返していたのだった。

　とすれば、以上のマルセルの思索ないし主張は、死後の存続の問題について、キリスト教信仰という「宗教」の資源を取り入れてこそ可能だったものととりあえず見なせよう。もちろん、その宗教への信仰は、不合理な世界観の盲目的な受け入れといった意味での信仰ではない。彼の哲学的思考力の強靭な繊細さと齟齬しない信仰である。しかしまた、それはやはり何らか信仰であり宗教である限りにおいて、その信仰を持ち得ず、宗教を奉じられない人々にとっては、否定し得ぬ強制力をもった「客観的」証明とはなりえないだろう。私見ではしかし、こうした説得力の限界は、宗教由来の資源に依拠した主張に本質的なものである。

5．死者の存続（2）：愛した「わたし」の死後存続

　前節で瞥見したマルセルの「死者の存続」の思惟は、「(愛する)汝」の存続の問いを核心に形成されたものだった。それでは、「私」の死後存続も同様の仕方で考えられるだろうか。「希望」されうるだろうか。マルセル自身は、そうした問いは立てていないようである。また、いわゆる「我－汝」関係は、「我」と「汝」を、客観的事物——いわゆる「それ」としての把握——のように想定するものではないし、また「我－汝」関係はそれ自体では対称的・互換的ではないから、「愛する汝」の死後存続が希望されうるにしても、「愛する私」の存続はそこから単純には帰結しないかもしれない。

　そこで、「愛する私」の死後存続の希望可能性については、ひとつの詩を掲げることで示唆してみたい。カトリーヌ・ポッジ（1882-1934）が生前唯一発表したという詩篇「祝詞」（1929）である[9]。

祝詞 [アーヴェ]

いと高き愛よ、わたしは知らぬまま死ぬかもしれない
　どこであなたをこの身に宿すことになったのか、
　　どのような太陽があなたの住まいだったのか
どのような過去があなたの世で、　どのような時間に
　　　　わたしはあなたを愛したのか、

　　いと高き愛　記憶を超えてゆくものよ、
炉も籠りずわたしの光のすべてとなった火よ、
　　どのような運命にあなたはわたしの生涯を描いたのか、[さだめ]
　　　どのような眠りのうちにあなたの栄光は輝いたのか、
　　　　おお　わが住処・・・[すみか]

　わたしがわれと我が身を失って
　　　底知れぬ深淵で粉々になろうとき、
　　　際限もなく、砕け散るであろうとき、
　　　わたしの身にまとっている現在が
　　　　　裏切るであろうとき、

　　からだは宇宙に散りぢりとなり、
　まだとりまとめられていない無数の瞬間、
空無と化すまで箕にかけられた天の灰で[み]
　　あなたはある霊妙な一年のためにつくりなおすでしょう[ひととせ]
　　　　唯一無二の宝を

　あなたはつくりなおすでしょう　わたしの名とわたしの姿を
　日の光に運び去られた散りぢりのからだで、
　名もなく顔もない生き生きしとした一なるもの、
　精神の芯、おお　幻影の中心
　　　いと高き愛よ。[10)]

236

　詩篇で詠われている「あなた（vous）」が誰であるかを具体的に名づけることはもちろんできない。それは、たしかに彼女（詩のなかの「わたし」は女性形である）がいつか愛した（aimais）御方であり、あきらかに神の姿が込められている。その方、「あなた」は、「いと高き愛」と、ほとんど神名を以て呼びかけられている。しかしこれをキリスト教という特定宗教の神と同定することは、詩をふさわしく読む態度でないことも言をまたない。その「あなた」が、身体の死によってほとんど無にまで散逸した「わたし」に、「或る不思議な一年のために」、ふたたび名と姿とを、すなわち「私」の個性・個人性を再び与えてくれることを、詩の発話者である「わたし」は願う。というよりもむしろ、そのことを、いわば肉身の復活を、彼女は疑っていない。それはおそらく、「わたし」が「あなた」をたしかに愛したことの確実さに基づいている希望であり、確信であり、なお変わらず渇れることのない愛の表明である。そしてそれはまた、「わたし」もまた、「あなた」にたしかに愛されたことへの深い自信に裏付けられた希望でもあるようである。「わたし」は、愛すること・愛されることによって、身体の死を超えた存続を希望しうるし、確信しうる、そうした希望と確信の水準をこの詩篇は捉えている、と読むことはできるだろう。

　もとよりこれは一篇の（神秘的？）抒情詩であって、一般論としての人間の死後存続を主張するものではない。にもかかわらず、「わたし」の死後存続について考えるよすがとしてこの詩を掲げたのは、いわば「詩（的なるもの）（la poétique）に託される（他はない）思考」の意義に期待してのことである。じつは筆者がこの詩を知ったのは、現代の神秘主義研究者、宗教史家ミシェル・ド・セルトーの神秘主義研究の主著『神秘のものがたり』においてのことだった。中世末期から近世初期に花開いたキリスト教神秘主義——セルトーによれば、この時代の神秘主義は、西欧世界の近代化すなわち中世世界の崩壊とともに失われつつあった神の現存を、つまりはキリスト教の真理を、「理性を超えた」場所になんとか存続させようとする様々な、しかし遂に失敗する抵抗の営みの集積に他ならなかった——の歴史と性格を鋭利に解明したこの書の末尾に、「身体の詩学のための序曲／開け（Ouverture pour une poétique du corps)」と題された、ポッジのこの詩篇の解釈が置かれているのである。[11] セルトーによるこの詩篇の読解については触れないが、独自な現代的宗教思想家でもあるセルトーが伝統的キリスト教の真理を

現代的なかたちで生きる可能性、そのあり方を模索する際に、それを一種の現代詩人の言葉に託する他はなかった点にいまは着目したい。これは、典型的にはハイデッガーがヘルダーリン等の詩の解釈に託した思惟の姿に通ずるものである。セルトーはこの「神秘的」現代詩に、往時の神秘主義文献の密かな後継を見ているのである。現代においては、もはや理論の言葉ではなく詩の言葉に託して、「死後の存続」といったかつての宗教的世界観が説いていた事柄を思考する他はない、と、セルトー（等）は考えていたのかもしれない。

　しかし逆に見れば、詩の言葉の力、より広くは、現代人にも何らか痛切に感知されるだろう「美」の力は、いまも現存しているとも言える。詩の力、美の力は、いわゆる理論の言葉のような論理的強制力は持たないが、人をして——すべての人ではないにせよ——否応なく感動させ説得する世界開披力ともいうべきものをなおも有している、と、少なからぬ現代思想家たちは考えたのである。

＊　　　＊　　　＊

　なんらかの意味での宗教的世界観が、愛する「あなた」の死の受容には、また「わたし」の死の受容には、必須のようである。ここに、現代死生学における宗教の領分がある。ただし、諸宗教の伝える世界観は、科学と同様な意味でその真理を証明しうる類のものではないので、そこにはなんらかの意味での「信」が必要となる。ただしそれはもはや、伝統的な意味での宗教、いわゆる教団宗教が教義的に提示する世界観——その説得力が衰弱していることはあらためて確認する必要もないだろう——への信仰である必要はない。つまりここで言う宗教とは、したがって、近代化とともに衰退した宗教のことではないし、「死んだ」と宣告された神を奉ずることでもない。ポストモダンである現代とは、近代が自らの他者として想定してきた中世（ないしそれ以前）を、自らが自らであるためには拒否せざるを得ない他者と見なす必要ももうなくなった精神状況を言うはずである。それは、宗教的世界観を、もはや怖れることも否定することも、またいたずらに讃仰することも蔑視することも、さらには無視することも必要でなくなった状況であるはずである。であれば、死生学における「宗教の領分」は、伝統宗教の復活であったり、既成教団の教義的言明への配慮であったりするのではなく、古来なさ

れてきた「宗教」と呼ばれてよい人間の営為を、怖れることも侮ることもな
く思考の資源として導入することで確保されることだろう。「人の誕生から
死亡まで」、あるいは「親しい人の喪の作業を行う生者」だけが死生学の対
象なのではなく、「未生以前の人」や「(身体の)死後の人」についても考え
ることのできる死生学の構築が望まれる。そこでは、かつての宗教が思索し
蓄積してきた伝統を、偏見や拒否感から自由になって、正面から受けとめる
ことが期待される。ここに死生学における「宗教の領分」がある。

＊　　　＊　　　＊

Ave

Très haut amour, s'il se peut que je meure
　　Sans avoir su d'où je vous possédais,
　　　En quel soleil était votre demeure
En quel passé votre temps, en quelle heure
　　　　　Je vous aimais,

　Très haut amour qui passez la mémoire,
Feu sans foyer dont j'ai fait tout mon jour,
　En quel destin vous traciez mon histoire,
　　En quel sommeil se voyait votre gloire,
　　　　O mon séjour...

Quand je serai pour moi-même perdue
　　Et divisée à l'abîme infini,
　　Infiniment, quand je serai rompue,
Quand le présent dont je suis revétue
　　　　Aura trahi,

　Par l'univers en mille corps brisée,
De mille instants non rassemblés encor,
De cendre aux cieux jusqu'au néant vannée,

Vous referez pour une étrange année
        Un seul trésor

Vous referez mon nom et mon image
De mille corps emportés par le jour,
Vive unité sans nom et sans visage,
Cœur de l'esprit, ô centre du mirage
        Très haut amour.

注

1) 津城寛文、堀江宗正、葛西賢太、といった宗教学者たちは、近年この方向の論を展開しつつある。葛西賢太「死者を代弁して語ること」『死生学年報 2010　死生観を学ぶ』東洋英和女学院大学死生学研究所編、リトン、2010 年、43-63 頁参照。
2) 「宗教」なるものをどう捉えるかは、宗教学の根本問題であって一義的には答えようがない問いだが、宗教のもつさまざまな側面の重要な構成要素として「宗教的世界観」ともいうべきものがあることは認めてよいだろう。諸宗教がもつ世界観に共通な要素を見出しうるかは議論があるだろうが、なんらか死後の世界について語るところが宗教には一般にあるように思われる。
3) 拙論「ミシェル・ド・セルトーの『宗教史』理解」市川裕／松村一男／渡辺和子編『宗教史とは何か』下、リトン、2009 年、57-80 頁参照。
4) 福間聡「「死者に鞭打つ」ことは可能か―死者に対する危害に関する一考察」『死生学研究』12 号、東京大学大学院人文社会系研究科、2009 年、127-149 頁参照。
5) 以下は、藤本拓也「マルセルとシオランにおける喪失と霊性」(鶴岡賀雄／深澤英隆編『スピリチュアリティの宗教史』上、リトン、2010 年、257-285 頁) に依拠するところが大きい。
6) 「希望の現象学と形而上学にかんする草案」(山崎庸一郎訳)『マルセル著作集　4　旅する人間』春秋社、1968 年所収 (Gabriel Marcel, "Esquisse d'une phénoménologie et d'une métaphysique de l'espérance" (1942), in *Homo Viator,* 1944, pp.37-91)。
7) 邦訳 85 頁以下 (訳文は適宜改変させていただいた)。
8) 前掲邦訳 86 頁 (同上)。
9) ポッジは「恵まれた知的環境に育ち、高い教養を身に付け、ノアイユ夫人、リルケ、バンダ、ジューヴらとも交際があった。1920 年以降 8 年間、ヴァレリーと熱烈な恋愛関係を持つ。肺結核と闘いつつ科学・哲学、とくにグノーシス思想の研究に打ち込む。詩は生前 1 篇しか発表しなかったが、他の 5 篇と併せて『詩集』が死後出版され、独特の韻律法と神秘的主題が注目を集めた。」(安藤元雄／入沢康夫／渋沢孝輔編『フランス名詩選』岩波書店、1998 年、の紹介文)。
10) 渋沢孝輔訳 (前掲書) 251-253 頁。末尾に原文を掲げる。
11) Michel de Certeau, "Ouverture pour une poétique du corps" in: *Fable mystique,* 1981, pp.407-411.

Life after Death:
One Corner for Religion in Death and Life Studies

by Yoshio TURUOKA

The author of this article, a historian of Western mysticism, describes the unsatisfactory. feeling he has about contemporary issues in bioethics, especially those dealing with terminal care. Almost all such arguments end with the biological death of patients. After that, matters shift to grief care or the mourning work of the bereaved. Is there no room for the issue of life after death? Shouldn't we also take up seriously the question of the continuing existence of the dead person in the study of ethical questions surrounding life and death?

To suggest such a dimension in which speculations on life after death could be meaningfully executed, the author refers in this short essay to Gabriel Marcel's subtle and tenacious philosophical reflections on the nature of hope (*espoir*), and introduces Catherine Pozzi's mystical poem "*Ave.*" The former concerns an apparently irrational but affectively undeniable hope by the bereaved for a reunion with the deceased "thou". The latter expresses an assured hope for a kind of future resurrection of "I" by the grace of the One "I" love. Both, however, seem to require an essentially religious dimension— although not expressed overtly—for the affirmation of life after death. In the author's view religious traditions of the world retain rich resources still remaining to be developed for future arguments of the possibilities for life after death. In such traditions the author argues to have found a proper corner for religion in Death and Life Studies (Thanatology).

東洋英和女学院大学　死生学研究所報告 (2010年度)

§役員
所長：渡辺和子　　人間科学部人間科学科教授
幹事：大林雅之　　人間科学部人間科学科教授
幹事：島　創平　　国際社会学部国際コミュニケーション学科教授
幹事：ミリアム・T. ブラック　　人間科学部保育子ども学科准教授
幹事：山田和夫　　人間科学部人間科学科教授

§〈公開〉連続講座「作品にみる生と死 II」全9回　（第1回以外は本学大学院201教室で開催）

第1回　2010年4月17日（土）15：00 − 16：30　新マーガレット・クレイグ記念講堂
　　　　河野和雄（本学院オルガニスト）「哀しみと喜びの音楽—オルガンとハンドベルによるレクチャーコンサート」

第2回　2010年5月22日（土）16：20 − 17：50
　　　　大井　玄（東京大学名誉教授）「終末期医療医から見た存在と時間」

第3回　2010年6月12日（土）16：20 − 17：50
　　　　福田　周「金子みすゞの作品と生涯にみる生と死—分析心理学の視点から」

第4回　2010年7月10日（土）16：20 − 17：50
　　　　細田あや子（新潟大学人文学部准教授）「『生命の木』のイメージの多様性」

第5回　2010年10月9日（土）16：20 − 17：50
　　　　服部健司「ドラマで考える医療の倫理」

第6回　2010年11月13日（土）16：20 − 17：50
　　　　藤尾　均「医系文学でたどる死生観の変貌—昭和から平成へ」

第7回　2010年12月11日（土）16：20 − 17：50
　　　　川島重成（大妻女子大学比較文化学部教授／国際基督教大学名誉教授）「ホメロスの叙事詩に見る生と死の諸相」

第8回　2011年1月22日（土）16：20 − 17：50
　　　　渡辺和子「ギルガメシュの異界への旅と帰還」

第9回　2011年2月19日（土）16：20 − 17：50
　　　　大林雅之「文化に死生観を探る—小説と映画をめぐって」

§〈公開〉研究会　全7回　（本学大学院201教室）
　第1回　2010年6月12日（土）14：40 － 16：10
　　　　久保田まり（本学人間科学部教授）「愛着外傷の向こう側―抱えつつ、越え
　　　　ていくこと」
　第2回　2010年7月10日（土）14：40 － 16：10
　　　　谷川章雄「墓からみた近世都市江戸の社会―身分・階層の表徴としての墓」
　第3回　2010年10月9日（土）14：40 － 16：10
　　　　遠藤　潤（國學院大學研究開発推進機構准教授）「近世日本のスピリチュア
　　　　リズム―文人の著述にみる」
　第4回　2010年11月13日（土）14：40 － 16：10
　　　　松岡秀明「短歌に現われた結核、そして癌」
　第5回　2010年12月11日（土）14：40 － 16：10
　　　　古川のり子（本学国際社会学部教授）「『もののけ姫』―シシ神の死と再生」
　第6回　2011年1月22日（土）14：40 － 16：10
　　　　ミリアム・T．ブラック "Language Use and Mental Development"（「言
　　　　語使用と精神発達」発表は英語、日本語訳あり）
　第7回　2011年2月19日（土）14：40 － 16：10
　　　　川上祐美（早稲田大学人間総合研究センター客員研究員）「北インドの舞踊
　　　　文化にみる死生観と宗教的調和」

§「生と死」研究会　第9回例会（財団法人国際宗教研究所との共催、本学大学院201教室）
　　　　2010年10月30日（土）14：40 － 17：50
　　　　テーマ：「生と死とその後」
　発題(1)　奥野滋子　緩和医療現場から「妻の死後も対話を続けた男性」
　発題(2)　杉木恒彦　文化人類学／インド宗教史から「インド密教の聖人たちの生と死
　　　　とその後」
　発題(3)　鶴岡賀雄　宗教学から「〈死後の生〉と〈宗教の領分〉」

§研究班の活動
＊大林班：テーマ「日本の文化に示される死生観についての研究―特に小説・映画・演
　　　　劇などサブカルチャーを含む文化に示される死生観をめぐって―」
　(1)　東洋英和女学院大学死生学研究所「日本の文化に示される死生観についての研究」
　　　　プロジェクト（代表：大林雅之）
　　　　・第3回研究会（2010年11月13日、本学大学院402教室）
　　　　大林雅之「小説とカルチュラル・バイオエシックス (Cultural Bioethics)」
　　　　藤尾　均「小説に死生観を探る―歴史学の視点から―」

・第 4 回研究会（2011 年 2 月 22 日、本学大学院 201 教室）

村上陽一郎「生への愛と健康ブーム」

木村利人「日本社会への挑戦と変革―バイオエシックス 30 年の回顧と未来への展望」

(2) 著書（分担執筆）

・大林雅之「第 1 章 生命倫理（バイオエシックス）の発展と医療倫理」、「第 2 章 患者の権利侵害の歴史と生命倫理」箕岡真子編著『生命倫理／医療倫理 医療人としての基礎知識』（日本医療企画、2010 年）所収

(3) 研究発表

・東洋英和女学院大学死生学研究所第 9 回連続講座（2011 年 2 月 19 日）

・M. OBAYASHI, The Possibility of Acceptingf Robotics in Japanese Cultural and Bioethical Contexts. International Conference on Ethics, Law, and Science, Toulouse. March 26, 2011

(4) その他

大林雅之「生命倫理学と死生学の間で」『人間科学研究会―生と死』第 12 号、2011 年（印刷中）

＊坪井班（坪井龍太　本学国際社会学部准教授）：テーマ「平和と人権から考える生命の教育の単元開発研究」

(1) 施設訪問

・関西学院高等部：絵本を使った「生命の教育」について実物資料の見学（2010 年 5 月 1 日）

・ハンセン病資料館：医療政策による人権侵害について資料等の収集（2010 年 9 月 9 日）

・知覧特攻平和会館：平和教育資料収集（2011 年 2 月 3 日）

・水俣病資料館：公害による人権侵害について資料等の収集（2011 年 2 月 4 日）

(2) 学会参加

・日本公民教育学会第 21 回全国研究大会（2010 年 6 月 19 日、京都教育大学）

・全国社会科教育学会第 59 回全国研究大会（2010 年 10 月 30 日－ 31 日、同志社大学）

・日本社会科教育学会第 60 回全国研究大会（2010 年 11 月 13 日－ 14 日、筑波大学）

・日本生命倫理学会第 22 回年次大会（2010 年 11 月 20 日－ 21 日、藤田保健衛生大学）

(3) 生命の教育に関する文献・論文・資料の収集と研究

§会　議
　幹事会 (メール会議)　3回

§研究協力
　死生学研究所が韓国釜山の東義大学人文社会研究所と結んでいる研究協力協定に基づ
　いて、東義大学人文社会研究所紀要に次の論文を寄稿した。
　渡辺和子「〈エサルハドン誓約文書〉にみる法的・宗教的・政治的な意味合い」(日本
　語論文) *The Journal for the Study of Humans and Culture, Institute of Humanities and Social Science* 17, Dong-eui University, 2010, pp.167-199.

§刊行物
　『死生学年報 2011　作品にみる生と死』リトン、2011 年 3 月 31 日発行

執筆者紹介

福田　周　（ふくだ　あまね）　　　本学人間科学部教授

松岡秀明　（まつおか　ひであき）　淑徳大学国際コミュニケーション学部教授

藤尾　均　（ふじお　ひとし）　　　旭川医科大学医学部教授

服部健司　（はっとり　けんじ）　　群馬大学大学院医学系研究科教授

前川美行　（まえかわ　みゆき）　　本学人間科学部准教授

鈴木桂子　（すずき　けいこ）　　　玉川大学非常勤講師／

　　　　　　　　　　　　　　　　　本学生涯学習センター講師

渡辺和子　（わたなべ　かずこ）　　本学人間科学部教授

谷川章雄　（たにがわ　あきお）　　早稲田大学人間科学学術院教授

奥野滋子　（おくの　しげこ）　　　順天堂大学医学部先任准教授／本学

　　　　　　　　　　　　　　　　　大学院人間科学研究科前期博士課程

杉木恒彦　（すぎき　つねひこ）　　早稲田大学高等研究所客員研究員

鶴岡賀雄　（つるおか　よしお）　　東京大学大学院人文社会系研究科教授

編集後記

　当研究所では 2009 年度に引き続いて 2010 年度も「作品にみる生と死」というテーマで公開講座を行いました。この「作品」とは音楽、美術、神話、昔話、文芸、映画、漫画、テレビ番組、DVD 作品、その他のあらゆる作品を指します。二年間にわたってバラエティに富んだ楽しい学びを続けることができました。昨年の『死生学年報 2010　死生観を学ぶ』に続く成果として『死生学年報 2011　作品にみる生と死』をお届けいたします。詩、短歌、小説、ビデオ作品、神話、そして夢の語りに、また発掘された墓に見出される生と死に関する問題をそれぞれの専門的見地から扱った論考をまとめてみますと、改めて死生学の豊かさを思わされます。

　巻末には、「生と死」研究会第 9 回例会（財団法人国際宗教研究所との共催、2010 年 10 月 30 日）としてのシンポジウム「生と死とその後」での発題者三人の論考を掲載いたしました。年一度の公開研究会ですが、今年度は初めてシンポジウム形式で行いました。発題をうけての質疑応答と討論も活発に行われ、「死生学に進歩が見られる」という激励をフロアからいただきました。

　当研究所では当大学と日本財団から研究活動助成をいただき、学内外から講師をお迎えして公開講座を行い、研究成果を『死生学年報』として出版をしています。講師と執筆者の方々、リトンの大石昌孝さん、当研究所事務担当の宮田奈美江さんほか、研究所の活動を手伝ってくださっている在校生と修了生の皆さんにも感謝いたします。

渡　辺　和　子

Annual of
the Institute of Thanatology,
Toyo Eiwa University

Vol. VII, 2011

Life and Death in Stories and Narratives

C O N T E N T S

死生学年報　2011　作品にみる生と死

発行日　2011 年 3 月 31 日

編　者　東洋英和女学院大学 死生学研究所
発行者　大石昌孝
発行所　有限会社リトン
　　　　101-0061　東京都千代田区三崎町 2 -9-5-402
　　　　FAX 03-3238-7638
印刷所　互恵印刷株式会社

ISBN978-4-86376-019-6
　　　©Institute of Thanatology, Toyo Eiwa University <Printed in Japan>